LE CHEF-D'ŒUVRE

DU MÊME AUTEUR

Le Secret, Actes Sud, 2001.

Titre original :
Het Meesterstuk
Editeur original :
Uitgeverij De Arbeiderspers, Amsterdam
© Anna Enquist, 1994.

© ACTES SUD, 1999
pour la traduction française
ISBN 978-2-742-73447-4

ANNA ENQUIST

LE CHEF-D'ŒUVRE

roman traduit du néerlandais
par Nadine Stabile

BABEL

PREMIÈRE PARTIE

Leporello : *"Notte e giorno faticar."*

1

DE LA SERVIABILITÉ

Les poissons rouges ont englouti leur progéniture. Au cours de cet été chaud et sans souffle, ils furent occupés au frai pendant des jours. Le petit à la tête couverte de taches noires traquait inlassablement la grande lambine, heurtant son arrière-train enflé à la rendre folle, jusqu'à ce qu'elle se déleste de ses œufs entre les plantes aquatiques. Il l'avait aspergée du dessus, en un accouplement à distance dans lequel beaucoup d'éléments de l'acte sont bien là, mais distincts les uns des autres : des rituels sans but, une tâche censée s'accomplir dans le cadre de la reproduction dès que la température de l'eau monte et que le vent s'apaise.

Le noir pense-t-il jamais : O chère lambine indolente, avec tes flancs dodus, tu es l'amour de ma vie, je te veux je te veux ? Des œufs, voilà tout ce qu'il veut, il veut semer afin que les ovules fécondés puissent s'accrocher aux plantes aquatiques tels des colliers de perles miniature, dans l'étroit espace des douves de chêne qui forme leur univers.

Lisa est accroupie près du tonneau et regarde. A l'intérieur de ces globules, la division des cellules s'effectue à toute vitesse, jusqu'à ce que les alevins soient assez forts pour se dégager de la membrane visqueuse. Regroupés par dizaines, ils flottent dans l'eau tiède.

Les alevins ne sont pas nourris par le couple parental, qui n'est plus un couple ; ils absorbent seuls, infatigablement, l'eau contenant les aliments invisibles. Ils se nourrissent de l'élément dans lequel ils évoluent comme ils faisaient déjà dans l'œuf. Si par malheur ils s'aventurent dans les eaux de leurs parents, ces derniers ouvrent une gueule béante, une fosse abyssale de la taille d'un canot de pêche, dans laquelle sont aspirés moustiques morts, semences de bouleau et petits poissons. Nonchalamment, la lambine recrache la semence de bouleau.

J'aurais dû les protéger, pense Lisa. La semaine dernière, les alevins pullulaient encore, bestioles transparentes d'un centimètre de long, munies d'un devant et d'un derrière, d'un sens de la marche et d'un noyau foncé. A présent, c'est le calme plat. Nom d'une pipe, si seulement je les avais mis dans le saladier, nourris, élevés en lieu sûr !

En vérité, elle n'en a pas envie. En vérité, cette femme qui a durement appris à admettre que la vie est ce qu'elle est, en grinçant des dents, en dépit de ses désirs, ne souhaite pas avoir la moindre indulgence envers ses poissons rouges. Le matin avant sa journée de travail, et le soir lorsqu'elle se retrouve libre, elle s'assoit toujours un moment auprès du tonneau pour observer, captivée, le cruel univers. Il arrive que, sportive, elle soit prête à laisser aux poissons une nouvelle chance (mais qui aide-t-on, et pourquoi ?) et qu'en cas de gel sévère, par exemple, elle taillade une fente dans la glace à la hache ; mais tout aussi souvent, elle a laissé la glace se former pour qu'au printemps surnagent sans vie les cadavres décolorés. Une fois, un poisson orange vif fut pris dans la glace, on eût dit un presse-papiers de verre ; au printemps, il s'en libéra, remua mollement et gauchement la queue, secoua ses ouïes. Tu vois bien, se dit alors Lisa, qu'on peut survivre dans la glace.

Lisa est psychiatre. Elle habite à une dizaine de kilomètres de la ville, dans un village annexé par les banlieusards. Le matin, elle consulte chez elle ; l'après-midi, elle travaille dans une clinique psychiatrique universitaire. Elle fait cours à des assistants, enseigne aux infirmières et prend une modeste part aux soins des patients. La maison est une ancienne demeure patricienne, carrée, construite symétriquement de chaque côté de la porte d'entrée gris-bleu. Derrière la maison, un verger de pommiers et de pruniers s'étend jusqu'à la rivière. Le tonneau aux poissons est près de la porte de la cuisine.

A l'avant de la maison, sur la gauche, il y a le bureau de Lisa, une pièce munie de grandes fenêtres sur deux façades. Une modeste salle d'attente a été aménagée sous l'escalier, derrière un paravent. Il s'y trouve rarement quelqu'un parce que Lisa prend un quart d'heure entre ses rendez-vous et que les patients venus de la ville préfèrent le plus souvent attendre leur tour dans leur voiture garée le long du trottoir.

Une heure se libère à cause d'un patient malade : c'est l'occasion d'une virée à bicyclette ! Pas un souffle d'air, une douce tiédeur d'été finissant, pas de maudite manœuvre à effectuer près de la clinique. Le plaisir de longer la rivière bordée de pêcheurs postés sous leurs grands parapluies verts, et traverser le parc municipal puis la longue avenue commerçante qui mène à la clinique. Lisa porte un jean de marque et un pull écru encore plus coûteux. Au dernier moment, elle troque ses tennis contre des bottines bleues. Lisa est une belle femme et le reste avec les années. Elle s'habille bien, mais sans ostentation.

Le téléphone sonne au moment où elle saisit sa serviette.

— Hannaston ?

Lisa expérimente diverses manières de répondre. Depuis toujours, elle s'annonce par son prénom, sans réfléchir, en combinaison avec différents patronymes (Blech, Bleeker, encore Blech, Hannaston). Depuis son quarantième anniversaire, elle a décidé qu'il en serait autrement, mais comment faire ? Un homme peut user d'un patronyme, pour lui-même ou pour ses amis, sans passer pour grossier. Pas une femme. "Mme Hannaston", elle trouve cela godiche, "docteur Hannaston", ce serait de l'esbroufe et un "allô" seul est impoli. Elle énonce son nom sur un mode interrogatif, presque en manière d'excuse.

— Lisa, c'est Johan, je suis content que tu sois là, tu ne dois pas soigner tes fous, aujourd'hui ?

— Je m'apprête à partir.

Sur le tableau d'affichage, au-dessus du téléphone, est épinglée une invitation au vernissage de l'exposition de Johan : Johan Steenkamer, huiles, gravures et aquarelles, réception dimanche de quatre à six heures au Musée municipal. Vous êtes priée de l'honorer de votre présence. Tenue de soirée. Tenue de soirée ? Oui, tenue de soirée. Sponsors : Le Fonds national pour les arts plastiques, l'Office national des postes, et la société Niklaas Dissel, négociants en bois…

Une photographie de Johan en semi-profil : nez affilé, lèvres outrancièrement pincées, yeux de quelqu'un qui pense intensivement à soi au moment de la pose. Jeu d'épaules dans un costume sombre, seyant.

— Ecoute, ensuite on ira manger avec la famille. C'est Alma qui insiste. C'est moderne, mais ça doit pouvoir se faire.

12

La famille, c'est d'abord Alma, la mère de Johan, celle qui a pris l'initiative de ce dîner ; puis son frère Oscar ; ses fils Paul et Peter. Zina, l'amie de Johan, en est-elle l'élément moderne ?

— Ellen vient aussi ?

— Alma lui a téléphoné. Elle a dit oui.

Cela doit donc pouvoir se faire, la mère de ses fils et sa nouvelle femme assises à la même table.

— Je viendrai avec plaisir, Johan, dit maintenant Lisa, soucieuse de ne pas laisser son amie seule dans cette situation, et un rien fascinée par les relations familiales complexes.

— Et Lawrence, je voudrais bien l'avoir aussi, il est rentré ?

— Il vient justement de partir. Il sera de retour à la fin de la semaine prochaine, pas avant. Quand l'école reprendra pour les enfants.

— Ah ! vraiment, il ne peut pas me faire ça. J'ai besoin de vous tous. Qu'est-ce qu'il fiche en Angleterre, il a un contrat, ou quoi ?

— Non, pas encore. Il devait éventuellement dessiner un oriel pour l'hôtel de son père. Il fait une simple visite de famille ; les petits-enfants chez papy et mamy. Je dois partir, Johan, merci pour l'invitation.

Ils se séparent.

Au ton de sa voix, Johan paraît encore légèrement froissé.

Quand on pédale, on peut réfléchir à loisir. Pendant la marche, les rêveries et divagations l'emportent, tandis que le minimum d'attention requis par la bicyclette vous ramène à la réalité : de l'action ! Lisa a pris le vélo de Lawrence, au risque d'avoir un sexe en bois après une heure de pédalage, mais avec l'avantage de pouvoir passer des vitesses. Elle lance l'engin, file sur l'asphalte gris entre les gros arbres et enclenche le grand développement. La piste oblique vers la rivière où affleurent des berces en fin de floraison et des grèbes huppés exténués par leurs jeux.

Narcisse ne tarde pas à surgir. Il s'agit bien de ce type qui se pencha au-dessus de l'eau et tomba amoureux de lui-même ? Ici, il n'y verrait goutte, à supposer que les mottes d'herbe irrégulières ne précipitent pas sa bicyclette dans l'eau trouble ! Peu importe, on tombe quand même amoureux de l'image qu'on se fait de soi. Voilà pourquoi Johan fait une moue aussi bizarre sur cette photo : il devance son imagination. Etrange, qu'ils soient amis, Johan et Lawrence. De quoi peuvent-ils bien se parler ?

Lawrence est originaire de York. Ses parents possèdent un grand hôtel sur la côte est de l'Angleterre. D'immenses baies vitrées y donnent vue sur la mer. Les pièces dont les Anglais ont besoin dans leurs villégiatures pour diverses fonctions, *Lounge*, *Dining-Room*, *Tea-Room*, *Morning-Room*, y sont aussi vastes que des stades de football. La récession économique en avait clairsemé les hôtes. Ceux qui avaient continué à venir étaient riches et vieux et le faisaient par habitude. Sur une porte, dans un des couloirs aux allures d'hôpital, il est écrit : *"Emergency Room"*. Là-derrière, dans un placard étroit et profond, est camouflé un brancard. A l'occasion d'un séjour chez ses beaux-parents, Lisa avait assisté au malaise d'un hôte âgé après le dîner (mine cramoisie, écume aux lèvres : Yorkshire pudding) et à son transport précipité, par le cuisinier et le réceptionniste, vers la sortie arrière où l'attendait discrètement l'ambulance appelée par la mère de Lawrence. Dans le *Dining-Room*, il s'était écoulé un moment avant que l'ambiance ne revienne.

Les publicités faites en Amérique n'avaient rapporté que plus de personnes âgées, qui de surcroît voulaient boire du gin dans le *Morning-Room*. L'hôtel menaçait de fermer. La mère de Lawrence envisagea un temps d'en faire un vrai home pour personnes âgées, puis elle y renonça, craignant des répétitions de la scène du brancard.

Papy England, comme le surnomment Kay et Ashley, les enfants de Lisa, trancha le nœud gordien et conclut de nombreux marchés avec des entreprises qui voulaient offrir à leur personnel des vacances ou un week-end reposant. A des tarifs fortement réduits, des groupes nombreux viennent à présent remplir les salles. Ils jouent au minigolf (aménagé sur le terrain de l'hôtel) et font des promenades sur le sentier côtier.

Parfois, à l'occasion de conférences et de séminaires, le *Morning-Room* fait office de salle de réunion. L'installation d'une piscine couverte, avec sauna et salle de gymnastique, est en projet. Lawrence conseillera ses parents à ce sujet. Le brancard y est encore.

Mener la vie d'un enfant d'hôtel. Dormir dans une chambre inoccupée au fond d'un couloir. La mère derrière le bar, le père dans le petit bureau, attelé à la comptabilité, ou derrière le comptoir aux clés accrochées à un navet de bois sur lequel figure *Sea Residence*. Entendre comment le Client, lui qui rythme la vie de l'hôtel, qui est la mesure de toutes choses, se fait traiter de raseur ou de rapiat par vos parents au cours du dîner pris tôt et sur le pouce à la cuisine.

Lawrence partit pour Londres étudier l'architectonique (les lignes, les poids, les matériaux, tout ce qui se calcule) à l'Ecole des beaux-arts. C'est là qu'il rencontra Johan qui y passait un an à peindre grâce à une maigre bourse d'études. A l'issue de cette année-là, le prudent et raisonnable Lawrence s'envola vers les Pays-Bas avec son nouvel ami et s'y installa.

— Tu les as fuis ? demande Lisa. Tu ne supportais pas leurs exigences et leurs attentes, tu étais tellement furieux qu'il a fallu toute une mer entre vous ?

— Mais non. Il y avait du vent, la tempête tout le temps.

— Et ici, alors ? La moitié de l'année, le vent t'arrache les oreilles de la tête, les arbres poussent de travers et même le soir, le vent ne se calme pas ! Et les inondations ?

— Même le vent est une caresse, ici. C'est plat, tu as la vue dégagée. Là-bas, tu es sur les récifs, livré à la tempête. L'eau fouette la terre et la rogne continuellement, jusqu'au jour où tout l'hôtel s'écroulera dans la mer. J'en étais mort de peur, enfant. Ça finira par arriver.

Tout à fait vrai. Et tout à fait absurde, pense-t-elle. Il ne hait pas ses parents, il fuit le vent !

Lisa n'a pas de parents. Son père est mort à la guerre. Pas en héros, non, ce garçon peureux marchait vers le canal de la ville noire après le couvre-feu quand il s'y noya faute d'avoir osé crier. Sa mère, dont la robustesse et le sens des réalités s'émoussèrent sous les persiflages et les brutalités perpétuelles, mourut dans d'atroces douleurs d'un cancer décelé trop tard. C'était il y a quatre ans. Lisa, son enfant unique, s'impliqua modérément. J'ai assisté ma mère dans la mesure du possible, pense-t-elle. Il n'y avait pas grand-chose à faire, et ce qui pouvait se faire n'allait pas sans mal. Lisa ne se leurre pas, sa semaine de travail surchargée et les besoins de ses enfants ont empêché qu'elle n'assiste davantage sa mère mourante. A l'opposé de Lawrence, elle reconnaît les motifs qui l'animent. Elle est capable de se livrer à une introspection et ce qu'elle voit alors, c'est une enfant résolue qui se bat pour son propre intérêt, une égoïste au sale caractère. L'image réfléchie se tourne vers le miroir, l'enfant répond aux attentes de la mère.

Dans ces eaux troubles de l'enfance, Lisa ne se noiera jamais plus. De même qu'elle s'était octroyé de tenir la tête hors de l'eau, de se détourner de sa mère sitôt qu'elle sentirait monter l'attirance instinctive de jadis, elle parvint, au terme de l'horrible maladie, à presser contre sa poitrine la tête d'oiseau grise, à refermer les bras sur le corps endolori et à pleurer de remords sur la vie solitaire et gâchée de cette femme. Au cours du week-end libre de l'infirmière engagée pour la circonstance, Lisa lava le corps de sa mère. Les fesses pendaient tels des sachets ridés. Précautionneusement, elle tamponna les grandes cicatrices qui remplaçaient les seins.

Ce à quoi je me suis abreuvée n'est plus, incinéré au four de l'hôpital. Dans ces bras décharnés, à ces maigres tétons, j'ai dû me sentir bien, j'ai dû trouver mon compte, autrement je ne serais pas là, mais maintenant, la preuve a disparu. A cette source je ne peux pas retourner. Poils gris du pubis sur le sexe dont je suis issue. Je le regarde, je le vois.

Lisa voit une surface de sable ronde, une piste de cirque entourée d'une grille. Par terre, un sable rougeoyant ; les lampes hautes, les projecteurs, diffusent une lumière jaune, chaude. Lisa est assise sur le sable, appuyée contre la grille, et un homme brun, sans visage, s'installe à côté d'elle, pose son bras autour de ses épaules. Maintenant, tout va pour le mieux et rien ne changera plus jamais. Se réveiller en sanglots. Une gorgée d'eau. Un pipi. Retourner l'oreiller. Un nouveau sommeil, sans songes.

Son incapacité à parler d'elle en fait une personne à l'écoute des autres. Les gens de son âge soulagent leur cœur avec elle et lui racontent leurs secrets. Lisa écoute, résume, pose une question circonspecte. Elle aide et reçoit en retour reconnaissance et acceptation. Elle étend cette fonction de soutien au plan physique, pendant les vacances, à l'hôpital. Là aussi, les rôles sont clairement définis et elle n'a pas à se livrer. Là, elle rencontre des professeurs paternels qui ne se doutent pas que la nuit, leur poulain leur grimpe sur les genoux et leur saute dans les bras. Malgré ces restrictions et ces manques, Lisa a gardé sa curiosité grâce à laquelle en fin de compte elle sortira du marais. Tremblant de peur devant ce qu'elle va trouver, mal armée, elle n'en est pas moins passionnée de savoir.

La faille se produira bien un jour, c'est incontournable. Dans sa quatrième année de médecine, par un matin d'hiver pluvieux, son regard croise celui de son professeur de pathologie. Elle ne détourne pas les yeux.

Un long moment, intemporel, leurs regards restent rivés l'un à l'autre. Le dernier mot prononcé résonne dans l'air : sténose mitrale. La longue pause qui s'ensuit donne du poids à ce concept ; les étudiants se penchent sur leurs notes, inscrivent ce mot en majuscules, le soulignent. Les maladies du cœur. Lisa se tient droite et regarde dans les yeux cet homme de quarante-cinq ans.

Elle lui offre un regard dans lequel toute sa passion, tout son désir, se donne à voir sans défense. Pour la première fois de sa vie, elle se rend accessible.

Gerard Bleeker (marié, hypothèque, voilier) poursuit d'une voix enrouée. Il éprouve une sensation légère, suspecte, dans les genoux. Après l'apéritif à la faculté, les baisers, à moitié ivre, entre les manteaux malodorants du vestiaire, avec la secrétaire bonne camarade qui montre son derrière si jovialement quand elle ramasse ses dossiers ; après le dernier cours, le verre de vin acide pris au café du coin avec la seule étudiante intrigante à portée de main cette année-là, une bonne conversation une main sur le genou – tout cela, il connaît et il sait appuyer à temps sur le frein parce qu'il ne veut pas aller plus loin.

La capitulation de Lisa ranime en lui des rêves d'adolescent enfouis et durant un temps le rend fou. Il perd prise sur la réalité, en oublie l'existence des autres dans sa vie et nie la position ridicule dans laquelle il s'est mis. Une demi-année durant, ils partagent une folie bienheureuse. Le printemps venu, Gerard retape son bateau et en fait leur maison, leur nid. Pour ne pas éveiller les soupçons au port d'attache, ils ont rendez-vous en des lieux éloignés ; Lisa fait des voyages compliqués vers Medemblik, vers Hindeloopen. Ils font l'amour sur le pont du bateau, bercés par l'eau. Sur la berge, ils se couchent dans l'herbe, nus sous le soleil brûlant et ils s'aiment jusqu'au soir, ils s'aiment avec toute la concentration requise sans remarquer la présence des bateaux qui passent (bravo ! continuez !) et des vaches curieuses qui se sont approchées.

Le soir, ils mangent du poisson gras au café du port avant de s'endormir dans les bras l'un de l'autre, ensemencés, sous la grand-voile.

Les vacances d'été sont un fiasco. Gerard passe trois semaines avec sa femme sur un alpage où il fait de longues promenades solitaires. Dans sa chambre, Lisa, désespérée, ingurgite la matière de ses partiels qu'elle avait délaissés, et écrit de longues lettres en poste restante, à l'adresse de son amant.

Il n'est pas le premier, pour elle. Il est le premier envers qui elle ressent une pulsion irrésistible et une disponibilité totale. La sensation de son sexe profondément enfoui dans ses entrailles est sa seule et unique raison de vivre. Elle a partagé son lit avec des étudiants sympathiques, par politesse après une conversation intime. Elle s'est offert un pilote rencontré dans un café, par curiosité. La nuit précédant son départ définitif pour les Antilles, elle a couché avec un juriste diplômé de fraîche date, pour lui apprendre.

Ils bénéficient d'un automne doux dans les dunes et les parcs, mais en novembre, quand le bateau sera en cale et que l'épouse se fera méfiante, ce sera la crise. Gerard emménage dans un appartement d'un quartier neuf, il laisse à sa femme la maison et une forte pension alimentaire, par culpabilité. Entre les murs nus des pièces anonymes, il éprouve une liberté nouvelle. Ils dorment sur un matelas à même le sol. Au printemps, quand Lisa a passé sa maîtrise, ils se marient.

Combien de chances une telle passion a-t-elle de se muer en relation ordinaire ? Gerard n'est-il pas le père qui peut nourrir et apaiser les désirs de Lisa ? Lisa, elle, n'est pas la panacée contre la temporalité dans laquelle Gerard pourrait amortir le chagrin de sa première tranche de vie ratée. La vie reprend ses droits. Lisa rentre tout excitée de son internat. L'emploi de Gerard est sans perspective, comme avant. Soudain, vingt années les séparent. Quand elle, débordante d'énergie, voudrait faire l'amour avec lui soir après soir, lui est fatigué, inquiet de ne pas trouver le sommeil. Le week-end, quand Lisa lit des articles et recherche dans ses manuels les maladies qu'elle rencontre à l'hôpital, il déplore la vente de son bateau. La pension alimentaire exclut l'achat d'une maison.

Puis vient le temps où, parmi les auditeurs de Gerard, se trouvent de nouvelles étudiantes intrigantes. Lisa est blessée au vif. Quelque chose en elle se brise qui ne peut plus se réparer, bien que Gerard pleure dans ses bras, bien qu'il lui promette une absolue fidélité jusqu'à la mort et au-delà. Lisa s'effraie de sa froideur et de la déception qu'elle éprouve, elle ne veut pas le reconnaître et fait de son mieux pour surmonter. Elle en a des migraines et des accès inexpliqués de morosité.

Elle se jette sur son travail et passe avec brio son doctorat de médecine. Trois spécialités lui sont proposées en formation. Elle choisit la psychiatrie. Bien qu'elle l'ignore encore, c'est pour elle-même qu'elle fait ce choix.

Gerard veut un enfant. Il a échoué dans son rôle de père de sa femme et se cramponne à des rêves de paternité réelle grâce à quoi, en outre, il se lierait sa femme qui se détache doucement de lui ; il la contraindrait à se pencher sur quelque chose que sa semence aurait produit ; il l'appâterait pour lui faire admettre qu'ils partagent de nouveau quelque chose ensemble. Lisa est ahurie.

— Je ne peux pas, c'est tout.

Non, pense Lisa, je ne te fais pas confiance, c'est comme ça. Je serais bien folle de lier mon avenir à un homme de cinquante ans, bon, disons, presque cinquante. Mais ce n'est même pas ça, c'est encore pire.

— Je ne peux pas être mère. Je ne le peux pas, voilà tout.

Une femme, oui, j'ai appris à l'être avec toi. Baiser dans la mer, du sable et du sel entre les fesses. Nue sous ma robe au bal de la clinique, intensément satisfaite de mon corps, merci bien, merci bien. Mais un enfant qui pousserait dans moi ? Que j'enfle en épaisseur et doive donner l'impression que c'est sympathique, ici ? qu'il en sortirait quelque chose de bon ? Ce bébé, je l'aurais déjà empoisonné avant sa naissance, je tuerais mon enfant avant qu'il vienne à la vie.

Gerard fulmine et hurle. Lisa pleure mais son choix est fait : Jamais.

Quand elle entreprend sa formation de psychiatre, elle a quitté Gerard. Lisa Blech, célibataire, domiciliée à un premier étage de la ville, comme une étudiante aisée. Une méchante dépression la conduit à une analyse, la curiosité qui ne l'a jamais quittée devient sa seule planche de salut. Le désir d'un père, elle peut le garder, mais l'espoir d'un apaisement de ce désir, elle doit y renoncer en fulminant et en mentant désespérément à son psychanalyste.

Son amie Ellen lui fait connaître Lawrence, avec qui elle construit une relation agréable, chaleureuse. Dans la sérénité, ils respectent mutuellement la langue maternelle, la spécialité et les pensées de l'autre. Leurs rapports tendent à être froids mais sont fondés sur une relation solide entre deux personnes qui ont chacune le droit d'être soi-même et n'exigent pas trop l'une de l'autre.

Il va de soi que Lisa devient mère. A son étonnement et à sa joie, une bonne mère. Ils achètent la maison du bord de l'eau. Un jour, Lisa se promène sur la berge à bicyclette, un enfant au guidon, un autre sur le porte-bagages, elle hume l'air parfumé de foin des cheveux de son bambin, sent les menottes de sa fille sur son ventre ; à tue-tête, ils entonnent le chant des trois tambours, qui venaient de l'est, de rom, de rom. La voilà, pense Lisa, la voilà, la vie que je voulais avoir. Elle chante et des larmes lui coulent sur le visage.

*

"Tout n'a qu'un temps, Giesendam", est-il écrit sur la péniche qui glisse à sa hauteur. Dans un parc, sur le pont, un petit garçon fait des allées et venues sur un tracteur en plastique. Il a de la chance, lui, pense Lisa. Le bateau produit des vagues en diagonale, qui viennent battre mollement la rive et font s'enchevêtrer les longues herbes qui se penchent vers l'eau. La rivière est un modèle de clémence. Elle achemine doucement vers la mer les plus étranges pensionnaires, elle rince tout ce qui voudrait pousser en elle et sa capacité d'absorption des saletés toxiques ne connaît pas de bornes.

Lisa met le cap vers la ville. La rue commerçante ; croiser les rails du tramway à gauche, à droite ; se faufiler entre les voitures garées en double file ; passer sous le portique sans mettre pied à terre, en direction du hangar à vélos de la clinique où Bertus-qui-n'a-qu'une-dent attend les bicyclettes. Elle passe la jambe par-dessus la barre et la selle et détache son sac du porte-bagages. Bertus surgit tel un fantôme.

Belle bécane, doc'eur, elle est chûr'ment à voch' mari ! Il se glisse vers le fond du hangar avec le vélo, entre deux doubles rangées de râteliers en bois.

Lisa ne voit rien, ses yeux sont encore habitués au plein jour. Elle n'en hume que mieux les odeurs de pétrole, de fer, de tabac brun, de vieil homme. De la logette émanent les sons de la radio, un duo en tierces : "Roses, pépites de chocolat au rhum et vin rouge…"

Lisa s'élance sur le perron, pousse la lourde porte de verre et tambourine en cadence des talons sur le sol de marbre du hall, avec la tentation de s'octroyer un tour de plus. Au fond, un double escalier mène à l'étage où, à droite et à gauche, l'unité fermée de l'établissement se cache derrière des portes closes.

Le rez-de-chaussée abrite à gauche les bureaux de l'administration et à droite le petit amphithéâtre décrépit qui fait office d'église le dimanche et de salle de conférences en semaine. Lorsque Lisa ouvre les portes, elle est comme toujours désagréablement émue par le vitrail de la fenêtre surélevée, au fond de la salle : Jésus est là debout, encerclé d'épais lacets de réglisse. Il a les yeux hagards et porte gauchement un agneau contre son ventre. Les longues pattes pendent raides.

Lisa va s'asseoir derrière l'autel, le dos tourné à l'effigie du berger. La lumière du soleil projette des taches bleues et jaunes sur ses notes de cours. Les futurs psychiatres entrent par petits groupes. C'est leur après-midi de cours hebdomadaire. Seize personnes parmi lesquelles quatre femmes, un Noir, et probablement deux homosexuels. Ils ont tous autour de la trentaine, sont épuisés par leur semaine chargée dans diverses cliniques régionales où ils effectuent leur internat, et embarrassés par le caractère équivoque de leur situation. Dans les hôpitaux où ils sont employés, ils ont la responsabilité de leurs patients. Ils sont confrontés à des suicides épouvantables, à l'agression violente et à des circonstances sociales qui rendent impuissant. Durant leurs supervisions et leurs heures de cours, ces gens doivent se comporter comme des élèves, ils se font interroger et réprimander. L'inquiétude de l'interrogation ressort durant ces après-midi de cours : on rouspète, dénigre, jase, et surtout on se plaint beaucoup. Pour ne pas devenir la cible, l'enseignant joue la prudence et quand c'est possible, essaie de ne pas prendre parti.

Les internes de la maison entrent les derniers : une solide lesbienne qui recouvre son manque d'assurance de beaucoup d'énergie et avec laquelle elle a le plus grand mal, à la supervision ; un homme maigre, un peu blanc-bec, au visage avenant, auquel Lisa est très attachée.

Lisa est un camelot sur le marché. Elle étale ses marchandises bien en vue, puis débite son boniment en jouant sur la personne. Tout le monde s'intéresse à soi, à condition de ne pas être trop exposé ; des gens qui ont choisi cette matière, sûrement, et qui sont tous en analyse didactique. Le tout est d'opérer avec prudence ; lorsque ses étudiants se sentent trop concernés, ils jouent les gouailleurs et les trublions, Lisa le supporte difficilement.

Le narcissisme, au programme aujourd'hui, est un sujet sensible. Elle parcourt la salle du regard : celui-là, celui-là, peut-être elle ? Suit un silence qu'elle laisse enfler aussi loin que possible.

Elle ouvre la bouche, et les phrases suivent d'elles-mêmes les idées qu'elle développe. La pensée les précède d'une fraction de seconde. Sur sa feuille ne figurent que les points clés.

Toujours à la recherche d'affirmation de soi, la soif d'admiration est un puits sans fond. Là le garçon au joli minois se raidit. Les partenaires, les amis sont utilisés comme *need-satisfying objects*, poursuit-elle, des objets à satisfaire les besoins, comme des machines servant à assouvir le besoin d'amour. S'ils ne remplissent pas leur fonction, cela donne une personnalité narcissique dans sa fureur primitive. C'est la "rage narcissique".

Le garçon a baissé la tête sur ses notes. Lisa passe aux aspects sains du narcissisme, elle explique la nécessité de l'amour de soi, nuance, signale les rapports avec la génétique et échange des regards éloquents avec son étudiant mortifié. Elle en remet : la peur des liens, l'incapacité de se livrer véritablement à autrui en raison de la blessure originelle. Et le charme du narcissique : lorsqu'ils ont besoin de vous pour rehausser leur amour-propre, cela peut donner lieu à une brillante soirée… et au sentiment de soulagement de ne pas être enchaîné à quelqu'un de ce genre.

Je parle de Johan, pense soudain Lisa et, effrayée, elle tombe un moment silencieuse.

— Quel lien y a-t-il du narcissisme au complexe d'Œdipe ? demande un type blond à l'allure stricte, en veston de velours.

O Jésus, le revoilà, celui-là. Lisa est prise au dépourvu, elle doit se ressaisir. Qu'est-ce que j'en sais, moi, du complexe d'Œdipe, du narcissisme, de quoi s'agit-il, qu'est-ce qu'on fiche ici ? Qu'est-ce qu'il me veut, ce type ?

La pensée de Johan l'aide à revenir sur les rails.

— Celui qui ose rivaliser avec son père d'une manière saine et peut s'allier sa mère, celui-là a déjà une base solide de respect de soi, ce n'est plus un puits sans fond. Le vrai narcissique a déjà eu passablement de défaillances et de blessures, il a peut-être été traumatisé dans une phase antérieure, de sorte qu'il ne pourra jamais mener harmonieusement à terme le thème de l'Œdipe. Il éprouve un besoin de son père de première nécessité pour combler ce puits et en même temps, il est si furieux qu'il est difficile à manier à cause de ces manques.

Comme c'est étrange que je parle aussi froidement d'une chose aussi horrible. Johan en garçonnet de quatre ans ne comprenant pas que son père soit parti pour ne jamais revenir. Faisant chaque jour un dessin pour lui avec lequel Alma allumait le feu, le soir.

Maintenant, la lesbienne costaude se met à remuer : sombres conneries et blabla de prophète, à quoi ça leur sert, qu'est-ce qui prouve que les gens sont faits de cette façon ?

— Rien, dit Lisa. Peu de chose, en tout cas. Il s'agit d'une théorie toute faite qui permet d'approfondir la question commodément, qui vous sert à comprendre les gens pour vous comprendre vous-même. Mais c'est une construction de l'esprit, on ne peut pas donner à voir le surmoi ou les pulsions. Nous n'avons que des perceptions et des pensées. Le fait que nous les abritions sous des en-têtes tels que "libido" ou "conscience" est un artifice. On pourrait prendre une autre théorie, insérer les pensées des gens dans une autre construction. Cela s'est fait, pendant des siècles : autrefois, vos patients étaient des possédés du diable. C'est ainsi qu'on le voyait à l'époque, et pourquoi pas ?

Bon, ouf, ça c'est envoyé. La fille costaude est abasourdie, le blond sévère a éclaté de rire, le reste de la classe a l'air perplexe. Le bon berger, qui n'a pas encore laissé tomber le mouton, a les yeux baissés sur la classe. C'est le bon moment pour conclure.

Dans le coin fumeurs, près de la machine à café, Lisa rencontre Daniel, chef de clinique. Ses cheveux roux se dressent en tous sens : une salopette de jardinier et une barbe lui siéraient mieux. Heureusement, il est habillé en monsieur Tout-le-monde. Il fume un gros cigare avec lequel il se met à gesticuler dès qu'il aperçoit Lisa. Un terroriste muni d'une bombe, un agitateur avec bannière sur les barricades. Daniel souffre d'enthousiasme et de crédulité. C'est un fanatique monteur de projets, il a pratiqué la thérapie de groupe bien avant que quiconque n'en ait entendu parler. Son dernier projet concernait la course à pied pour mélancoliques : il menait au terrain de sport, en braillant, un groupe d'hommes blafards aux jambes poilues, pieds nus dans leurs chaussures de tennis.

— Et ça aide ! Ça aide !

— Tout aide, Daniel. Tu te souviens de cette usine en Amérique, où on s'était mis à faire des expérimentations sur les conditions de travail ? Qu'il y ait une lumière crue ou l'obscurité totale, une température agréable ou qu'il fasse un froid glacial, la production continuait toujours de monter.

— Ça devait être une erreur de mesure, non ?

— Les ouvriers prenaient plaisir à ce qu'il y ait toujours une paire de messieurs intéressés qui leur tournaient autour. L'expérimentation terminée, la production avait chuté.

— Que veux-tu dire ?

— Que moi aussi, j'en oublierais ma dépression pour un temps si un excité tournait autour de moi en galopant et en hurlant.

— Oh ! J'ai imaginé quelque chose : tout doit changer.

Lisa ne peut réprimer un rire et Daniel rit aussi. Assis sur de tristes chaises de rotin, ils boivent un amer café soluble dans des gobelets en plastique, dans ce bâtiment plein de personnes en détresse. Tout doit changer. Les gens comme Daniel deviennent inventifs dans leur impuissance.

— Le temps, Lisa, songe au temps !

Lisa jette un regard furtif sur la montre glissée dans un compartiment latéral de son sac ouvert, comme si son collègue la sommait de surveiller son horaire. Mais il a d'autres desseins. Tel un prophète, il pointe son cigare en direction de la grosse horloge accrochée au-dessus du distributeur à café. Trois heures et demie.

— Tous les gens sont comprimés dans un corset identique de minutes et d'heures, essaie de concevoir ce que ça signifie ! Jeunes ou vieux, petits ou grands, avec un métabolisme bas ou élevé, un rythme cardiaque lent ou rapide, été comme hiver, pendant leur travail ou pendant les vacances, toujours le même tempo de ces aiguilles. Y a de quoi devenir fou, non ?

Daniel a bondi et il fait les cent pas sur le linoléum. Tout est temporaire, pense Lisa. Giesendam. La rivière. Chasser le temps. Plus jamais de guerre.

Daniel continue de pérorer. Il est inspiré. Son cigare s'est éteint mais le feu couve en lui.

— L'ennui ! La restriction ! Quand ton propre rythme est plus rapide que cette satanée horloge et que tu dois toujours attendre, toujours te contenir : hypertension, chère collègue, infarctus cérébral.

Lisa voit devant elle un cheval sauvage qui se laisse brider en s'ébrouant. Peut-être bien un sentiment de sécurité ?

— Si tu cours après la montre, tu manqueras toujours de temps, tout court et toi, tu traînes les pieds derrière… Arriver toujours trop tard pour pouvoir garder une bonne vision des choses, c'est désespérant. Alors, qu'est-ce qui vous arrive ? La dépression, chère madame, et qui risque fort de vous être fatale, par-dessus le marché. Je vais bientôt pouvoir le vérifier, les plans sont prêts !

C'est dans des pièces insonorisées, sans contact avec la lumière du jour, que Daniel enfermera ses patients. Sans aucun lien avec le monde extérieur : lorsqu'un patient appelle chez lui, il ne faut pas qu'il entende au téléphone un interlocuteur bayant aux corneilles, sur fond sonore des nouvelles télévisées.

— Un étudiant sera affecté nuit et jour à la centrale. Il aura reçu un entraînement à la sérénité. Il devra apporter café, repas et que sais-je encore, à la demande.

Le patient pourra enfin vivre à son rythme. Des conditions affranchies du temps le guériront, Lisa, des conditions affranchies du temps !

Il a raison, en un certain sens. Le temps est un tyran qui taillade mon visage de son couteau, qui m'enlèvera tout ce qui m'est cher : ma faculté de voir, de penser, de marcher. Il m'arrache mes enfants, anéantit mes amis. Il me tuera.

— Quand il n'y a pas de temps du tout, les gens peuvent-ils lutter ?

— Tu réfléchis trop à ce que ressentent les gens. Regarde la machine ! La machine a perdu la cadence, ça n'a rien à voir avec le chagrin ou la protestation. La roue dentée ne passe pas dans la chaîne. Dans mes cryptes souterraines atemporelles, la machine est huilée et révisée. Tu verras ! Dis, tu le connais, toi, Steenkamer, le peintre ?

Lisa veut partir, elle doit aller au département, ensuite elle a une supervision.

— Il a été marié avec mon amie, ils sont séparés depuis des années mais j'ai encore des contacts avec lui. Pourquoi ?

— Je me demandais si cet homme allait bien dans sa tête. Tout un article de lui, ce matin, dans le journal, contre la peinture figurative, disant que c'était un signe de faiblesse, et cetera. Lui qui peint des toiles magnifiques, qui veulent vraiment dire quelque chose ! Cette série de gravures sur le temps, d'où m'est venue mon idée : grandiose, souverain ! Pour ensuite casser le nez à son œuvre, comment est-ce possible ?

— Je crois que tu fais erreur.

Lisa soupire et se lève.

— Il a un frère aîné, Oscar, un historien de l'art. Il travaille au Musée national et écrit des articles, de temps en temps. Ça devait être lui. Tu l'as encore, ce journal ?

Daniel fouille dans son sac en toile et retrouve les pages froissées de la rubrique artistique. Sous l'article en pleine page, on peut lire : O. Steenkamer.

Il fallut des années avant que Lisa ne découvre l'existence du frère de Johan. Cet homme qui prend tellement plaisir à parler de lui et des siens, d'une façon si distrayante, avait tu l'existence de son unique frère. Elle en comprit le véritable pourquoi lorsqu'elle eut affaire à eux deux pour la première fois, à l'occasion d'un repas chez Alma. Six personnes réunies autour de la table ovale dans la sombre salle à manger de vieille dame : Alma, fière et droite, préside, et déjà en ce temps-là, sa canne est appuyée à sa chaise ; à sa droite, Johan, Ellen à côté de lui ; à sa gauche, Oscar puis Lawrence. Lisa est assise en face d'Alma. Où sont les enfants ? Vraisemblablement à la maison avec la nourrice. Le repas est répugnant : soupe en boîte, roulades brûlées et pourtant mal cuites, accompagnées de purée en flocons et de petits pois surgelés ; le dessert n'a pas été servi. Alma met un point d'honneur à ne pas savoir cuisiner : pour la préparation des repas et pendant le service, elle est lente et distraite. Une fois tout le monde assis, une heure plus tard que prévu, il faut toujours que des gens se lèvent pour aller chercher le sel, quelques couteaux ou une louche. La cuisine est un chaos fumeux. Pour les jeunes enfants, c'est affreux d'attendre longtemps sans rien dans son assiette. La querelle avait dû éclater à propos des enfants : Johan ne voulait-il pas emmener Ellen à Bruxelles quelques jours, à l'occasion d'une exposition, et laisser les enfants chez Alma ?

— Ça tombe particulièrement mal pour moi, Johan. Cette semaine-là, je vais passer trois jours à Bergen, ma visite annuelle à tante Janna, comme tu sais ; non, ce n'est pas de chance, vraiment.

— Il suffit que tu annules, non ? J'aimerais tellement emmener Ellen. Et les enfants se plaisent ici. Tu peux les nourrir chez McDonald's si tu ne veux pas faire la cuisine, non ? C'est en semaine, ils sont à l'école ; il n'y a qu'à les accompagner à l'école et aller les chercher.

Ellen intervient :

— Je pense que nous ne pouvons pas demander à Alma de faire quatre fois par jour les allers et retours à l'école. Non, si ce n'est pas possible, je resterai à la maison.

Johan explose :

— Nous ne demandons rien. Reste en dehors, toi ! Je peux bien demander un service à ma mère, merde, sans que tout le monde s'en mêle ?

Lisa, de sa place stratégique, voit à sa surprise qu'Alma se retrouve dans son élément. Ses joues se colorent, ses yeux s'animent, elle observe son puîné clabauder contre sa femme.

— Janna serait déçue, Johan, et moi aussi, je tiens beaucoup à une vie réglée. Je vous ai élevés, Oscar et toi, j'ai été entièrement seule pour le faire, comme tu sais.

Alma prend une petite pause.

— Maintenant que vous êtes adultes, je veux ma tranquillité. J'ai assez dropé et trimé. Je suis folle des enfants, mais c'est trop pour moi. Le vendredi, j'ai déjà Oscar à déjeuner. Tu devrais parfois prendre mon âge en considération, vraiment !

— Oscar, Oscar, qu'a-t-il à voir là-dedans ? Il suffit qu'il ne vienne pas, pour une fois, c'est si grave ? Pourquoi est-ce qu'Oscar passe toujours avant et qu'il ne te reste plus rien pour moi ? Vous deux, l'aveugle et la paralytique, vous passez tous vos vendredis à cancaner, à vous raconter des salades.

— Assez, Johan !

Alma rugit, mais elle y prend plaisir, constate Lisa. Johan a bondi, sa serviette est tombée par terre, il arpente l'étroit espace qui sépare sa chaise de la porte. Maintenant, un bruit s'échappe d'Oscar comme d'une conduite d'eau qui serait restée longtemps hors d'usage. Jusque-là, il a assisté à la scène le visage livide, ses gros verres de lunettes recourbés au-dessus de son assiette. Il lève les yeux vers son frère. Ses lèvres tremblent.

— C'est plutôt facile de se moquer des désagréments physiques de quelqu'un d'autre. D'autre part, je ne comprends pas pourquoi tu te soucies de mes rendez-vous avec maman. Tu as ta famille, tu es marié et tu as ton art. Tu as tout et tu veux encore semer l'inquiétude dans nos vies. J'ai envie de te dire : Fiche-nous la paix.

Oscar tremble. Il regarde ses mains et les pose de chaque côté de son assiette. Ellen essaie de capter l'attention de Johan ; s'il allait se rasseoir, cela pourrait peut-être encore sauver la situation, il y aurait encore de la terre à jeter sur le feu, par exemple par Lawrence et Lisa, qui se tiennent prêts, tels des pompiers avec leurs pelles. Mais Johan ne se laisse pas apprivoiser. Il se perd dans une argumentation furieuse : Oscar complote contre lui avec Alma, Oscar ne peut pas le voir (et pour cause, pense Lisa, le pauvre diable, il n'y peut rien) et il est jaloux de son talent.

— Et ça rouspète, et ça encule les mouches dans son laboratoire. Et ça n'ose même pas toucher un pinceau du doigt. Promu docteur ! Docteur ès quoi, déjà ? Combien de poils avait Frans Hals à son pinceau ? Des biopsies qu'il a prélevées, monsieur le docteur, dans la couche de peinture, passer l'art au microscope, c'est la seule chose que tu saches faire. Ne rien entreprendre, mais en remontrer sur tout. Allez vous faire foutre ! Crève avec tes échantillons de peinture, avec tes reniflements du vendredi derrière ton verre de porto ! Je me tire !

Le spectacle est superbe. Johan quitte la pièce d'un élégant adieu de la porte, qui soulève la nappe. Du couloir leur parvient le clic-clac résolu de ses hautes bottes noires qu'Ellen a astiquées cet après-midi encore. A table, c'est le silence jusqu'après le deuxième claquement de porte.

Lisa se l'imagine-t-elle ou Alma est-elle en train de s'effondrer ? Oscar pose sa main sur la sienne, elle s'en dégage d'un mouvement vif. Finalement, elle s'adresse au public.

— Veuillez nous excuser, nous avons du tempérament dans la famille. Les garçons ont toujours eu du mal à s'entendre, tellement de jalousie, si peu de plaisir. Je suis contente, Ellen, que ce soit si différent entre Peter et Paul. J'ai fait de mon mieux, mais comme je l'ai dit, j'ai été seule. Maintenant, il me semble préférable de suspendre ce dîner. J'ai besoin de me retirer. Oscar, tu veux rester un peu ?

Alma se dresse, telle une reine de la nuit ; mince et digne, elle prend appui sur sa canne. Lisa et Lawrence s'empressent de prendre congé (peut-on remercier en y mettant les formes, pour un tel repas ?) et ils reconduisent Ellen chez elle, où Johan en est déjà au whisky.

Ont-ils alors tous quatre mangé des tartines au saumon fumé et parlé jusque tard dans la nuit ? Johan, content de s'être soustrait aux tenailles de sa mère et soulagé par sa sortie furieuse, ne renâclait à rien.

A cette époque, leurs conversations portaient sur leur vie, leur travail, leurs projets. Le frère tremblotant aux épais binocles n'y avait pas sa place.

*

Vers les six heures, Lisa parcourt à bicyclette la rue qui s'éveille à la vie. Les maisons et les pavés exhalent une chaleur qu'aucun vent ne dissipe. Les gens se prélassent aux terrasses, ou bien ils ont chargé le trottoir de chaises, de banquettes d'automobile, retenant l'été de toutes leurs forces. Aux arbres, le feuillage a jauni mais on boit encore sa bière dehors.

Le restaurant où Lisa et Ellen se sont donné rendez-vous possède une terrasse flottante. Lisa enchaîne son vélo au parapet d'un pont, puis traverse le local animé. L'eau sent l'eau. C'est curieux comme il est difficile de décrire une odeur. On y décèle un peu de fer, mais aussi un fumet de roses sauvages ; ou bien tout cela vient-il seulement de ce que l'on dilate ses narines comme pour respirer une fleur ? Lisa se penche par-dessus le parapet et hume, elle sent la fraîcheur qui remonte de l'eau jusqu'à son visage brûlant et se réjouit. Elle a envie de manger et envie de voir Ellen. Elle cherche une table sur un coin du caillebotis, tout au bord de l'eau, et commande une bouteille de vin blanc au garçon qui a surgi, un étudiant affublé d'un grand tablier blanc d'où dépasse un petit derrière moulé dans un jean, et qui lui donne ironiquement du "madame".

Un vin d'été, sec et fruité. Le garçon plonge la bouteille embuée dans un seau à glace et fait un timide signe du menton à Lisa quand elle lève son verre.

Il pense que je suis une femme seule et que je vais me soûler parce que je suis assise ici, mon sac posé sur l'autre chaise. Trouve-t-il cela triste ? Il n'en a sûrement rien à faire ; que pense un garçon comme lui des femmes de plus de quarante ans ? Rien, ou alors ce sont de vagues souvenirs maternels.

Lisa observe les gens qui paraissent sur la terrasse. Des couples mariés, des touristes, un petit groupe d'hommes bien habillés avec des attachés-cases, une famille aux enfants joyeux.

J'ai une autonomie de façade. Comment est-ce de vivre toujours seule ? Tel que vécu en ce moment, c'est merveilleux. Seule à la maison, sans être dérangée ni irritée par les bruits des autres, suivre mon propre emploi du temps, ne jamais faire la cuisine, seule dans mon lit où je peux fumer et lire aussi longtemps que je veux.

Elle craint que son heureuse solitude soit due à un artifice, que la sécurité de sa famille, la certitude de ces liens lui rendent possible la jouissance de la liberté. Mue d'un haussement d'épaules involontaire, elle se souvient comme elle s'était sentie intensément bouleversée après son divorce, comme elle était persuadée de ne pas pouvoir rester seule.

J'ai pourtant vécu seule, je l'ai fait. Je m'obligeais à rester chez moi le soir sans appeler personne. Je tissais des rendez-vous le week-end et faisais des projets pour mes jours de congé. Mais j'avais mon analyse, il y avait toujours une oreille, toujours quelqu'un qui accordait de l'importance à ce que je pensais. Jésus, que je suis dubitative.

Encore un peu de vin. Réfléchis. Où est le problème ? L'aéroport il y a quelques jours seulement. L'adieu de Lawrence, se blottir un moment dans ses bras, les enfants déchaînés autour d'eux.

— Tu me téléphones quand vous arrivez ? Ne tombez pas des récifs, saluez bien papy et mamy. Ne t'échine pas au travail, là-bas, laisse un peu ta mère s'occuper des enfants et va voir tes amis, tu le feras ?

Kay et Ashley, surexcités, tous deux chargés d'un sac à dos plein de gâteries :

— Maman, tu n'oublieras pas les poissons ? On va jouer au golf avec papy ! On y va, maintenant, on y va, à l'avion ?

Elle embrasse ses enfants. Elle voit ce qu'elle a de plus cher disparaître derrière le guichet d'enregistrement, ils se retournent, font un dernier geste de la main puis se précipitent en direction des boutiques, vers le tapis roulant du grand hall de départ.

Sous les pieds de Lisa aussi, le sol bouge, elle a subitement un voile noir devant les yeux mais se ressaisit vite. Il est tout aussi vrai de dire qu'elle se dirige d'un pas fier vers le parking souterrain et qu'elle conduit la voiture avec ardeur à travers la circulation. Seule. A son rythme.

Ellen, elle, est vraiment seule. Elle a divorcé de Johan il y a dix ans et depuis, elle habite à un étage du centre-ville, une terrasse sur le toit y tient lieu de jardin. Au début, les jumeaux vivaient encore avec elle, Peter et Paul avaient seize ans, ils avaient redoublé leur classe. A dix-neuf ans, ils avaient quitté la maison. Ellen a laissé leur chambre telle quelle ; les garçons viennent souvent à la maison. Lisa est-elle jalouse de son amie ? Une admiration envieuse, voilà ce qu'elle ressent. Et de la curiosité : comment Ellen s'y prend-elle, au fait ?

Entre-temps, la terrasse en caillebotis s'est remplie de monde. Une compagnie de joyeux lurons déjà passablement éméchés arrivent par barque ; ils s'amarrent à côté des clients attablés et le garçon-étudiant les aide à mettre pied à terre sous les éclats de rire. Lisa regarde la scène, si bien qu'elle ne voit Ellen que lorsque celle-ci enlève son sac de la chaise.

Rencontrer son amie de cœur, dans quelques conditions que ce soit, a toujours un côté apaisant ; maintenant ça va ; cela existera toujours ; sois tranquille. Elles se lèvent et se regardent l'une l'autre, la blonde et la grise. Ellen est devenue entièrement grise l'année de son divorce. Cela lui sied à merveille.

— Pardon, je suis en retard. Je ne réussissais pas à partir. Tu attends depuis longtemps ?

— Le temps de deux verres. C'était très agréable, plein de choses à voir, assise confortablement.

Propos futiles, radotage. C'est ce que j'aime. Embrassades. Ce que tu as bonne mine ! C'est merveilleux que le soir soit tombé. Toi aussi, tu as une grosse faim ?

Ellen porte une belle veste en lin :

— Ça se froisse comme c'est pas croyable, mais c'est le chic, ça se porte comme ça, il paraît. Très très cher, une plume sur le corps, toujours de mise.

Elle a posé le sac de Lisa par terre, le sien à côté. Le garçon vient apporter la carte, Lisa sert le vin ; une bouffée de gambas grillées parvient sur la terrasse, le soleil a disparu derrière les maisons.

— Tu as des nouvelles de Lawrence ? Ça fait du bien d'être un peu seule ?

— Je crois que oui, jusqu'à maintenant, c'est bien. Je pensais juste à toi avant que tu n'arrives, et à ce que tu pensais, toi, d'être seule tout le temps.

Ellen boit une gorgée, allume une cigarette, scrute son amie du regard et réfléchit.

— Ça va. Il a fallu s'habituer. A la maison, nous étions si affreusement nombreux, c'était toujours un chahut du diable, ça criait tout le temps et on mangeait dans des gamelles aussi grandes que des baignoires pour bébés. Les années avec Johan n'ont pas été particulièrement calmes non plus mais je ne savais pas ce que je ratais, voilà tout. Je ne connaissais pas ça, une situation où personne ne te crie après ou ne te détourne constamment de tes occupations. J'ai découvert que j'aimais bien. Aujourd'hui, je peux très bien rester assise. Simplement assise sur le toit, sans rien faire. Je ne sais pas comment ce serait si je n'avais pas un job agréable. Ces études ont été une bénédiction pour moi. Elles m'occupaient assez quand les garçons ont quitté la maison, ça compte aussi.

Lisa admire Ellen qui, parvenue à l'âge mûr, s'est mise à étudier la sociologie et qui, parmi les étudiants ayant achevé leurs études avec elle, est l'une des rares diplômées à avoir décroché un emploi. Elle a terminé en beauté sa recherche sur l'aide aux cas désespérés, une étude comparée à propos des équipements municipaux mis à la disposition des vieillards, des clochards et sans-abri et des débiles mentaux. Cette solide maîtrise, rédigée dans une langue de ménagère, elle l'a adressée au maire en personne. La semaine suivante, elle occupait une fonction au "Groupe municipal d'action politique pour les équipements de bien-être". Cela sonne vague, mais c'est passionnant. Ellen distribue le budget, elle a une voix importante dans la planification des nouveaux équipements et elle contrôle l'utilisation des sommes dispensées. Visite à l'accueil des clochards, conférences avec l'office de soins à domicile pour les vieillards, après-midi hilares chez les débiles mentaux. Et puis ne pas avoir elle-même à soigner et à s'échiner : elle dit ce qu'il faut faire et d'autres exécutent. Quand cela fonctionne.

Salade de flétan fumé aux pignons de pin et à la frisée rouge. Sur le beurre perlent quelques gouttelettes d'eau ; le pain est parfait.

Après le flétan, c'est la pause cigarette, jambes allongées, avec vue sur l'eau où scintillent les lanternes qui viennent de s'allumer.

— Et tes amours ? demande Lisa. Tu le vois encore ?

Ellen chante dans une bonne chorale qui a donné un concert l'hiver dernier à la grande église, accompagnée par un orchestre engagé pour l'occasion. Ils ont exécuté avec conviction le Requiem de Brahms ; une soprane pure, émouvante, chantait l'aria de consolation et la basse était franchement étourdissante. Le soliste avait une voix qui prenait au ventre, et qui émut Ellen autant que Lisa, les paroles faisant le reste :

> *Herr, lehre doch mich*
> *dass ein Ende mit mir haben muss,*
> *dass mein Leben ein Ziel hat,*
> *und ich davon muss,*
> *und ich davon muss*.*

---

* "Seigneur, apprends-moi / Qu'il doit y avoir une fin à ma vie, / Que ma vie a une destination, / Et que je dois périr, / Et que je dois périr." (N.d.T.)

L'homme corpulent, robuste, qui chantait ces paroles semblait savoir de quoi il parlait. Lisa pleura sans gêne, Ellen eut le coup de foudre.

— Ça sonne pourtant faux en allemand, dit Lisa qui avait en tête le thème de la temporalité, tu penses à un but mais ce n'est pas ça, cela signifie un terme, un point de non-retour.

— "Pour Toi, mes jours se comptent sur les doigts de la main", dit Ellen, Dieu que ça m'a tailladée, à l'intérieur. Ça m'a aidée aussi, et grâce à ce texte, je me suis dit : Agis ! Bientôt tu seras morte, ou lui. Nous étions la nuit même allongés côte à côte. Sais-tu que j'ai eu des remords vis-à-vis de Johan, même après toutes ces années ?

Saumon grillé à l'aneth, pommes vapeur. Une autre bouteille. Musique douce au-dessus de l'eau, un quatuor de Mozart.

Le doux chanteur d'Ellen est marié et vit des hauts et des bas de mésentente et de réconciliation avec son épouse. Des enfants, il en a aussi, heureusement déjà grands.

— Sais-tu qu'il a chanté dans cet opéra dont Johan avait fait le décor, à l'époque ? Johan le connaissait de longue date avant que je ne le rencontre.

Le garçon du restaurant vient demander si tout va bien, les joyeux marins remontent à bord de leur embarcation, larguent les amarres et s'éloignent lentement de la terrasse, emportant avec eux des bruits de fête.

— S'il n'était pas marié, tu irais vivre avec lui ? C'est si grave qu'il en ait une autre, qu'il s'en aille à chaque fois ?

— Il n'y a pas longtemps, il a habité à la maison pendant un mois. Il s'était disputé chez lui. Pour être franche, j'ai apprécié moyennement. C'était merveilleux, le dimanche matin, le café au lit et toute une journée devant soi. Mais les emmerdements, Lisa, les emmerdements ! Son mariage, sa carrière, sa paternité. En un clin d'œil, tu te retrouves à soutenir et apaiser. Si nous avions chacun notre vie, il y aurait plus d'équité. A croire que les hommes deviennent gâteux avec le mariage.

— Une femme aussi, je pense. Tu deviens dépendante, tu renonces à des choses. Lawrence s'occupe de ma voiture. Et de la poubelle.

— Je recommençais à repasser des chemises. Et lui, assis au salon, sa superbe tête pleine de cheveux entre les mains, qui se lamentait sur son mariage raté. J'ai vu rouge, je n'avais aucune envie de ça. Le plaisir de pouvoir me ficher de lui avec ses chemises et ses vocalises ! Mais je l'ai vite regretté, tu sais ; le week-end suivant, je suis allée à un concert qu'il donnait, et c'était de nouveau comme avant. Seulement le week-end, quand c'était possible, et sinon plutôt pas. Je devenais folle, aussi, avec son rythme de travail ; il rentrait tard dans la nuit, excité, après un concert ; un sexe comme ça dans ton dos quand tu es en plein sommeil, c'est chouette deux fois, mais la troisième ça devient pénible. Triste, hein ?

— Oui, dit Lisa, comment oses-tu ?

Des sorbets cassis, framboise et citron ? Ou de la tarte aux poires, non, plutôt du chocolat noir avec des cerises à l'eau-de-vie et de grandes volutes de chocolat plus amer par-dessus. Un dernier verre de vin et le café. Ellen va soulager sa vessie, Lisa fume.

— Johan a appelé ce matin, à propos de dimanche. Le dîner.

— Oui, Alma voit les choses en grand. Elle veut s'enorgueillir du succès de son fils. Et Johan voit volontiers rassemblées autour de lui toutes ses femmes en admiration. On va bien manger, cette fois, elle a réservé *La Carpe Noyée*, à ce qu'elle a dit. Soixante-quinze ans et une volonté de tronçonneuse. Elle peut à peine marcher, avec sa hanche usée, mais elle est partout. Je m'entends mieux avec elle depuis le divorce ; j'ai toujours eu le sentiment qu'elle m'en voulait de coucher avec son fils. Ou bien je suis devenue plus conciliante, c'est possible. Comme elle savait bien monter ses fils l'un contre l'autre ! Comme elle sait attirer Johan pour mieux le repousser – je ne pouvais pas voir ça autrefois, mais maintenant cela me gêne moins. Toi, tu l'as toujours considérée avec intérêt, n'est-ce pas ?

— Ce qui m'avait paru tellement fascinant, autrefois déjà, au cours de cet affreux repas avec Oscar, c'était le plaisir qu'elle prenait à ces crasses de sorcière. Et qu'elle ne soit pas une victime. Elle se présente comme telle, à toujours insister sur sa solitude, à maugréer sur Charles qui l'a laissée tomber, mais elle exhale un tel plaisir à jouer les héroïnes pernicieuses ! J'y ai toujours été sensible. Elle est un exemple de femme indépendante vraiment capable de rester seule, j'en suis convaincue.

Ellen n'y croit pas. Alma entretient depuis presque trente ans un simulacre de relation avec l'homme qui l'a abandonnée, une relation qui existe seulement dans sa tête parce que jamais plus elle n'a eu de contact avec le père de ses fils. Il est parti pour l'Amérique en laissant derrière lui ses tableaux et sa famille et y a entamé une nouvelle vie comme metteur en scène d'opéra. Par la *Revue des amis de l'Opéra*, Alma sait qu'il s'est remarié trois fois, elle voit les visages de ses épouses successives sur

les photos. Pour Alma, il n'y a pas de distance, elle fulmine contre la fuite infâme de Charles comme si c'était
arrivé le mois dernier ; elle a mis ses enfants dans l'impos-
sibilité de parler de leur père et même de penser à lui.

— Sais-tu qu'avec Paul et Peter, elle a vraiment un
chouette contact ? Déjà quand ils étaient petits, tout ce
qu'elle imaginait pour eux et faisait avec eux ! Les
emmener voir un film le mercredi après-midi ou visiter
de merveilleux musées dans lesquels elle racontait de
magnifiques histoires. Les garçons vont encore la voir
souvent. Aucune trace de ces caprices qu'elle fait toujours avec Oscar et Johan.

Lisa songe : comment cela doit-il être, dans un si
vieux corps ? Est-ce qu'elle se masturbe encore ? Elle se
tient bien droite, elle n'est pas grosse, pourtant les
hanches remontent sous les aisselles en vieillissant,
quand cela va-t-il nous arriver, à nous ? Un corps qui
devient comme un pain, sans taille. Mal aux articulations. Insomnies. *Dass ich davon muss.* Jésus. A cet
âge, c'est presque la fin.

— Alma en tire de l'énergie. Et l'exposition de Johan
la bouleverse. C'est comme si Charles revivait en lui :
Johan a le succès que Charles n'a jamais eu avec son
œuvre peint. Ça va être une rencontre explosive, dimanche. Il va y avoir de l'orage.

Ellen frissonne dans sa veste de lin. La fraîcheur
remonte de l'eau. Lisa a tellement bu qu'elle ne sent pas
le froid. Elle regarde la couverture de brume errante,
diaphane, planer au-dessus de l'eau étale.

— Reste dormir, Lisa, on bavardera encore un peu.
Tu rentreras chez toi à bicyclette, demain de bonne
heure, ça te réveillera.

Les deux femmes pédalent lentement le long du
canal. A la maison, Ellen prépare un lit pour Lisa sur le

grand canapé de cuir. Un fond de whisky, une dernière cigarette, lumière éteinte, les portes donnant sur le toit-terrasse grandes ouvertes. Elles sont assises l'une en face de l'autre, adossées aux accoudoirs du canapé, jambes repliées.

La cloche de la grande église retentit. Le son vibre longtemps dans la nuit apaisée. Lisa pense à l'article de journal qu'elle a reçu de Daniel : la stérile tentative de fratricide. Ellen ne l'a pas vu, mais le croit volontiers, le succès de Johan fait quasiment s'étouffer Oscar de jalousie. Lisa a un jour vu Oscar traîner au quartier chaud.

— Il pleuvait, il portait un ciré et de ces souliers en caoutchouc qu'on met par-dessus ses chaussures. Je l'ai salué mais il ne m'a pas reconnue. A cause de la buée sur ses lunettes, me suis-je dit. Mais il faisait peut-être une escapade, pour ventiler ses appétits ? Un palliatif à la vie de bureau, en quelque sorte.

— Ce n'est pas un homme à femmes, affirme Ellen. Chez lui, je n'ai jamais rien perçu qui ressemble à de la séduction, pourtant je l'aime bien. Il m'a entourée d'attentions, même si c'était pour s'opposer à Johan. A vrai dire, je l'ai toujours considéré comme asexué.

Quel contraste avec Johan ; lui qui établit un contact érotique avec presque toutes les femmes. Je ne me suis jamais sentie aussi femme qu'avec lui. Et ça n'est jamais passé. Ça m'effraie toujours autant. Ellen chuchote presque, maintenant, elle parle pour elle-même plus qu'elle ne s'adresse à Lisa. La semaine dernière encore, il était ici, il vient me voir de temps en temps pour régler des questions concernant les garçons. Parfois il est gentil, il me demande si j'ai besoin d'argent. Mais il reste ce bon vieux Johan, franchement cynique : comment vont mes cours de chant ? Cette tranche de lard, serait-il capable d'une érection ? Ce genre de remarques.

Il est venu me parler de l'exposition. Une équipe de télévision allait venir, toutes les interviews, tous les journalistes, toute sa vie résumée dans une salle pleine de toiles et de gens, ce genre de choses.

Alors il a raconté qu'il avait écrit à son père. Via l'Opéra, il a réussi à savoir chez quel agent était Charles.

C'était un bureau d'imprésarios à Los Angeles ; Johan a téléphoné. Ils n'ont pas voulu donner l'adresse privée de Charles mais il a pu écrire au bureau ; là, ils devaient se charger de transmettre la lettre à Charles. Johan était furieux. Il a attendu des mois. C'était en janvier. Mais quand les invitations ont été imprimées, il en a envoyé une, accompagnée d'un mot.

Il était là, dans la pièce, racontant son histoire si doucement. Il avait enfin approché son père. Il était impatient de le voir. Malgré tout.

J'ai craqué. D'un seul coup, j'étais aussi amoureuse de lui que la première fois que je l'avais vu. Ici, sur cette banquette, on a fait l'amour. Il m'a fallu des jours pour me soustraire de nouveau à son charme.

2

LA MÈRE ET LES FILS

A sept heures, peu avant que le réveil digital ne fasse entendre son couinement discret, Johan appuie sur la touche. Il est toujours réveillé quelque temps auparavant, par habitude. Ou bien l'horloge émet-elle un doux bruit annonciateur, une profonde inspiration avant le cri qui ne vient jamais ?

Johan se recouche sur le dos, les mains sous la tête ; ses pieds, il les allonge hors de la couette. Il remue les orteils. A sa droite s'étalent les superbes collines de Zina, un dos-montagne avec pour sommet le fessier rebondi et des pentes de tous côtés. Elle dort recroquevillée sur elle-même, entièrement couverte, à une mèche près de cheveux brun-roux.

Par la fenêtre haute, sans rideaux, l'aurore s'infiltre dans la chambre. Le ciel est pâle à cette heure, mais sans nuages. Une journée radieuse en perspective. Johan sent qu'il se réjouit de quelque chose, mais de quoi ? Une sensation d'anniversaire d'il y a très longtemps, l'impression que quelque chose d'agréable va se produire aujourd'hui, quelque chose à quoi il aspirait. Il s'accorde quelques instants puis se glisse dans sa vie quotidienne : cet après-midi, les menuisiers du musée viennent emballer ses toiles !

Il repousse la couette, tend ses muscles fessiers, se cambre, ventre en l'air, sexe dilaté : il est prêt ! Saut du lit, direction la fenêtre, oui, pas une nébulosité, une somptueuse campagne verdoyante, youpi, vite, dehors, dehors, le loriot.

La salle de bains cubique est carrelée de noir. Le grand miroir, sur le mur face à la porte, n'est jamais embué, grâce à une utilisation ingénieuse des éléments de chauffage.

Johan s'examine : taille légèrement au-dessus de la moyenne, posture droite, corpulence plus athlétique que longiligne. Est-ce que les fesses pendent ? Un peu. Les poils pectoraux globalement noirs, mais trop de gris pour les désherber. Pas de graisse.

Un pas plus près : la tête. Cheveux foncés ; les séparer de deux doigts pour inspecter le cuir chevelu : pellicules. Examen critique des traits du visage : on a vu pire. Heureusement, pas encore une tête de cochon cuit, même s'il faut rester vigilant. Encore deux jours sans boire. Les rides peuvent être considérées comme des rides d'expression ; le visage est marqué par la vie, non par la vieillesse. Johan boit un grand verre d'eau du robinet et se brosse les dents pour rincer son gosier empâté de sommeil.

Au-dessus du lavabo, un deuxième miroir. S'approcher de très près. Des lampes fortes, jamais, au grand jamais, de lunettes. Cette tête sera dans tous les journaux dès la semaine prochaine. Comment regarder ?

S'exercer à faire des grimaces comme jadis. Exercices d'expression, cette fois avec une nuance de sérieux. Sévère ; suffisant ; doux ; absent, légèrement étonné ; ennuyé. Sérieux, c'est le mieux, bien qu'il doive fermer la bouche pour ne pas avoir l'air niais. Tendre les muscles supérieurs des joues pour masquer les poches sous les yeux ? Mais là, les yeux rapetisseraient, s'aplaniraient. Essayer de bien dormir encore quelques nuits.

Voici le peintre. Vous allez voir l'exposition du siècle.

Johan se fait un signe de la tête et reconnaît la posture d'Alma : même cou fier, même port de tête rectiligne sur les épaules. Soudain, il se demande d'où vient le reste, il se dévisage d'un œil inquiet.

Est-ce que je ressemble à mon père ? Est-ce que je me promène avec une tête que je considère comme mienne mais qui est de lui ? Est-ce qu'il a les mêmes lèvres charnues ? Chez Alma, c'est une bande étroite, chez Oscar aussi. Les lourds sourcils ? La couleur des yeux indéfinissable. Alma a les yeux bleus. Chez moi, il y a du marron. Le brun est dominant, n'est-ce pas ? Alors il doit sûrement avoir les yeux marron. Le nez affilé est d'Alma, celui-là, je le connais.

Johan essaie de se rappeler le visage de Charles mais il nage dans le vide. Des photographies qu'il doit avoir vues dans les journaux et les magazines, il a le vague souvenir d'une frayeur indéfinissable et du désir de vite tourner la page. Charles a changé de nom en Amérique. Chez l'imprésario, on ne savait pas à qui Johan faisait allusion lorsque, d'un ton bref, d'une voix un peu trop aiguë, il avait demandé Charles Steenkamer. Son père est devenu Mr Stone. Même son nom il l'a jeté au panier, négligemment abandonné sur le vieux continent.

Pisser dans les W.-C. noirs, éclabousser la lunette. L'odeur de l'urine matinale concentrée l'incommode, quelle pestilence, une âcreté de vieil homme, un message olfactif expédié de l'enfer.

S'habiller : slip d'hier, vieux pantalon de survêtement, tee-shirt, chaussures de sport. Johan va courir, à la porte de la cuisine il tend à outrance ses triceps suraux, d'abord le droit puis le gauche, fait ensuite le tour de la maison à petites foulées légères, sur la pelouse, ce qui lui vaut aussitôt des chaussures détrempées ; enfin, après avoir longé l'atelier haut perché, il passe la grille. Un peu plus loin, un chemin s'engage entre les jardins et rejoint le petit bois qui s'étend derrière les maisons. Johan emprunte depuis des années le même itinéraire, par tous les temps sauf quand il neige. Il ne court pas parce que tous les hommes de son âge courent, ou du moins ont l'idée qu'ils doivent le faire. Hormis les chaussures, qui courent presque toutes seules, il ne porte pas d'équipement coûteux. De même qu'il ne marche pas aux premières heures du soir, quand le bois fourmille de gens en sueur. Il choisit le moment et le trajet qui lui procurent le plus de solitude. Parce qu'il ne veut pas se confondre avec ces gens qui arrivent haletants, le visage cramoisi, ou avec ces hommes trop vieux, desséchés, la mine crispée par l'effort continuel. Bien entendu, toute référence à l'âge moyen ou pire doit être évitée. Mais les vraies raisons des courses de Johan résident dans le besoin d'entamer la journée suivant un rituel. En marquant du sceau de tout son corps le début de sa journée de travail, il exerce secrètement son pouvoir.

Pouvoir sur le temps, pouvoir sur les jours sans terme ni structure. Les heures, il en use à sa guise : sept heures, footing, huit heures, douche et petit déjeuner ; neuf heures, bricolage à l'atelier, administration, préparation ; dix heures, mise en route, une règle immuable, qu'il soit enrhumé, mal fichu, ivre ou qu'il n'ait pas dormi.

Pouvoir sur l'espace. Johan conquiert la campagne chaque matin. De même qu'un animal délimite son territoire, il fait le tour de sa propriété, décrivant un large cercle. Il s'arroge le bois, la prairie ; il inspecte les cours d'eau : la rigole d'irrigation, le large canal ; au retour, il marque de ses empreintes les digues du vieux polder et pour finir, il foule l'asphalte de la route qui serpente à travers le quartier des villas.

L'apaisement le plus profond provient du pouvoir exercé sur son corps. Johan contraint ses muscles et ses tendons de quarante-sept ans à l'obéissance, il conçoit pour ses pieds un rythme qu'ils n'ont qu'à exécuter, des milliers de fois, il force ses genoux à recevoir son poids tour à tour. Le long du canal, sur la partie plane, il intensifie son tempo. Le sang lui cogne à la tête, la sueur lui ruisselle sur les épaules et le dos. Il est de prime importance que le souffle reste maîtrisé. Ici, on ne halète pas. Si Johan est pris de vertige, si ses poumons crient et stridulent pour plus d'air, il faut justement continuer à courir. Parfois, il a de la chance : alors qu'il s'apprête à renoncer commence un épisode onirique durant lequel le corps ne transmet plus aucun signal de douleur ni de fatigue, mais seulement des informations sur la direction et sur la répartition du poids. Il doit en être ainsi : le corps, un appareil en bon état de marche, dont aucune sensation, aucun désir n'entrave le fonctionnement.

L'état d'anesthésie bienheureuse n'est pas toujours atteint, hélas. Mais la course a toujours lieu.

De même, toutes les parties du corps ne sont pas toujours influençables dans une égale mesure. La dentition est traître ; quand le cœur pompe, elle est bien plus sensible qu'au repos. Sa dentition est le point faible de Johan. Cet homme croque dans sa journée à belles dents, et tel un carnassier, se sent entièrement dépendant de l'intégralité de sa mâchoire, mais des cratères de guerre lui tiennent lieu de molaires.

Le voici avec Oscar dans la salle d'attente du dentiste. Le banc de bois érafle les jambes nues de Johan. Il n'éprouve aucune crainte, il a mal au ventre ; les yeux rivés sur la porte noire, il attend le puissant ronfleur et respire vite.

— Os, la tête me tourne, tu y vas le premier ?

Oscar n'a jamais de caries. Il ne mange pas de bonbons et à douze ans, il pratique déjà le brossage compulsif. Oscar ose regarder les instruments étalés sur la table de verre à côté du fauteuil dentaire. Oscar ose converser avec le dentiste, poser des questions sur la diversité des formes de pinces, sur les fréquences de la roulette et sur les prothèses.

— Oui, j'y vais le premier. Avec toi, il lui faut plus de temps, de toute façon. Si tu pleures, il te plantera une longue aiguille dans la gorge, tu le sais, hein ? Et tu ne dois pas bouger. Sinon, la roulette dérape, ta langue est déchirée, et tu meurs étouffé par ton sang. Il y a beaucoup de sang dans la langue. Une langue coupée ne peut pas guérir parce qu'on ne peut pas coller de sparadrap dessus. Si tu as la langue coupée, tu ne pourras plus jamais parler. Ni manger. Si tu bouges, tu meurs, c'est sûr.

Le ronfleur retentit et Oscar disparaît. Johan est assis sur le banc, telle une statue. Il n'y a rien sur les murs blancs, la fenêtre est cachée par une jalousie. Le vide.

Johan se choisira un dentiste quand il sera adulte, une personne de son âge avec qui il évaluera en commun l'étendue du problème, le diagnostic à établir et la tactique à adopter. Dans une série d'interventions aussi coûteuses que douloureuses, sa denture déglinguée est restaurée sans perte d'éléments. Ensuite, tout va bien pour des années.

Lorsque la gencive se retire, vers le quarantième anniversaire de Johan, les dents commencent à se déchausser. Une dentition chevaline dans le miroir. De part et d'autre de la mâchoire supérieure, Johan a des trous profonds entre les dents et le tissu récalcitrant qui l'entoure. Là-dedans vont se nicher les pépins de framboises qui provoquent de cuisantes inflammations. Johan ne veut pas de cela. Debout devant sa toile, les joues gonflées, il avale des poignées d'analgésiques, sans parvenir à étouffer les violents élancements. Le dentiste hoche la tête et l'envoie chez un spécialiste.

Une nuée de stomatologues et de chirurgiens-dentistes se penchent sur la bouche grande ouverte de Johan. Le voilà étendu de tout son long, les pieds surélevés, sur la table de torture. Une lumière crue tombe des lampes grillagées. On va opérer, découper la gencive afin que les étroites grottes dangereuses laissent passer les cure-dents et mini-brosses, durant la toilette rituelle du soir. Johan est couvert de pièces de tissu vert, des pinces acérées viennent se loger entre ses mâchoires, on l'asperge d'un anesthésiant nauséeux. (Si tu pleures, ils vont te piquer au fond de la gorge.)

Les chirurgiens dansent en rond dans leurs tennis et, sans se préoccuper de la personne étendue sous les bouts de tissu, ils poursuivent une conversation animée sur les découvertes intéressantes qu'ils font dans la cavité humide et rose.

— Bon Dieu, cette poche fait deux centimètres.

— Bizarre que les aberrations soient aussi localisées. Deux foyers de bactéries ?

— Ici tu ne peux plus rien faire, la cause est perdue.

— Les éléments sont mobiles, tu sens ?

— L'os a été atteint, c'est considérable. Assainir, et plus tard peut-être, faire un implant, mais dans quoi ? Il faudrait d'abord transplanter un fragment d'os. Et est-ce que ça prendra, à cet âge ?

— Extraire. Un bridge. Peut-être ancré par une cuspide, parce que les molaires autour ne sont pas fiables. Tu as déjà mis ton bateau à l'eau ?

— Impossible, j'ai encore eu une fichue garde, ce week-end.

Johan sort à la lumière salutaire du soleil. Ses sutures sont recouvertes de caillots semblables à du caoutchouc. Il est mortifié, déterminé à ne plus jamais revenir ici. Plutôt avoir continuellement mal que subir cette humiliation paralysante. Au *Dental Drugstore*, il s'offre une instrumentation complète de nettoyage, avec laquelle il essaie de protéger des bactéries les fossés et les trappes creusés entre ses dents. Deux fois par an, d'une manière significative, souvent en concomitance avec des déceptions au travail ou en amour, sa gencive supérieure est enflammée, d'abord à gauche puis à droite. Le dentiste nettoie les bifurcations, marmonnant que ça ne peut plus continuer comme ça.

Les yeux mi-clos, Johan court à petites foulées sur les digues du polder. Sent-il le battement à ses mâchoires ? Mordre doucement. Ça va. Pas de douleur. Sprinter, filer bon train, jusqu'à la maison.

Zina a fait du café ; assise à la grande table de la cuisine, elle est en train de vernir ses ongles, la langue pointée sur la lèvre supérieure. Elle porte le peignoir de bain vert foncé de Johan, qui sied bien à la couleur henné de ses cheveux. Johan va se poster derrière elle, souffle par-dessus ses épaules rondes sur les ongles brillants et frotte sa tête en sueur contre le cou qui sent le sommeil et le parfum de la veille. Zina n'a ni rides ni plis, elle est fourrée d'une couche de graisse uniforme qui tend sa peau et la fait briller. Malgré l'excès de poids, elle a une manière rapide et vive de se mouvoir. Elle bondit de sa chaise, les bras flottant dans l'air, se frotte contre Johan avec ses grosses fesses et va lui servir le café en riant. Lui est assis à table, pieds nus ; il beurre une tartine. Manger d'abord, le nettoyage des dents tout à l'heure.

— Tu as cuit des œufs ?

Zina sort deux œufs d'une moufle en tricot, ils sont chauds dans sa main.

— Qu'est-ce que tu fais, aujourd'hui, tu restes ici, tu as vraiment décidé d'habiter chez moi ?

Johan aime bien quand elle est là, chauffe son lit, range sa cuisine et empile son linge. Le fait qu'elle ait un ami lui procure un léger et agréable sentiment de conquête. Une aubaine pour lui, qui ne veut pas d'une liaison approfondie. Il veut juste régner un peu, de temps en temps ; interroger Zina du regard au milieu de la fête, hausser les sourcils d'un air interrogateur et savoir qu'elle va venir, que cette nuit elle va laisser Mats pour se blottir contre lui sous les couvertures.

Ce qu'il veut aussi, si son séjour chez lui se prolonge trop, c'est pouvoir lui dire de s'en aller. Le plus dur à supporter, c'est sa loyauté envers Mats. Quand Zina rentre de ses frasques, il y a des scènes. Mats arpente la pièce, une mansarde haute, sans cloisons, vaste et en proie aux courants d'air, et il la traite de putain, de truie à jouir sans conscience. Pleurs et trépidations s'ensuivent. Elle doit raconter : combien de fois, combien de temps, comment. Ils en jouissent tous deux, Zina revit ses nuits d'amour avec Johan. Et Mats, au nom de la jalousie, a droit à un ardent film érotique dans lequel son vénéré professeur joue un rôle de premier ordre. S'ensuivent consolations, caresses et apaisement dans les bras solides de Zina.

Johan sait tout cela mais n'y pense jamais. Il lui arrive d'exploser de rage à l'idée que Mats, avec ses objets en argent façonnés main, occupe une place permanente dans la galerie de Zina même s'ils ne se vendent guère.

— Qu'est-ce que ça peut bien te faire ? dit Zina. Je vends assez d'autres choses et c'est bon pour Mats. Pourquoi te faire tant de mouron ? Ça me regarde, non ?

Non, elle ne reste pas, aujourd'hui, il faut faire l'administration de la galerie, le publipostage pour la prochaine exposition part cet après-midi. Mais ce soir elle revient, si Johan le souhaite. Elle a quartier libre, Mats est parti en Afrique étudier des techniques de forgeage primitives. Il veut s'en inspirer et ce qui en résultera, elle le mettra en exposition dans sa modeste galerie.

— Et quel genre de population reçois-tu ? Des travailleurs sociaux du multiculturel, des connes avec des robes en tricot, qui tissent leurs fringues et qui te demandent si tu obtiens le même résultat dans un four à émaux, des jeunes holistiques qui veulent être en symbiose avec la terre – réfléchis, voyons, il n'y a pas d'argent à faire comme ça.

— Je ne sais pas. Mats sera peut-être découvert, j'ai beaucoup de relations dans les métiers d'art. Il fait vraiment de belles choses parfois, tu sais. Et puis laisse-moi, ma boutique tourne bien. J'en ai vendu énormément, ces derniers temps, de ces objets en pierre taillée.

Johan fulmine. Des babioles en granit que les gens utilisent comme porte-lettres. Tout fiers d'avoir de l'Art chez eux. Ça coûte cher, mais tu en as pour ton argent.

— Je vais chez Alma récupérer sa toile. Je serai de retour cet après-midi, les types du musée doivent emballer le chef-d'œuvre et d'autres choses. *Le Facteur* d'Alma, ils pourront l'emporter par la même occasion. Tu m'accompagnes, tout à l'heure ?

Après l'astiquage des dents le rasage, au couteau. Déféquer. Passer sous le triple jet. Se laver les cheveux. Laisser l'eau fouetter ses paupières. Se sentir bien, et fort : un gagnant. Comme si en exhibant ses toiles, il donnait le coup de grâce à tous ceux qui l'ont un jour méconnu ou ont entravé sa carrière. Maintenant ils vont savoir qui il est : Steenkamer Johan, artiste peintre. Son père va-t-il, sans être reconnu de personne, entrer dans la boutique, considérer avec gravité les toiles, puis se tourner vers l'artiste : Mon fils, mon fils, enfin ?

Et Johan répliquera-t-il alors avec arrogance : Que voulez-vous dire ? Je ne vous connais pas. Ou bien, retenant ses larmes, va-t-il se jeter au cou de son père, enfin ?

Des deux bras, les poings serrés, il fait un geste victorieux en direction des murs de la douche et va s'habiller. Acclamations de joie insonores.

*

Alma habite la partie sud de la ville, où il y a encore de la place pour garer la voiture. Elle a conservé telle quelle, après leur départ, la maison où les garçons ont grandi mais n'utilise plus guère l'étage supérieur où étaient leurs chambres. Parfois elle se hisse dans l'escalier jusqu'à la salle de bains vieillotte. Le plus souvent, elle se lave sous la douche que Johan a fait installer pour elle dans les grands W.-C. Sa chambre est en bas, c'est une minuscule chambrette donnant sur la rue, aux fenêtres grillagées. La journée, elle erre comme une poule dans la grande pièce du séjour, extrêmement vide pour quelqu'un de son âge. Afin de pouvoir se servir de ce déambulateur et de ce perchoir, elle a fait monter à l'étage par Oscar toutes les chaises et tous les objets superflus. Le jardin par contre, que l'on peut apercevoir à travers les portes-fenêtres crasseuses, regorge de buissons anarchiques et de berces ostentatoires. Cela ne fait aucun doute, ici vit une femme qui sait ce qu'elle veut ; et ce dont elle n'a que faire, elle sait aussi le laisser en paix.

' Assise à table, sur une chaise au dossier droit, elle attend la venue de son fils cadet. Les premières années qui suivirent la disparition de Charles, elle vit avec effroi s'épanouir le talent de Johan. Lorsque l'enfant fit savoir qu'il voulait devenir peintre et rien d'autre (à quinze, seize ans ?), elle lui expliqua que son père avait débuté comme artiste peintre.

— Et alors, il est resté peintre ? Qu'est-ce qu'il fait actuellement ? Où habite-t-il ? Est-ce qu'il vit toujours ?

Questions taboues, jamais posées, libérées comme des mèches rebelles par les émotions du moment. La bouche d'Alma devient une ligne que plus rien ne franchit.

Passé le premier choc, elle mit les voiles au vent et prit plaisir aux talents de son enfant. Tous les matériaux qu'il réclama, il les obtint et dès sa puberté, elle accorda une attention aiguë à ses productions. Lorsque Johan se décourageait, elle lui payait un professeur de l'académie pour des leçons particulières, refusant ainsi de s'immiscer tout en maintenant son intérêt. Elle le contraignit à mener à bien le lycée classique avant d'entrer aux beaux-arts. Il obtempéra.

Pour autant qu'il sache, Johan ne relia jamais le fait de peindre à l'image d'un père. Lorsqu'un jour, après quatre whiskys, Alma confia à Ellen qu'elle ne supportait pas la vue des dessins que le garçonnet de quatre ans faisait pour son père disparu et qu'elle les avait jetés au feu, Johan ne se remémora ni cet incident ni les émotions qui durent l'accompagner.

Johan avait toujours senti qu'il touchait sa mère au vif avec son talent, mais sans jamais en percevoir les raisons. Du fait de l'implication de cette mère, il devint son chevalier très spécial, ils partagèrent tous deux un monde de connivence basé sur son talent – a-t-il évincé Charles de sa place dans le vécu d'Alma ? Est-il vraiment l'Œdipe qui détrône son père sans le savoir et nidifie chez sa mère ?

Les questions au sujet de son père, qui surgissaient à des moments précis de son développement, à l'occasion de ce qu'il lisait ou vivait, il les a étouffées en lui lorsque Alma ne souhaitait pas répondre. Ils ont scellé un pacte de silence au sujet de Charles ; le maintien des résolutions de cette alliance fut leur unique manière de survivre. Mais cette décision recouvre-t-elle la vérité ? Sur ce point, Johan ne s'est jamais posé trop de questions, d'autant plus que la rivalité imaginaire qui l'opposait à son père absent était largement éclipsée par la guerre quotidienne, amère, menée contre Oscar.

Quoique Johan, le plus jeune, le plus petit, le plus naïf des deux, fût de toute évidence la victime, dans cette guerre désespérée, lui-même n'a jamais cru à son rôle de sacrifié, comme si d'être l'élu d'Alma était une armure protectrice. Alma divise et règne. Les ponts entre ses enfants, elle les a systématiquement brisés. Ils ne se ligueront pas contre elle, ils tenteront de s'exterminer ; Johan parce qu'il ne supporte pas la concurrence, Oscar depuis l'épouvante que fut pour lui l'arrivée du petit frère et avec elle, l'anéantissement de tout son monde et de toute son assurance.

Alma attise et séduit, de sa place privilégiée en bordure du champ de bataille. Pourquoi agit-elle avec une telle obsession, sans démordre, depuis des dizaines d'années déjà ? Doit-elle se détourner, éviter à tout prix de regarder au fond d'un gouffre dans lequel elle va être engloutie, contre lequel elle ne peut s'armer d'aucune façon ?

Elle attend son fils. Un journal traîne sur la table. Derrière son dos droit est accrochée une toile que Johan vient chercher parce qu'il lui destine une place sur la paroi latérale de la grande salle d'exposition. Johan l'a peinte à son intention, en cadeau pour son soixantième anniversaire.

La peinture, mise en valeur dans un sobre encadrement noir, s'intitule *Le Facteur*. Elle représente un homme en uniforme de préposé des années soixante. Il porte une sacoche noire en bandoulière par-dessus l'épaule gauche. Dans sa main droite il tient une lettre qu'il tend quasiment au spectateur. Le facteur porte sur la tête non pas la casquette de son uniforme, mais un casque de pompier passé de mode. Le visage là-dessous, sérieux, dégage une tranquille émotion qui contraste avec les paysages de l'arrière-plan. Le facteur est debout dans une prairie. Derrière lui, le bois brûle et à l'horizon, on peut voir une ville en flammes. Des langues de feu jaunes et rouges surgissent aux fenêtres, même le clocher de l'église flambe. Mais le facteur tend sa lettre, impassible. La main gauche aux doigts courts, fripés et aux ongles coupés ras, repose sur la sacoche. Le facteur tend sa lettre avec une expression d'intense commisération. Sur l'enveloppe, légèrement plus grande qu'un pli ordinaire, on peut lire à l'envers le nom du destinataire : Alma Hobbema.

L'adresse est illisible parce que le pouce du porteur s'appuie dessus. Du coin où est collé le timbre, une flamme pâle s'élève tout droit en un panache de fumée. Le timbre même est tellement roussi qu'il n'est pas reconnaissable, seule la crénelure de la partie inférieure est encore visible.

— Ouvre un peu la fenêtre, ça empeste la maison de vieux, ici, et dehors il fait un temps radieux, tu as du café ?

Johan est entré énergiquement et ouvre les portes-fenêtres donnant sur le jardin. Un souffle de senteurs estivales s'engouffre dans la pièce. Il a droit à un café aigrelet tiré d'une thermos. Assis à table en face d'Alma, il regarde son tableau. Beaux contrastes de couleurs, technique impeccable, atmosphère délicieusement menaçante. Satisfait, Johan est satisfait. Il étire ses jambes, pose ses mains sur sa nuque et plisse les yeux.

— J'ai réservé l'annexe de *La Carpe Noyée* pour dimanche soir, dit Alma, aux environs de sept heures. J'ai dû passer sous silence le nombre des convives, huit ou dix, je ne savais pas. Ils nous font un menu, ça t'évitera la pagaille des commandes à la carte.

— Qu'est-ce qu'ils nous font, alors ? Pas du cocktail de crabe ou ce genre de nullités.

— Ils ont une cuisine très soignée, là-bas, Johan. Nous mangeons la carpe au plat principal, noyée dans une sauce spéciale. Le plat du chef. Je suis allée m'entendre avec le cuisinier. En entrée, il y aura une tarte aux chanterelles garnie aux légumes d'été. Entre les deux, une soupe claire, un bouillon de gibier. Il faut de la soupe, je trouve. Et pour finir, nous aurons un gâteau de profiteroles. Ils le préparent eux-mêmes, le cuisinier est un maître en pâtisserie, il y a toujours de magnifiques gâteaux quand je vais prendre le thé là-bas, avec Janna.

Johan renifle.

— C'est une sorte de menu sapin de Noël, tout est emballé dans autre chose. Dangereux, tu sais ! Et… pour ce qui est des vins ? Toi tu n'y connais rien, naturellement, est-ce qu'ils ont une bonne cave en ce moment ?

— Je t'en laisse le soin. Tu ne voudrais pas y faire un tour ? Tu verrais par toi-même. J'aimerais bien le savoir à l'avance, je veux confectionner une carte-menu pour chacun, en souvenir.

— Un rouge léger pour les champignons ; oui, je devrais y réfléchir avec ton magicien de cuistot. Du pouilly fumé pour accompagner la carpe, ça, c'est fixé. Un vin plein d'esprit et cher tout de même. Très bon. Avec les profiteroles, un muscat d'Asti. Savoureux. Tu as de l'argent, Alma, tu peux payer tout ça ? Je paie le vin.

— Pas question. Je vous offre un dîner, à toi et à la famille, ou à ce qui en tient lieu. Tu peux m'aider de tes avis sur le vin, mais je paie. C'est un privilège réservé aux vieilles dames.

— Et ta manière à toi de mener la danse, de placer les convives et de jouer au chef.

— En effet. Je ne supporte aucune ingérence. Toi, tu as la régie du musée, et moi, de la table.

Elle a un air négligé, sa mère. Un chandail taché par-dessus une robe brune ; les cheveux gris ramenés en chignon dans la nuque avec des gestes usés. Johan la revoit debout devant le miroir, les épingles à cheveux entre ses lèvres pincées et les mains derrière la tête. Pourquoi les femmes réussissent-elles cet exploit de tresser leurs cheveux, de nouer un tablier dans leur dos sans le contrôle des yeux ? Un serpent à la langue fourchue en de multiples apex, voilà à quoi elle ressemblait ; un regard absent dans les yeux, précisément comme la jeune fille qui accorde le luth sur la toile de Vermeer. Il pensait qu'elle s'enfonçait les épingles droit dans le crâne, qu'il en allait ainsi chez les mères ; voilà pourquoi elles avaient tout le temps mal : elles se clouaient les cheveux au cuir chevelu. Le pire, c'était le chapeau, quand Alma allait à une réception. Le tailleur gris-bleu était brossé, la blouse en soie repassée (une empreinte brune en forme de tente sur le dos parce que la sonnette avait retenti et que le fer était resté sur l'étoffe délicate : ça ne fait rien, personne ne le verra, je garderai ma veste – moi je sais, pense le petit garçon, ma mère est marquée par le feu) et en guise d'apothéose, Le Chapeau était retiré de la planche, déposé sur la tête d'Alma et rivé au moyen d'une épingle de fer longue d'un décimètre, avec une perle ovale d'un côté et une pointe acérée de l'autre. Abomination, horreur de salon, secret de femme.

— Tu as quelque chose pour emballer *Le Facteur* ? Aujourd'hui ils viennent tout chercher, les pièces prêtées, et celles qui restaient à l'atelier.

— Tu peux prendre la couverture rouge, je l'ai préparée pour toi, tu vas directement au musée ?

— Non, je l'emporte à la maison. De cette façon, ils pourront faire un seul paquet avec d'autres pièces. Ils les mettent dans des sortes d'enveloppes de bois, avec un truc doux au milieu pour les protéger. Parfait. La petite salle est déjà aménagée avec les gravures et les aquarelles. Tout a été réencadré uniformément. Demain, nous faisons la grande salle, là je veux y être.

Johan se lève et s'avance vers *Le Facteur*. Il décroche précautionneusement le tableau de la paroi et le pose par terre, la peinture tournée vers le mur, à l'écart du passage. Lorsqu'il retourne auprès d'Alma, son regard s'arrête sur le journal qu'elle a laissé sur la table et dans lequel il reconnaît son nom.

— Qu'est-ce qu'ils nous font, là ? Qu'est-ce que c'est que ça ? Oscar ?! Pourquoi ne me le disais-tu pas ? C'est le journal d'aujourd'hui ?

— D'hier, Johan. Oscar me l'a passé. Ça m'étonne que tu ne le saches pas, tu n'as pas de service de presse ? Et chez toi, tu ne reçois pas l'édition du matin ?

— J'ai arrêté depuis longtemps. Ça ne me va pas, à moi, toutes ces jérémiades en début de journée. Je n'ai pas de temps pour. En plus, c'est un canard absolument pourri ; toujours des critiques caustiques, à la mode. J'ai résilié l'abonnement il y a des années, ce coin-coin jaloux et rancunier me fichait par terre. Ce besoin d'avoir toujours le dernier mot et de ne rien trouver beau ou bien – à les croire, ils auraient même inventé le code artistique du bon Dieu. Non, trop peu pour moi. Pourquoi Oscar écrit-il dans ce journal de con, le Musée national aurait-il été agréé par la rédaction ? Ça m'étonnerait. Donne voir.

Alma lui tend le journal. Elle se poste bien en face de lui et considère son fils avec attention. Johan tient le journal en l'air, les bras quasi tendus ; ses yeux courent au-dessus des lignes. Lentement la couleur de son visage s'estompe et ses joues se rétrécissent.

Mon enfant est un vieil homme, pense Alma. Il a besoin de lunettes pour lire, sa tête est décatie, ce ravissant petit minois s'est transformé en chiffon gris. Là il prend une claque, je le vois vaciller. Il ne supporte pas les déconvenues, il devrait avoir plus de ressort mais il lui manque l'élasticité. Voilà ce que fait le temps à mon enfant prodige.

Johan absorbe les mots de son frère, un plaidoyer solidement fondé pour une peinture sobre, véritablement contemporaine. Continuation de la ligne audacieuse qui consiste à abandonner les anciennes structures et à étudier des éléments isolés : matériau, lumière, couleur, forme. La peinture devrait prendre exemple sur la musique : qu'un compositeur actuel pratique l'idiolecte de Mozart serait inconcevable. Kitsch. Se renverser sur la chaise de Vermeer. *Petit garçon pleurant avec larme sur la joue*. Ramper aux pieds du sponsor. Laisser pendre ses oreilles vers le public. Prosternation devant la bêtise.

Dans son article, Oscar cite beaucoup d'exemples sans pour autant prononcer le nom de son frère. Cependant, le Musée municipal y est bel et bien évoqué, à propos de son exposition d'automne la plus importante, celle qu'il consacre à un peintre figuratif.

— Dis, Johan, ajoute Alma d'une voix perçante, d'un autre monde, je songe tout à coup qu'Oscar vient dîner aujourd'hui, c'est vendredi. Voudrais-tu aller pour moi à la boulangerie, acheter deux Tom Pouce, je n'ai pas de dessert pour Oscar et il tient à l'ordonnance du repas. Où est passé mon porte-monnaie ?

Des Tom Pouce ! Oscar ! Que se passe-t-il dans la caboche de cette bonne femme ? Louer tout un restaurant pour moi, dépenser des milliers de florins pour un festin en l'honneur d'un de ses fils et dans le même temps attiser l'autre pour relativiser ce succès ! Johan est frappé de stupeur. Ses regards passent d'Alma au journal, en aller et retour, désespérément, aller et retour.

— Ecoute, il faut que tu voies les choses ainsi, dit sa mère, Oscar est un scientifique, il a étudié pour cela et c'est sa profession, sa mission. Il a toujours passé son temps à compter et à superposer ce qui allait ensemble. Tu te souviens de cette gigantesque boîte de couleurs que tu avais reçue pour Noël ?

Oh oui, Johan se souvient ! La réalisation de son vœu le plus cher. Elle se trouvait dans la vitrine du magasin de matériel à dessin, cette boîte de cent crayons répartis en deux compartiments. Tous les après-midi après la classe, Johan passait un quart d'heure le nez contre la vitre, à soupirer, désirer et imaginer. Il en eut une érection d'excitation lorsqu'il vit le paquet plat sous le sapin de Noël, ces crayons de couleur magnifiques, incroyablement chers, qu'Alma ne pouvait pourtant pas payer ?

Mais ce fut ainsi, il les reçut – de qui, maman, de qui ? M. Caran d'Ache, dit Alma. C'est écrit sur la boîte. Je pensai : M. Caran d'Ache est mon père. Il sait que je dessine bien. Il a voulu m'offrir les crayons de couleur. Mon père est M. Caran d'Ache. Nom d'un chien ! Comédie cauteleuse ! Patelinage ! Vieille conne !

— Soir après soir, tu dessinais avec tes crayons, poursuit Alma. Quand tu avais fini, Oscar les remettait dans la boîte, par ordre de couleur. Toi tu laissais tout traîner sur la table, en désordre, tu ne rangeais jamais rien. Oscar en était capable, lui. Il pouvait y passer une heure entière, si jamais il trouvait par terre un dernier crayon qui devait prendre place au milieu des autres. Alors il déplaçait quarante crayons de couleur pour ranger le dernier venu au bon endroit. Oui, Oscar vit pour la science. Et il a une vision d'ensemble, et des opinions. Qu'il a exprimées dans le journal comme on le lui a demandé. C'est ainsi que cela se passe. Tu ne dois pas t'emporter pour si peu.

— Et toi et toi, bégaie Johan, tu peux aller au diable avec tes Tom Pouce et ta science. Tu n'as qu'à y aller toute seule, chez ton boulanger, cours-y à cloche-pied, chercher ta marchandise, ton plat réchauffé. Moi je ne suis plus de la partie. Et si Oscar vient dimanche, ce traître, je décampe. A toi de choisir, pour ton dîner : c'est lui ou moi.

Soudain, Alma prend peur. Il ne faut pas que son dîner soit mis en péril, les choses vont trop loin.

— Ne t'emporte pas comme ça. Je vais parler à ton frère, ce n'est sûrement pas après toi qu'il en a, il pourra s'en expliquer auprès de toi, il faut qu'il le fasse, il va peut-être te présenter ses excuses, tu veux ?

— Je ne veux pas m'attabler avec lui. Un point c'est tout. Pas plus maintenant que dimanche.

Johan se lève et emballe *Le Facteur* dans la couverture rouge. A la porte, il se retourne. Furieux.

— J'ai une surprise pour toi. Un hôte que tu pourras convier à ta table à la place de ce minus. J'ai écrit à mon père. J'ai invité Charles, Charles, Charles, tu entends ?

Johan se précipite dehors, la porte claque. Il dépose soigneusement *Le Facteur* sur la banquette arrière et quitte la rue serein au volant de sa voiture.

La femme reste assise à la table, atterrée. Sa respiration est superficielle. Elle a mal au sein gauche et au bras gauche.

Réfléchir posément. Rester assise là un moment. Je veux me coucher, je veux aller dans ma chambre, c'est mieux. Se lever doucement, prendre appui sur la table. Reprendre son souffle. La canne à droite. S'avancer vers la porte entre la table et la canne. Comment peut-il faire une chose pareille ? S'asseoir sur le tabouret à côté de la porte. Ouvrir la porte. Garder le bras gauche devant le corps. Après tout ce que j'ai fait pour lui. Debout, traverser le couloir. C'est la pire offense qu'il puisse me faire. Porte de la chambre. Le lit. Ce que je ressens à l'estomac, au ventre. C'est de la peur. Je dois m'allonger. M'allonger un moment, une petite heure. Ensuite appeler Oscar. Ou Ellen. M'allonger, réfléchir. J'ai peur, non je suis furieuse. Désemparée. Je *dois* garder toute ma tête. Emmener les garçons à Xanten, quelle lubie ! Il y a quarante ans, ils devaient visiter un établissement romain. C'était mon idée. Ensuite, entrer dans la ville, café gâteau dans un de ces cafés allemands si répugnants. Entrer quelques instants dans l'église. C'était mon idée. Impeccablement restaurée. Des tableaux d'affichage avec des photographies datant de juste après le bombardement : une cage délabrée sans toit. Les garçons avaient joué à chat dans le jardin du cloître. Johan pleurnichait, Oscar le rossait trop fort. Près de l'entrée de l'église, trois croix, de pierre grise, on eût dit du béton. Ceux qui y étaient crucifiés avaient les jambes cassées, broyées. Des fragments d'os dépassaient. J'avais vomi derrière les rosiers. Mon bras est douloureux. J'avais appelé les garçons, leur avais raconté une histoire, parlant doucement lorsque nous étions passés à hauteur des croix, de sorte qu'ils regardent vers mon visage et non vers le haut. Ils étaient pendus en hauteur, les suppliciés. J'eus tellement peur, tellement peur. Je n'ose pas m'allonger. Reste assise, ça va aller.

Elle soulève son bras droit et retire une à une les épingles de ses cheveux. Les dépose sur la table de chevet à côté de l'invitation à l'exposition de Johan. Les cheveux usés enveloppent la femme comme un manteau de deuil. Elle ouvre la bouche pour pleurer de terreur et de douleur mais il n'en sort aucun son.

M'allonger, je dois m'allonger. Les jambes surélevées, la tête en bas, sur l'oreiller. Ne pas oser. Contre quoi est-ce que je me bats ? Je suis un cerf-volant brisé, au dos cassé, qui dégringole dans le précipice. Le fil est coupé. Le noir précipice. Charles. Il a prononcé son nom. Après toutes ces années. Cela ne se peut pas. Je suis une jeune mariée putréfiée. Je suis malade de peur.

Johan, qui fait un tour en voiture dans la ville ensoleillée, se porte à merveille. De pouvoir semer le trouble chez Alma le rend d'humeur joviale. Il lit son nom sur les affiches de la longue rue commerçante et jette des regards obliques en direction des vitrines. Voici le marchand de gâteaux le plus chic de la ville. Tellement chic que le nom figure en très petites lettres sur la façade noire : Maison Davina. Une femme brune en manteau d'été sort du magasin et se dirige vers une grande Volvo garée devant la porte. Elle dépose la boîte noire aux inscriptions dorées sur le siège arrière, monte à bord de la voiture et démarre en trombe, rasant Johan. Sur une impulsion, il se rue dans l'emplacement vacant.

L'intérieur du magasin est sombre et silencieux. Un jeune homme en jaquette, debout sur un podium au fond, regarde. Derrière le comptoir, la réplique d'une vitrine en pierre noire lustrée, il y a une jeune fille, vêtue d'une blouse blanche et d'une jupe noire. Impeccable. Dans tout le magasin, impossible d'identifier une pâtisserie. Il y a quelques boîtes avec des pastilles de chocolat, une coupe avec des fruits en massepain sculpté et des pots remplis de granulés de chocolat. Les prix sont exorbitants, Johan imagine un instant qu'ils sont donnés en francs français pour le chiqué, mais il s'agit bien de solides florins.

La fille l'interroge du regard.

— Du gâteau, dit Johan, du gâteau aux pommes ?

— Non, nous sommes désolés, ce n'est pas possible.

Pourquoi le personnel des meilleures pâtisseries a-t-il aussi souvent un accent allemand ? Cela donne confiance à Johan dans la qualité du gâteau, il pense que la pâtisserie est un art bien développé en Allemagne.

La fille ne lui confie pas ses gâteaux. Un gâteau, cela se commande, cela exige étude et réflexion. Acheter un gâteau comme ça, sur une impulsion, c'est comme aller spontanément au bordel. Johan commence à transpirer.

— Est-ce que vous livrez aussi en ville ?

— Dans tout le pays, monsieur. Nous avons notre propre service de livraison.

— Pourriez-vous livrer un gâteau de ma part, cet après-midi ?

La jeune fille jette un regard vers le podium. La jaquette ouvre un livre et se met à en étudier le contenu. Oui, fait-il de la tête.

Johan fait inscrire le nom d'Alma et son adresse.

— A quelle heure pensiez-vous ?

— Quatre heures.

— Et quel gâteau pourrions-nous livrer pour vous ?

Aucune idée. La jeune fille rejettera toutes les suggestions. Ne pourraient-ils concevoir quelque chose eux-mêmes ? Puis Johan voit sous la vitre du comptoir une pierre grisâtre, recouverte de poudre, un tronc d'arbre fossilisé.

— Celui-ci, dit-il sans mouvoir un seul muscle.

La jeune fille entame tout un discours sur le contenu et le mode de préparation de la pierre. Elle s'arrête quand la jaquette tousse discrètement.

— Et quel expéditeur pouvons-nous noter ?

— Steenkamer, dit Johan.

Sur une carte estampillée en lettres d'or, la jeune fille écrit : M. Steenkamer.

— Cent vingt-cinq florins, s'il vous plaît. La livraison est incluse. Merci.

Johan ressort du magasin en sifflant, l'âme légère comme une plume. Lisa passe à bicyclette de l'autre côté de la rue.

Ils boivent une eau minérale sur la terrasse. Lisa commande aussi du café. Ne rien manger en milieu de journée, cela distrait. Johan regarde Lisa. Elle porte son pull blanc cassé sur une jupe longue. Des vêtements qui mettent en valeur sa silhouette. Des jambes luisantes, rasées de frais, les pieds nus dans de belles sandales de cuir. Talons hauts. Le cou bronzé est limite : sec, mais pas encore de squames. De magnifiques poignets bruns. Délicieux, à vrai dire. Ça ferait comment, de plonger tes mains dans cette jupe sous la ceinture et de pétrir les fesses musclées par le vélo ? Délicieux, sans aucun doute. Ça ne lui était jamais arrivé, bien qu'il sente que Lisa saura bien apprécier sa manière de la regarder. J'en sais si peu sur elle. Comment vit-elle quand Lawrence est absent ? En a-t-elle un autre ? Revoit-elle son ex de temps en temps pour coucher ensemble à la gloire du passé ?

C'est si facile avec un corps que l'on connaît déjà et des gestes familiers, comme avec Ellen, dernièrement, un petit retour en arrière. Ça ne compte pas, pense Johan, de faire l'amour avec son ex.

Il est tellement plongé dans ce qu'il voit que les récits de Lisa ne parviennent pas jusqu'à lui. Il voit ses gestes, ses belles mains, les lèvres bouger, les yeux s'agrandir et rapetisser. Elle raconte. Il entend parler de Lawrence, des enfants, lorsqu'il revient à la surface.

— … ils ont pris un bout du chemin qui longe la côte, avec les sacs à dos et de quoi passer la nuit dehors pour de vrai. Tout au-dessus de la mer, au bord des falaises. La semaine dernière, quelqu'un est tombé. Oui, on ne sait pas, il a peut-être sauté. Ça attire, ça t'aspire, ce gouffre. Mais c'était excitant, ils criaient tous en même temps au téléphone. Lawrence a dit que sur le chemin, en ce moment, on a érigé des œuvres d'art, tu t'imagines ! Des objets en métal qui font des bruits avec le vent, comme si la mer ne faisait pas assez de boucan à elle toute seule. Et c'était moche, par-dessus le marché, a-t-il dit.

— Oui, tu ne trouves pas ça fou, toi, dit Johan, tous ces artistes de pacotille locaux, avec leurs poteries et leurs jattes taillées dans des racines d'arbres, ce n'est bon nulle part et ça ne mène à rien. On devrait les envoyer dans les mines à charbon. Les esprits fumeux qui "travaillent le métal" d'abord !

Intolérant mais plaisant à écouter, pense Lisa. Impitoyable par orgueil, mais aussi par métier. Lisa se retrouve en lui, il ne lui manque que l'audace de trancher aussi fort.

— Comment se passent les préparatifs ?

Johan raconte. On peut voir *Le Facteur* à travers les vitres de la voiture, du moins sa couverture rouge. Jésus, Alma, Charles, Oscar !

— Pourquoi écrit-il des choses pareilles, juste en ce moment, tu y comprends quelque chose, toi ? C'est ton métier après tout. Il veut me broyer, me détruire. Et dans ce journal, ça lui a réussi, je n'y aurai pas de critique jubilatoire. Il m'a toujours horriblement harcelé et soumis, d'aussi loin que je me souvienne. J'avais de l'admiration pour lui, parce qu'il savait tellement de choses. J'avais peur aussi de ses récits. Il y a très longtemps, nous partagions la même chambre ; quand Alma était redescendue, il me murmurait les pires histoires, des monstres sous le lit, des vampires dans l'entrebâillement de la fenêtre – ensuite je passais des heures raide dans mon lit, la peur me tenait en éveil. Plus tard, j'ai eu la grande chambre. Ce dut être quand Charles a quitté la maison. C'est fou qu'Oscar ne l'ait pas reçue, à vrai dire. Alma est allée coucher au rez-de-chaussée et j'ai eu la grande table à dessin dans ma chambre. Avait-elle appartenu à Charles ? Jamais je n'ai osé poser la question.

— Tu as déjà vu une de ses toiles, il peignait déjà avant de partir pour l'Amérique, n'est-ce pas ?

— Je ne sais pas, Lisa. Je crois que je n'y avais jamais réfléchi, tout arrivait comme ça, au petit bonheur. Ces derniers temps seulement, il m'arrive de me poser des questions, je l'ai même approché, Charles, je lui ai envoyé une invitation pour le vernissage.

— Il viendra, tu crois ?

— Non, ça me semble improbable. (Surpris, Johan lève la tête.) Nom d'une pipe, un bateau ! Maintenant je me souviens. La grande chambre à coucher, qui plus tard est devenue ma chambre, c'était aussi l'atelier de Charles. Il y avait ses toiles, il n'a pas dû y travailler beaucoup, il avait vingt-sept ans quand il s'est tiré, et à cette époque on se procurait difficilement du matériel.

Mais je me souviens d'une nuit, un soir, où il nous avait amenés dans cette pièce, Os et moi, ce fut un moment solennel. Lui, montrer ses peintures ! Il y en avait quatre, je crois. Peut-être parce qu'il y a quatre murs ? Je me souviens d'un tableau : il représentait un bateau, un grand bateau noir. Et en bas à gauche, quatre personnes aux visages tristes, très étranges. Un bateau menaçant, gigantesque, avec des hublots jaunes, comme des yeux. Mais il se pourrait bien que ce soit une sorte de souvenir reconstitué après coup, parce que je sais qu'il est parti par bateau.

— Alma te l'avait raconté ?

— "Papa s'en est allé sur un bateau et ne reviendra jamais plus. Nous allons vivre ici sans lui, maintenant." Tout ce qui lui appartenait, elle s'en est très vite débarrassée : les peintures, le grand lit, ses vêtements, tout. La table à dessin, je ne suis pas certain. Qu'a-t-elle fait des tableaux ? Aucune idée.

Tante Janna m'a dit plus tard comment ça s'était passé ; Charles avait reçu un contrat pour un décor d'opéra et était tombé amoureux de la soprane. Cette femme l'a emmené avec elle, du jour au lendemain. Il n'a plus jamais donné de ses nouvelles, à ce que je sais. Avec Alma, il n'était pas question d'en parler.

— Elle a tout de même dû communiquer avec lui pour régler des questions juridiques : séparation des biens, tutelle, ce genre de choses ?

— Je ne sais pas. On ne pouvait rien lui demander. Si on essayait, elle ne donnait pas de réponse. Oscar s'est résigné avant moi. Il est devenu une sorte de vice-mari d'Alma, et il l'est toujours. Il bricole dans sa maison, mange chez elle, il lavait même son linge dans sa machine à laver jusqu'à une époque récente. Non, Oscar vise plus à ma ruine qu'à celle de son père, je crois.

Lisa éprouve de la commisération pour le fils assujetti. Faire si fidèlement de son mieux afin d'être un bon mari pour sa mère, et pourtant, au fil des ans, être forcé de voir les yeux d'Alma étinceler sitôt Johan en vue, ce Johan qui transgresse toutes les lois et reste malgré tout le chouchou, encore et toujours.

— Et ensuite, devenir historien de l'art, dit-elle. Toujours occupé à étudier et à se documenter sur la sorte d'hommes dont il a eu le plus à souffrir. Pas étonnant qu'il s'en soit donné à cœur joie dans ce journal, pour une fois.

Johan renifle dédaigneusement.

— Il s'y connaît vraiment bien en technique. Avec personne je n'échange autant qu'avec Oscar, sur un plan professionnel. Mais nous nous fâchons vite, comme autrefois. Je rentre chez moi, Lisa, je veux arriver à temps pour les emballeurs. C'est sympa de venir manger dimanche. Est-ce qu'Ellen appréhende beaucoup ?

Que dire, pense Lisa, que vas-tu comprendre si je dis quelque chose ? Toi et ton père êtes de la race des séducteurs et qui se laisse séduire est à la traîne pendant des années. Qu'est-ce que c'est que cela, est-ce que ça n'appartient qu'aux femmes ? Se sentir les genoux flancher auprès d'un tel homme, sentir que tout ce qui était important perd soudain son sens lorsqu'il vous sollicite ? Qu'il a besoin de vous à cette heure-là, qu'il doit être sauvé et plus jamais blessé, et que vous, vous pouvez l'aider ? Et que vous-même, vous le voulez, que vous voulez presser sa tête aux cheveux noirs sur votre ventre nu, et plus et plus loin, à cette heure-là, à cette heure-là.

Après avoir passé une heure assise sur son lit, immobile, Alma a pris son téléphone et a appelé le Musée national. Oscar était à son poste et sa voix avait un accent légèrement irrité par cet appel inopportun.

— Oscar, j'aimerais que tu viennes un peu plus tôt, aujourd'hui. Il s'est passé quelque chose. Ne me demande pas quoi. Je ne peux pas te le dire au téléphone.

— Quoi, quoi donc, maman ? C'est à toi qu'il est arrivé quelque chose, tu es malade ? tombée ? J'arrive tout de suite.

L'irritation s'est dissipée, Oscar est inquiet ; à la voix d'Alma, il s'aperçoit qu'elle est bouleversée.

— Non, je ne suis pas malade. La téléphoniste m'écoute, Oscar, c'est toujours ainsi dans les établissements où il n'y a pas beaucoup à faire. J'apprécierais vraiment que tu viennes une heure plus tôt, je voudrais m'entretenir avec toi de quelque chose. Tu n'as pas besoin de te précipiter.

Maintenir Alma debout étant sa raison de vivre, Oscar ne parvient plus à se concentrer sur son travail. Sa mère a une crise cardiaque. Elle est étendue par terre, les deux jambes brisées. La maison est en feu. Il y a une inondation. Elle s'est fait cambrioler. Elle se meurt. Il empoigne son sac : un gros rapport de la direction, un dossier concernant le recrutement d'un restaurateur en chef, les lunettes de lecture, le gros trousseau de clés donnant accès au musée et aux départements administrés par Oscar.

En nage, il se dirige vers la maison de sa mère, qui est à peine étonnée de le voir si vite. Elle s'est remise en un certain sens des tempêtes du matin ; la douleur au bras et à la poitrine s'est apaisée mais elle a encore trop peu de force dans les bras pour pouvoir remonter ses cheveux. Toutes les chaises sont chargées de robes, de jupes, de vestes. Oscar enlève une robe bleu acier, en soie moirée, de la chaise où il s'installe toujours. Il est arrivé juste à temps : Alma n'est pas encore parvenue à s'asseoir lorsque le livreur de la Maison Davina se présente à la porte. Alma paraît dans le séjour, confuse, sa canne à droite, la boîte à gâteau à gauche.

La vieille femme à la chevelure relâchée et l'homme au cou d'oiseau portant lunettes se penchent avec étonnement au-dessus de l'objet brillant qui trône au milieu de la nappe tachée. Alma fait sauter le couvercle. Le tronc d'arbre fossile est là, son écorce porte une petite carte : "Avec les compliments de M. Steenkamer."

Brève inspiration d'effroi. Suivie d'un profond soupir. Alma va s'asseoir auprès de lui. Oscar reste debout, troublé, il saisit la carte et la ramène juste au-dessous de ses lunettes ; comme s'il ne comprenait pas ce qui y est écrit.

— Mère, qu'est-ce que cela signifie ? Je ne comprends pas.

— Je pense, mon garçon, que c'est en rapport avec le sujet dont je voulais te parler. Il faut que tu le saches, Charles est dans cette ville. Ton père. Johan est venu me le dire ce matin. Et je pense qu'il m'envoie cette petite attention de manière à refaire connaissance, ou plutôt à préparer les retrouvailles.

Oscar est perplexe. Steenkamer ? Steenkamer ! Bien évidemment que son père se nomme Steenkamer, du moins, c'est ainsi qu'il s'appelait autrefois. Sa mère est là, à soupirer comme une jeune fille et à lorgner la pierre dans l'élégante boîte. Cela doit cesser. Cela ne doit pas être.

— Mère, tu fais erreur, dit Oscar d'une voix rauque. C'est moi qui ai commandé ce cake pendant la pause de midi, pour qu'il y ait un dessert de fête au dîner de ce soir. Je l'ai fait livrer parce que je ne voulais pas me promener avec un gâteau par cette chaleur.

— Tu mens, jamais tu ne mettrais tant d'argent dans une pâtisserie. Tu mens, Oscar, tu mens !

— Ce n'est pas vrai, c'est pourtant vrai. C'est un week-end de fête, un week-end important du fait de l'ouverture de l'exposition de Johan. Etant donné la portée familiale de l'événement, j'ai pensé qu'un gâteau de prix était de mise.

La voix d'Oscar se radoucit. Il se laisse choir sur sa chaise et retire ses lunettes. Il nettoie mollement les verres avec un mouchoir. Raté. La manœuvre a échoué. Et maintenant que faire ? Détourner son attention. Lui faire comprendre qu'elle s'est entièrement leurrée. Que Charles n'existe pas, qu'il n'est pas dans cette ville en tout cas et qu'il n'éprouve aucun intérêt pour Alma, de toute façon. Mais comment s'y prendre ?

Alma palpe l'étoffe de la robe bleue.

— Celle-ci, je pensais la porter dimanche. Avec les chaussures bleues. C'est vraiment ennuyeux d'avoir à marcher avec cette canne, est-ce que ça ne va pas rompre le charme, pour lui ?

Lui dire simplement : Tu es une vieille sorcière aux cheveux sales, la peau de ton cou se desquame, tu es un sac avachi plein d'os, de longs poils blancs te poussent au menton.

C'est encore pire que ces bavasseries béates, interminables, à propos de Johan. Il y est habitué et sait les esquiver à sa manière. Un jeu qui consiste à être touché pour ensuite, après mûre réflexion, rendre une riposte prudente. Lorsque Johan était avec Ellen, c'était plus facile, Alma accordait moins d'intérêt à son préféré. Oscar sait que sa mère supportait mal de voir Johan se consacrer à sa famille, puis choisir une autre femme aussi ouvertement. Se consacrer ? Enfin, oui et non ! Dans le milieu artistique, les langues allaient bon train sur Johan le tombeur. Oscar lui-même entendit plus d'une fois que Johan batifolait avec une élève ou un modèle pendant qu'Ellen l'attendait à la maison auprès des enfants.

Pour Oscar, le divorce fut une menace directe : Ellen n'avait pas déménagé qu'Alma se jetait sur Johan comme il en avait toujours été. Oscar fut frustré dans ses espérances. Le divorce lui causait du chagrin, non seulement à cause des machinations du pouvoir et du télescope familial qui glissait lentement, mais aussi parce qu'il était très attaché à Ellen. Elle est peut-être la seule femme auprès de qui il se sente à son aise pour autant qu'il y soit disposé. Rien n'est saugrenu pour elle, elle n'attend rien de lui et n'a pas d'intentions dissimulées. Il regrettait de la voir dans un tel désarroi, en proie à un tel chagrin.

Sa colère envers l'éclat grandissant de l'étoile de Johan est d'un tout autre ordre. C'est l'estomac noué qu'Oscar prit connaissance du projet du Musée municipal d'organiser une exposition d'ensemble sur l'œuvre de Johan. Les vendredis soir, il ne pouvait pas manger, dans la détresse où il était d'entendre Alma jacasser à propos des talents de son fils. Oscar en avait la nausée et se retirait régulièrement dans les toilettes rénovées, où il s'asseyait sur le trône, en proie à une douleur oppressante, et vomissait, improductif, à côté des pantoufles de bain de sa mère. Le week-end, il se remettait un peu et tramait des plans. C'est avec une effroyable satisfaction qu'il écrivit son article qu'il adressa à la rédaction de la rubrique artistique, tirant profit d'une brouille entre le Musée municipal et le Musée national. Les brouilles dans le monde de l'art, ils en raffolent au journal du matin, et hop, un point de marqué.

Maintenant ça m'ennuie, pense Oscar, cette euphorie me sidère. Elle n'avait jamais plus aspiré à revoir Charles, elle l'avait renié, nous n'avions pas le droit de prononcer son nom, il n'y avait plus une seule photo de lui dans la maison. Et il lui suffit qu'il envoie un gâteau pour qu'elle perde toute prise sur la réalité. Cela ne se peut pas. Ou bien si ? Qui a pu faire livrer cette pâtisserie ?

— Alma ! tu sais bien que Charles ne s'appelle plus Steenkamer depuis longtemps. Il s'est marié avec une Américaine. Il a des enfants. Il s'appelle Charles Stone. Il nous a oubliés, Alma. Il nous ignore.

Alma le regarde du coin de l'œil, de dessous sa chevelure relâchée, inquiétante. Oscar frissonne, tant tout cela est épouvantable, loin de ce qu'il connaît. Elle veut porter la robe bleue, elle veut se faire belle pour son prince perdu !

— Les choses peuvent changer, Oscar. Dans ton monde à toi, il n'y a pas de place pour cela, toi tu vis dans l'aridité de la science. Il y a plus de possibles que tu ne penses.

Elle regarde la pierre, comme si celle-ci était une preuve de ses paroles insensées.

Oscar a soudain froid, dans cette fournaise. L'a-t-elle dupé durant toutes ces années, a-t-elle continué à désirer Charles, Charles était-il là quand même ? Que doit-il croire, comment peut-il retracer la carte de ce monde si rapidement transformé, sur quelle base reconstruire ?

— Si tu allais à la cuisine, Oscar, te préparer une tasse de thé ?

Oh oui, quatre heures, c'est bien, c'est du connu. Oscar se lève, avec un espoir neuf.

— Ramène aussi le gâteau, tu nous en couperas une part. Il faut que nous le goûtions, n'est-ce pas ?

Alma ricane et fait glisser la boîte sur la table en direction d'Oscar. La carte en a été retirée, à ce qu'il voit, où a-t-elle bien pu passer ? Dans son décolleté, sûrement, dans sa secrète armure rose, contre son cœur. Lentement il tend les mains vers le fossile gris, le soulève, l'emporte hors de la pièce.

— En attendant, je vais mettre un peu d'ordre ici, on se croirait dans une écurie de marché avec toutes ces robes à débarrasser, à ranger.

La voix d'Alma disparaît derrière deux portes, Oscar se laisse tomber sur la chaise de la cuisine. Ses mains pendent entre ses genoux. Temps mort.

Retourner adulte dans la cuisine de son enfance, c'est être un étranger en terrain connu. On connaît le chemin, on pense du moins que dans tel tiroir se trouve le couteau à pain, dans tel placard le poivre, que sur telle étagère sont rangées les tasses. Mais les balises ont changé de place et, à la recherche du passe-thé, on tombe sur une pile d'assiettes inconnues. Sous l'évier, dans le placard où se trouvaient autrefois la cuvette émaillée destinée au lavage de la vaisselle, ainsi que la batte à savon et la brosse en bois (il fallait un certain courage pour retirer la cuvette, car le placard était en liaison directe avec les égouts de la ville, il fallait sentir ! Si l'on donnait un grand coup de pied dans la cuvette, les bestioles des égouts étaient prévenues et restaient un moment, un court moment en retrait), dans ce placard a été installée une petite poubelle dont le couvercle se soulève à l'ouverture.

Bien qu'Oscar traîne toutes les semaines dans la cuisine d'Alma et soit au courant des innovations qui y sont graduellement apportées, il a soudain aujourd'hui le souvenir aigu de la cuisine d'autrefois. Le linoléum vert-de-gris (devant l'évier, il était usé et l'on voyait apparaître le plancher ; la nuit, les bestioles venaient en grignoter) a été remplacé par un sol en plastique gris foncé muni d'une protection antidérapante. L'évier est désormais un double bac relié sans jointure à la paillasse synthétique où se trouve en ce moment la boîte à gâteau. Du granit, une pierre froide, extrêmement dure. Un large évier peu profond cerné d'un carrelage noir et blanc. Près de la fosse (une grille d'aération pour les bêtes des égouts – si l'on tendait l'oreille, on les entendait parfois respirer), trois carreaux s'étaient décollés. Ils furent longtemps gardés sur une soucoupe avant que – quand ? pour quelle raison ? – ils finissent par disparaître. L'endroit écorché devint le refuge des macaronis et des feuilles de thé, qu'il incombait à celui qui faisait la vaisselle de déloger à l'aide d'une petite cuiller. Le plat à poisson de tante Janna est encore à son ancienne place dans l'armoire contenant le service : une composition en forme de tête, queue et écailles, en faïence, dans laquelle le poisson destiné à être mangé était disposé précautionneusement, comme pour un ultime accouplement.

Derrière les timbales, Oscar cherche les larges tasses à thé d'autrefois, avec le motif de lierre vert foncé sur fond crème, nervuré. Ça y est ! La planche la plus haute. Au fond.

Il redescend de la chaise, les deux tasses dans les mains.

Des resserres. Qu'a-t-elle caché d'autre, encore ? Trente-cinq années durant, ces tasses lui ont manqué, il les considérait comme perdues ; il a fallu un instant d'égarement, de non-contrôle, pour qu'il aille se percher sur la chaise de la cuisine et les découvre. Cette maison qui lui était familière, il la perçoit désormais comme un débarras trompeur plein de trésors menaçants.

Elle peut compter sur moi, pense Oscar. Je suis entièrement prévisible. Je ne fouille pas les tiroirs secrets, je ne fouine pas dans la soupente et je ne grimpe pas sur une chaise pour inspecter le sommet d'une étagère.

Poser les tasses. Flairer ses doigts : relents de gras ranci. Mais voilà, aujourd'hui, c'est fait ! J'en suis capable ! Tout comme le capitaine Cook de mon livre d'enfant, qui avait le don de savoir où se trouvait une terre en regardant les vagues, en humant le vent – moi je devine les lettres d'amour cachées, les chemises décomposées, tout ce que cette sorcière perfide a conservé de son amant. Tout retourner, je vais retourner toute la maison !

La bouilloire. Rincer soigneusement la théière à l'eau bouillante. La reposer un instant sur le gaz, laisser bouillir pour que le calcaire se dépose. Trois cuillerées de Lapsang dans le pot. Humer. Plantation fumée. Bateaux chargés d'épices. Verser. Entendre monter le ton de la théière. Maîtrise totale de la situation. Le capitaine empoigne le gouvernail et embraque l'écoute. En avant toute !

Extraire le gâteau de la boîte, le déposer sur la planche à découper. Sortir machinalement du tiroir le couteau à viande. L'intrus est couché la tête sur le hachoir, engourdi de peur, victime paralysée. Oscar fixe le tronc d'arbre du regard et voit du coin de l'œil le soleil de midi scintiller sur la lame d'acier. Sa tête se fait légère, insouciante. Il plante la lame presque indolemment dans le gâteau, qui sursaute lorsque celle-ci heurte le hachoir. Zouif ! Brandir le couteau. Zouif ! Sauter. Zouif ! Encore une fois. Zouif ! Zouif !

— Où es-tu, mon garçon ? Hâte-toi un peu !

Ahuri, Oscar regarde le couteau qu'il tient dans ses mains, le tronc d'arbre mutilé, le nuage de vapeur qui s'élève du bec de la théière. Des morceaux de l'écorce adhèrent au mur, au fond de l'évier gît une cerise noire et sur ses lunettes ont jailli des projections de crème chocolatée. Sur sa chemise aussi, à ce qu'il voit quand il a nettoyé les verres de ses lunettes avec le torchon. Mettre le couteau en lieu sûr. Boutonner le veston de son costume. Préparer d'avance deux parts de gâteau taillées dans la carcasse sanglante et les déposer sur des assiettes. Les remodeler. Enfoncer la cerise à l'intérieur à l'aide de l'index. Humer : luxe, délectation, suavité licencieuse. Petites cuillers. Le plateau. Ainsi lesté, prendre le vent en poupe dans le corridor, louvoyer pour entrer dans la pièce, déposer les marchandises sur le débarcadère.

— Comment ça marche dans cette maison ? Où sont les affaires ?

La voix d'Oscar est plus forte que d'habitude, il parle à travers sa peur, comme un marin hardi.

— Les affaires, quelle sorte d'affaires ? Cette maison est la tienne, tu as grandi ici, tu connais tout, ici.

— Les affaires de papa.

Alma se renverse dans son siège, sa tasse à la main. Elle a contemplé les tasses et les fragments de gâteau malfaisants en haussant les sourcils. Les projections de chocolat sur le pantalon d'Oscar et la coloration de son visage surexcité ne lui ont pas échappé.

— Quand Charles nous a quittés, dit Alma d'une voix grave, posée, je me suis défaite le plus vite possible de ce qui lui appartenait. Je savais qu'il ne devait plus jamais revenir et qu'il n'accordait pas de prix à ce qu'il avait laissé derrière lui. Je pouvais en faire ce que bon me semblait. La journée, quand vous étiez à l'école, Janna venait ici pour m'aider à débarrasser. Le grand lit, je l'ai cédé à une salle des ventes, tout comme le chevalet de campagne et le matériel de peinture. Et aussi sa chaise. Janna a empaqueté les vêtements et les a portés à l'Armée du Salut. De même que les chaussures et les manteaux. Tout a disparu, il ne doit plus rester de clochard qui se promène dans les bottes de ton père. Parti, fini. Demande à tante Janna si tu ne le crois pas.

Oscar ne porte pas les lèvres à son thé, il regarde attentivement le visage de sa mère.

— Et la table à dessin, alors, que Johan avait le droit d'avoir dans la grande chambre ?

— Oui, là tu as raison, celle-ci était de Charles, en effet. Flambant neuve. Il venait de l'acheter pour dessiner ce décor. Alors j'ai considéré que celle-là ne comptait pas, ce n'était pas un objet souillé qu'il avait utilisé pendant des années. Et pour Johan, ça tombait bien, alors je l'ai laissée là.

— Tu vois bien que tu me mens. Tu tais des choses, si je ne te demandais rien tu ne dirais rien, ni à moi ni à personne, jamais. Où sont ses lettres ? Une personne de vingt-cinq ans possède tout de même des papiers, de vieux bulletins scolaires, des journaux intimes, que sais-je encore, un carnet de croquis ? Des photos !

— Au feu, Oscar. Dans le fourneau. C'était un été froid, humide. Le soir, j'allumais le poêle quand vous dormiez et petit à petit, j'ai brûlé ainsi toutes les archives de Charles. Tu sais, nous n'avions pas le chauffage central, seulement un poêle à charbon dans la salle de séjour. Dans les chambres, il faisait froid l'hiver, il y avait des fleurs de givre aux fenêtres.

Oscar songe au foyer à la denture luisante et aux flammes s'agitant derrière les vitres de mica. Le soir, avant de se coucher, Johan et lui s'en approchaient pour avoir chaud. En pyjama. La chaleur brûlait les fesses jusqu'à ce que cela devienne insupportable. Le devant résistait moins longtemps. Il y avait près du foyer un grand fauteuil de cuir, avec de larges accoudoirs rembourrés sur lesquels ils s'asseyaient, lui et le petit frère, leurs pieds nus dans – dans quoi ? Entre quoi ? Entre les cuisses du père ! Sous le livre de lecture, pour ne pas toucher la peau nue, dégoûtante, des petits pieds dodus de Johan, remuer les orteils prudemment dans ce merveilleux espace secret ; une odeur de tabac, une impression de tension enchantée. Glisser ensuite entre les draps glacés, la porte entrebâillée car Johan avait peur du noir. Tendre l'oreille, tendre attentivement l'oreille vers quoi ? La respiration haïe provenant du petit lit à barreaux ? Non, cette impression est heureuse, pleine d'espérances. Quatre sons de cordes légèrement pincées, de haut en bas : *la*, *ré*, *sol*, *do*. Puis plus pleins, des cordes frottées deux à deux. Le son le plus bas ondoie jusqu'à ce que soudain la diphtongue prenne de l'éclat. Et puis : Le Chant. Johan s'est endormi. Père ne joue que pour moi, le plus beau, le plus triste chant du monde. Pour moi, parce que je l'entends, j'entends les sons s'élever et retomber ensuite, tellement tristes qu'on en pleurerait ; j'attends la fin, jusqu'au tout dernier morceau où le chant monte enfin vers les cimes et s'y tient.

— Le violon ! Où est passé le violon alto ? Celui-là, tu ne l'as tout de même pas fichu dans le poêle ? Ou si ? Où est le violon de papa ?

Oscar a bondi et gesticule férocement contre sa mère, les mots jaillissent de sa bouche, c'est une traîtresse, une vieille sorcière sournoise, il ne croit rien de ses histoires, elle doit la boucler, il cherchera par lui-même, il veut voir par lui-même ce qu'on a secrètement conservé de son père, dans cette maison. Il s'élance à l'aveuglette dans l'escalier, les larmes lui emplissent les yeux mais ces marches, il pourrait les escalader dans le noir. A l'étage, la moquette est restée la même : une sparterie qui étouffe aussitôt les pas furieux.

Oscar sent un bandeau angoissant lui enserrer la tête, il va bientôt avoir un accès de migraine suivi d'une syncope. Les motifs contradictoires qui l'assaillent sèment en lui un trouble suprême : chaque signe rappelant la vie de son père, il veut le jeter par-dessus bord, hors de portée de la mère perfide, il veut faire disparaître Charles de la maison de sorte qu'Alma ne pense plus jamais à lui. Mais ne veut-il pas aussi, chancelant dans l'escalier de la soupente, retrouver le violon alto dans la mansarde qui sent le renfermé, presser l'instrument contre sa poitrine et retourner chez lui tel un rescapé de la noyade cramponné à la bouée de sauvetage ?

Derrière lui, il entend Alma haleter dans l'escalier ; la canne cliquette contre le mur. Elle l'appelle, crie après lui, Oscar, son fils soudain incontrôlable est comme un foc dont le hauban se serait brisé.

De sa tête douloureuse, il pousse le volet de la mansarde. Celui-ci s'abat avec un bruit sec. La poussière fait un nuage. Alma s'accroche à l'échelle, secoue : "Laisse ça, descends !", elle lui tisonne les fesses de sa canne, la moitié inférieure de son corps se trouve en mauvaise posture. La moitié supérieure est entièrement sauve : lorsque les yeux se sont acclimatés à la lumière tamisée, Oscar voit des planches droites aussi loin que porte sa vue. Un sol vide recouvert d'une fragile couche de poussière, visible dans les rayons du soleil qui traversent la fenêtre de la soupente.

3

DES ISSUES DE SECOURS

La terre, encore, retient l'été. L'eau lisse stagne entre les rives herbues ; d'ici une demi-heure, quand le soleil aura dissipé la brume, la fraîcheur de la nuit sera portée disparue sans crier gare. Toute la verdure a pris des teintes foncées et les nuances printanières, jaunâtre, gris argent, vert clair, ont disparu depuis longtemps dans les arbres pleins. La feuille couverte de moisissures se pâme sous la rosée et ne pense pas encore à s'oxyder, à tirer la sève à soi puis à la rejeter.

Sur la terre aussi règne une sereine luxuriance : des mottes de gazon arrondies surmontées de longues tiges grasses ; de grandes feuilles velues aux plantes grimpantes sous lesquelles se dissimulent des courgettes et des potirons orange ; la salade a explosé hors de son cœur, est montée en graine.

De la fenêtre de la chambre à coucher, Lisa regarde par-delà le verger, vers la rivière où un grèbe passe en glissant, silencieux comme un bateau de papier, en direction des pâturages fumants. Elle reste un quart d'heure assise à la fenêtre, les coudes posés sur le rebord, à se perdre dans des pensées matinales décousues. La longue journée de liberté qui s'étend devant elle lui procure une sensation d'indolence intemporelle. Aucune contrainte vestimentaire, pas de maquillage, pas d'agenda ! La maison à laquelle elle tourne le dos est délicieusement vide.

Elle descend, enveloppée de son long peignoir. Elle marche pieds nus dans l'herbe humide sous les arbres, vers la rivière, revient le long du potager surabondant et négligé, vers la terrasse où le chiendent pousse sans entraves entre les dalles. Penchée au-dessus du tonneau, elle voit en profondeur la grande lambine qui nage lentement, remuant à peine la queue. Elle pose une chaise entre les roses trémières et contemple le figuier polytronc. Il porte des dizaines de fruits, cette année, comme si la rivière était la Méditerranée. Lisa en cueille un, l'arbre le cède de mauvaise grâce. C'est sucré. Un parfum de vacances.

S'asseoir avec un café et le journal de la veille. Il ne fait encore ni chaud ni froid, la température est rigoureusement identique à celle du corps. Repos, repos, repos.

Lisa a rendu la façade de la maison aussi impénétrable que possible : tiré les rideaux et fermé la grille du jardin. D'ici une heure vont être lancés les flots humains ; les villageois iront faire leurs courses et, avides de conversations, se suspendront à leurs pelles dans leurs jardins, sur le devant des maisons. Puis viendront de la ville des groupes d'hommes sur des vélos de course, la croupe moulée dans un fuseau noir lustré et un casque sur la tête. Ils pousseront des cris avertisseurs lorsqu'ils débouleront dans le village, rasant le couple distingué qui continuera de pédaler, le sac à provisions accroché au guidon, frôlant vicieusement les dames qui font leur promenade en jupe-culotte écossaise. Air vicié de sueur, chaleur des corps perceptible contre les bras des dames et trois mètres plus loin, giclure de crachats théâtrale sur le bas-côté de la route. Ensuite, le lisse miroir de l'eau sera brisé par la flotte des canots à moteur, par les voiliers impatients qui doivent attendre à l'écluse avant de poursuivre leur navigation vers le lac, par les canotiers qui s'en retournent car peu leur importe où ils vont.

Lisa est assise à l'abri, dans son jardin. Le téléphone, elle n'ose pas le débrancher : les enfants pourraient l'appeler, et cela irait trop loin. Elle ne veut pas s'isoler mais elle veut pouvoir dire non. Asociale, pense-t-elle. Ai-je peur des gens ? Je dis toujours que cela vient de mon travail ; je suis toute la semaine à l'écoute des autres, je dois me mettre à leur place, penser avec eux ou imaginer pour eux, donner forme à une conversation, toujours réfléchir à l'effet que produiront mes paroles, ne pas cesser d'être accessible. Est-ce donc si étonnant que je ne veuille voir personne les jours de congé ? Mais cette argumentation ne couvre en rien sa misanthropie, son aversion du genre humain, son écœurement. Est-ce une nouvelle forme du vieux mépris qu'éprouvent les domestiques envers ceux qu'ils doivent servir, de la haine du valet pour son maître, du dégoût de la femme de ménage pour la maîtresse de maison ? C'est possible, Lisa est une super-femme de ménage qui se fait payer pour s'enfoncer jusqu'aux chevilles dans la crasse des autres, qui se fait un devoir de prendre connaissance du contenu des armoires jamais vidées, qui perçoit un salaire pour le rangement et le lessivage intime au bénéfice d'autres personnes.

Foutaises ! Baratin que tout cela ! C'est vrai, mais on pourrait tout aussi bien bâtir le raisonnement inverse, selon lequel les patients amèneraient servilement toute sorte de matériel intéressant pour amuser la sagacité de Lisa.

Quelle est alors cette intense aspérité qui pointe sous son habile façade sociale ? L'insécurité ? La peur d'être éconduite ? Il est plus vraisemblable qu'elle veuille être celle qui éconduit ; à l'occasion de ses allées et venues dans le village, elle ferme son visage dès que quelqu'un semble vouloir lui adresser la parole. La contrainte de se trouver avec une autre personne dans un petit espace ne lui coûte pas le moins du monde lorsqu'il s'agit d'un patient ; cela l'épuise quand c'est un voisin d'ascenseur, un client qui attend avec elle au comptoir du boulanger ou un visiteur indésiré dans son salon. Devoir s'attabler avec des gens qui ne sont pas ses amis intimes est bien le pire. Etre forcée d'entendre les bruits du repas : aspirations sonores, déglutitions, mastications. Elle ne le supporte qu'en s'extrayant d'elle-même, en se fermant comme la façade de sa maison. La violence de cette aversion l'effraie mais c'est ainsi : Lisa doit fuir devant tout ce qui renvoie à l'idée de morsure, de pulvérisation et de dévoration.

A neuf heures et demie, dès que les convenances le permettent, Ellen téléphone. L'aversion de Lisa ne la concerne pas. Même le fait de vivre ensemble sous un même toit avec son amie est concevable et cela lui en coûterait un minimum, pense Lisa. Moins que la vie commune avec un homme.

Ellen a une voix inquiète. C'est comme si l'agitation de la vie citadine faisait irruption dans la cuisine par la ligne de téléphone.

— As-tu des projets, aujourd'hui, tu dois faire quelque chose en particulier ?

— Rien du tout. Je veux bien sortir, que dirais-tu d'une balade à pied ?

Ellen et Lisa sont des marcheuses. Elles parcourent de longues distances, parfois pendant des jours dans des pays étrangers, elles portent leurs vêtements dans un sac à dos et passent la nuit dans des auberges, à la campagne. Au cours de l'année, elles se réservent régulièrement une journée de congé pour, quelle que soit la saison, à un rythme terrifiant, sortir à pied de la ville et rejoindre un arrêt d'autocar ou une gare de chemin de fer à une quarantaine de kilomètres de là.

— Je ne peux pas vraiment, aujourd'hui, dit Ellen, je veux être rentrée cet après-midi, il reste tellement à faire pour demain. Je n'ai pas de répit. Mais une petite promenade pour s'aérer, ce matin, c'est possible.

— Amène-toi, après on verra.

Ellen a attaché ses chaussures de randonnée sur le porte-bagages, Lisa les porte déjà aux pieds. Ce sont de splendides constructions de cuir solide, façonnées de telle sorte, à lacer de telle façon que l'eau ne les traverse pas, et émergeant d'une semelle stratifiée en trois couches. Leur profil leur permet une bonne adhérence sur la pierre, sur les pentes parsemées de fines aiguilles de pin, dans les rivières peu profondes. La marche est une jubilation, dans ces chaussures : chaque pas que l'on fait inspire largement confiance pour le suivant, les pieds estiment qu'on leur fait droit et ne songent pas à développer des ampoules. Se munir de cet attirail procure déjà en soi une modeste joie intérieure.

Lisa ferme la porte à clé. Elle ajoute deux seaux en plastique à son sac à dos car l'étang est bordé de buissons de ronces chargés de mûres.

Elles quittent le village silencieuses, attendant que leurs pieds foulent l'herbe pour parler.

— Je crois qu'Alma ne va pas bien dans sa tête, dit Ellen. Ce n'est pas qu'elle fasse de la démence ou quelque chose de ce genre, mais la tension devient de trop pour elle, elle fait des trucs bizarres.

— Elle est tout de même en acier, cette femme ? Je pensais qu'elle prenait seulement plaisir à l'intérêt qu'on porte à Johan, qu'elle le considérait comme son triomphe personnel. Le fils surpasse son père, grâce à elle. Une façon de s'acquitter. Ce dîner-là est tout de même aussi son banquet de la victoire.

— Oui, je l'ai d'abord cru, moi aussi, et c'était bien ça. Mais les choses s'accélèrent, le contrôle lui échappe.

Indignée, Ellen raconte que Johan a écrit à Charles.

— Et Alma, cette femme d'acier, qui croit vraiment qu'il va venir. Il y a plus de quarante ans qu'elle ne vit plus avec ce type, et tu sais ce qu'elle fait ? Elle se pomponne, elle se fait belle, elle se comporte comme une sotte de quinze ans amoureuse.

— Comment le sais-tu, tu lui as parlé ?

— Elle a téléphoné hier après-midi. Démontée. Johan était parti furieux, ils s'étaient disputés à propos du fameux article d'Oscar, elle a encore ajouté qu'il ne voulait pas venir à son dîner, mais ce sont des vétilles, tout ça. Elle n'en avait que pour Charles. Il était dans la ville, il voulait la voir. Elle jacassait, la voix criarde, elle n'était pas elle-même. J'ai pris peur. Elle m'a fait toute une chanson : sur ce qu'elle allait mettre, ce que je lui conseillais, elle voulait savoir s'il me restait du temps pour aller avec elle acheter quelque chose de neuf. Et la canne, comment faire avec cette canne ? Elle ne peut pas faire un pas sans ! Qu'allait-il penser s'il voyait qu'elle ne pouvait pas bien marcher ; est-ce qu'elle pourrait rester assise tout le temps de la réception ? Ça la hantait. Il devait bien entendu dîner avec eux, elle allait tout de suite appeler *La Carpe Noyée* ; devait-il s'asseoir à côté d'elle ou justement pas – ça n'avait pas de fin.

— Doux Jésus, Ellen. Soixante-quinze ans. C'est donc qu'il faudra toujours rester vigilante. Il devrait y avoir une frontière de l'âge ; après, ça ne devrait plus rien vous faire, l'apparence qu'on donne, on ne serait plus sensible aux signaux des hommes. A vrai dire, tout ça devrait s'arrêter avec la fécondité. On aurait ensuite la moitié de sa vie vraiment pour soi. J'espère toujours que le danger de se perdre totalement diminue un jour, qu'on puisse en tirer quelque chose, d'être avec un homme, mais que ce soit de son plein gré, en gardant toute sa raison.

— Non, on ne peut pas dire que ce soit le cas, ici. Le coiffeur ! Elle voulait aller chez mon coiffeur. Alors qu'elle l'avait toujours refusé : le coiffeur de son quartier lui suffisait amplement ! Tu te souviens que je voulais lui offrir une cure complète pour ses soixante-dix ans ? Ridicule, disait-elle. Je n'avais qu'à virer cet argent sur le compte de l'aide aux baleines ! Et maintenant, il fallait agir sur-le-champ, c'était la raison de son coup de fil.

— Après tout, ses cheveux, on dirait du foin ensilé, dit Lisa songeuse, ça ne peut pas lui faire de mal d'aller chez un artiste du cheveu. Dans ces circonstances. Et il a pu la caser, ton prince de la coiffure ?

— Non, mais il va lui trouver un créneau entre deux rendez-vous, cet après-midi. Il a dû entendre à ma voix que ça me tenait à cœur, ce chou.

Ellen fréquente un excellent salon de coiffure. Ses cheveux sont toujours parfaits et naturels, comme s'ils poussaient avec cette forme. Lisa se remémore ce palais de la coiffure, elle y est allée une ou deux fois : elle s'était sentie plutôt mal à l'aise entre les vedettes de la télévision et les stars du football. Et tout le monde était jeune, même si il ou elle était vieux. Une vieille dame ne serait pas du tout à sa place dans cette ambiance.

— Alma est allée trop loin pour s'en rendre compte, dit Ellen. Elle ne voit qu'elle, une image d'elle. Quand elle se regarde dans un miroir, elle ne voit plus ce qui lui est donné à voir, sa perception est faussée. Elle serait renvoyée chez elle avec une coiffure punk ou un crâne rasé qu'elle ne s'en apercevrait même pas. Ce qui compte, c'est l'acte lui-même. Aller chez un coiffeur aussi cher, se faire laver les cheveux, laisser un garçon toucher à sa tête. C'est une façon de s'occuper de Charles, d'agir pour Charles. Mais ils lui feront quelque chose de bien, c'est certain. Il va peut-être lui faire une couleur. Les garçons ont rendez-vous avec elle juste après. J'ai tellement l'impression qu'elle doit être prise en charge, tenue à l'œil, par la famille.

— C'est toujours ta famille, n'est-ce pas ?

— Oui, ça l'est resté. Elle est la grand-mère de mes enfants, Oscar leur oncle. Oui. Le soir, elle m'a rappelée. Elle avait eu une altercation avec Oscar, lui aussi était reparti furieux de la maison ! Il ne supportait pas qu'elle reprenne contact avec Charles, m'a dit Alma. Tu as des contacts avec lui, au fait ? lui ai-je demandé, parce que je voudrais bien savoir au juste ce qu'il y a de vrai dans toutes ces histoires. Oui, a-t-elle dit, Charles avait fait livrer l'après-midi un paquet de la Maison Davina, avec un superbe gâteau à l'intérieur. Et c'est à ce propos qu'Oscar s'est emporté. Il n'y a même pas goûté, d'après elle. Au ton de sa voix, elle semblait y prendre plaisir, comme si ses amants étaient en train de se battre pour elle. J'espère qu'elle ne va pas faire une crise cardiaque.

— Et Johan, tu as parlé avec lui ? Je l'ai croisé hier dans la rue, on a bu un verre ensemble, il venait de chez Alma. Je n'ai pas eu l'impression qu'il était fâché, ou qu'il allait lui gâcher son dîner. Nous avons parlé de Charles, des souvenirs qu'il en avait. Il m'a raconté ses tentatives de le contacter, il était plutôt serein. Johan retrouve souvent son calme quand il a piqué une colère, non ?

Ellen rit :

— Je suis contente, encore maintenant, de ne plus avoir à subir ces sautes d'humeur. Je ne pense pas non plus qu'il fichera tout en l'air maintenant. Il a mieux à faire en ce moment ; par comparaison, les frictions familiales ne font pas le poids. Il va passer à la télé, son nom sera dans les journaux, il devient d'un seul coup une autorité en peinture, voilà ce qui l'intéresse. Je ne l'ai plus revu depuis la semaine dernière. Je dois prendre un peu de recul, toi tu craques, n'est-ce pas. Et moi je ne veux pas de cela, je suis si contente de ma tranquillité.

— Au fait, il s'est passé quelque chose entre toi et ton ancien patron ? demande Lisa, curieuse. Tu sais, ce Roi du Bois qui était si bon pour toi ?

— Il a été un père pour moi, une sorte de père idéal. Plus tard il m'a vraiment consolée, comme une petite enfant. L'inceste, oui, il y a certainement eu de cela au début. Il me trouvait drôle, et moi j'étais ravie qu'il me trouve drôle. Johan était un tel goujat, en ce temps-là ; j'étais très sensible au fait que quelqu'un pense à moi, soit poli, gentil. Mais physiquement, ça ne s'est jamais amorcé. On a bien essayé, mais c'était trop comique. Les fesses nues sur une table immense, dans un bureau déserté. Et lui, son pantalon gris d'homme respectable sur les chevilles, on a éclaté de rire. C'est aussi le signe qu'il n'y avait pas eu de flash. C'était pourtant tellement sérieux entre nous qu'il fallait essayer. Nous en avons ri par la suite, mais la baise au bureau, on a donné. Et craquer pour de bon, il n'en était pas question, alors…

Elles marchent. Traversent des paysages de berges, fendent les roseaux, franchissent de hauts ponts de bois faits d'écheliers. Des gens mangent, assis sur des couvertures étalées par terre, lisent sur des chaises pliantes qu'ils ont amenées avec eux, ou sont occupés à pêcher sur des pontons. Des enfants nagent, se poussent dans l'eau depuis des chambres à air d'automobile, des hommes à l'air furieux se battent avec des planches à voile ; au milieu de l'eau, les voiliers pullulent.

Personne ne marche. Le sentier s'élargit jusqu'à une bande de terre à pâturage entre deux étendues d'eau. Il est bordé de hautes ronces. Les branches sont alourdies de fruits noirs.

— On s'y met ? demande Lisa. On sera vite pleines d'égratignures, en sang, ils ont des épines tellement cruelles.

Les plus belles mûres se cachent dans l'herbe, accrochées aux branches les plus basses. Elles s'agenouillent, courbent les herbes sur le côté, soulèvent précautionneusement la branche et en cueillent les fruits tellement mûrs qu'ils tombent dans la main. Ne penser qu'à cette branche, puis à celle-ci. Puis au buisson suivant. Ellen recouvre son calme, Lisa ne pense plus. Il n'y a que le soleil qui réchauffe leur dos, les seaux qui se remplissent progressivement, l'air à la suave odeur de mûres, la danse des taches noires devant leurs yeux.

Puis rentrer à la maison, les lèvres bleuies et les bras pleins d'éraflures. Transpirer. Avoir chaud. La récolte sur la table du jardin. S'asseoir là, satisfaites, allumer une cigarette. Se mettre pieds nus.

— Je te fais de la confiture, cet après-midi, dit Lisa. Je te l'apporterai la semaine prochaine. Quand tout sera passé.

— C'est gentil. Je me régale déjà.

Elles pensent toutes deux à demain. Juste une dernière petite pause. Juste une pause ensemble au jardin, sans foyer, sans famille, sans devoirs, sans travail. Dans le fond de leurs pensées, elles fouillent déjà leur garde-robe. Tu devras mettre des bas, j'ai un nouveau collant pour l'été ; elles se demandent à quelle place elles vont se garer, pensent à qui viendra, à quelle heure, combien de temps, qu'est-ce qui se prépare, au fait, comment les membres de la famille qui dévieront pourront-ils être tenus en bride ?

— On va nager ?

Dans le verger derrière la maison, à l'abri des regards d'éventuels voisins, elles se débarrassent de leurs vête-ments et se laissent tomber dans l'eau brune de la rivière. Le fond est mou, les pieds sont aspirés dans la vase. L'eau froide efface la brûlure des piqûres de taon, la peau se tend et les taches de sang et de mûres disparaissent. Fermer les yeux allongées sur le dos, de l'eau dans les cheveux, dans les oreilles. Se laisser doucement aspirer par un courant mou, se retourner, nager paresseusement vers la rive, la joue gauche dans l'eau, la joue droite, gauche, droite ; puis se laisser de nouveau emporter, sans s'agripper, sans crainte.

Lisa prend la grande marmite à confitures dans le placard de la cuisine. Elle pèse les mûres dans leurs bacs de plastique au poids négligeable et les laisse tomber dans la marmite. Feu au-dessous, couvercle par-dessus. Les fruits sont si mûrs qu'ils ne nécessitent pas d'eau. Cinq minutes plus tard, Lisa retire le couvercle, dévoi-lant un tableau atroce : des dizaines de vers blancs ou d'asticots, Dieu sait comment ils s'appellent encore, se sont glissés hors de leur mûre hospitalière quand la cha-leur s'est élevée. Ils adhèrent au couvercle que Lisa net-toie sous le robinet, ils rampent le long des parois brûlantes de la casserole (recueillis avec du papier ; écrasés dans la poubelle) et ils se dressent, se balançant de leur extrémité noire que Lisa prend pour la tête, ne trouvant pas de point d'attache, attendant désespérément ; jusqu'à ce que Lisa les libère de la chaleur avec la cuiller, non pour les redéposer sur les mûriers du jardin, mais pour les rincer dans l'égout, impitoyablement.

Poursuivre la cuisson jusqu'à ce que les fruits fermes soient réduits en noires pellicules, flottant dans une mer de sang. Celui qui n'est pas disposé à abandonner sa forme se fait écraser à la cuiller. Le résultat est certain. Les traînées de sang ruissellent. Le sucre est prêt. C'est incroyable comme il pue quand on le renifle vraiment. Puis le jus de fruit qui bout dans la marmite est gavé de sucre à grandes rations. Lisa flaire la casserole après chaque bombardement de sucre, jusqu'à ce que l'interruption du crissement signale que le jus a tout assimilé.

Peu à peu s'accomplit une merveille. Le jus devient ductile, laisse plus aisément vagabonder la cuiller et gagne en souplesse. La vapeur qui s'élève de la marmite est odoriférante et fait rétrécir l'émail des dents. Le miracle réside dans le changement de couleur. Quand tout le sucre est absorbé, le mélange ressemble à une mer ardente, rouge feu, claire et scintillante là où il n'y avait d'abord que gadoue et ténèbres.

Lisa mesure le niveau de liquide. Aux deux tiers, elle tire un trait au crayon sur la cuiller. Le liquide doit réduire jusque-là pour qu'ensuite, au refroidissement, il atteigne la densité voulue.

Dompter, régner, mater. Laisser cuire à feu vif. Entretemps, Lisa lave les pots de verre et les dépose dans de l'eau chaude.

La marmite devient une fois encore le théâtre d'un spectacle cruel. L'épaisse couche pacifique de pulpe de fruit surnageant dans le liquide se met en mouvement, le cercle des flammes du gaz se devine au dessin que forment bulles et boursouflures dans la soupe de mûres. Si la pression monte, ils vont éclater un à un et, tels de petits volcans, ils cracheront leur lave. L'agitation s'intensifie, les collines s'élèvent. Les montagnes se lient en une chaîne, forment un massif contre les parois de la casserole ; la lave se concentre au milieu. Deux chaînes de montagnes se tournent l'une vers l'autre, se renversent, se disputent l'hégémonie jusqu'à ce que l'une perde et glisse sous l'autre telle une motte de terre. L'activité volcanique est si brutale que la matière en fusion monte et monte dans la marmite ; avec des bulles d'air qui crépitent, avec des rayons de geysers rouge vif, les mûres effectuent leur dernière offensive. A présent, si Lisa n'intervient pas en réduisant le feu et en mélangeant l'air à travers le liquide en fusion, si elle reste ainsi, la cuiller inactive dans sa main droite, le bouton du gaz immobile sous la gauche, si elle ne peut garder les yeux détournés de l'agressif creuset rouge, alors toute la masse va déborder et asperger sol et fourneau de taches collantes rouge grenat.

A elle de choisir : s'abîmer dans la bataille ou apaiser le combat.

Tandis que la confiture mijote doucement, Lisa désinfecte les pots et les aligne. Les gouttes qui restent accrochées à la cuiller en bois après le mélange s'épaississent peu à peu et se détachent difficilement. De temps à autre surnage au centre de la marmite un nuage de mousse rose que Lisa recueille, de sorte que le rouge scintillant reste intact.

Soudain la couleur s'intensifie, le rouge s'assombrit, signe que la juste épaisseur est atteinte. Le feu peut être éteint, le remplissage des pots commencer. Lorsque les dernières bulles de cuisson se sont apaisées, Lisa ajoute à la masse des fruits une cuillerée de bicarbonate de soude. Une odeur désagréable s'élève un instant. C'est une chose magnifique et profondément satisfaisante que d'avoir les dons de la nature sur la paillasse de sa cuisine, mais cela conduit à une intense déception si, à l'ouverture du pot, apparaît une couche de moisissures blanc-vert. Le vainqueur fait en sorte que le vaincu ne puisse se retourner contre lui après s'être retiré. Il laisse une garnison de surveillance derrière lui, s'il est intelligent. Lisa utilise sans doute des conservateurs nuisibles à la santé, préférant les risques d'un cancer à une confiture ratée.

Lentement, elle verse dans les pots la confiture brûlante. Couvercle par-dessus, les retourner un instant, les ranger sur le plateau recouvert d'un linge mouillé. Soumises, captives et timorées, les mûres sont là, rougissantes. Lisa a gagné.

*

Alma s'est engagée dans un combat dont elle n'a pas la moindre possibilité d'embrasser toute l'étendue. Au plus chaud de la journée, elle est assise sur un fauteuil d'osier, devant les portes ouvertes donnant sur le jardin. Elle porte une combinaison rose. Le long de ses jambes nues, blanches, grimpent des veines mauves comme de la vigne vierge ; ses pieds se sont couverts de nodosités, de durillons jaunâtres et d'ongles calcifiés. Prenant appui sur sa canne, elle baisse le regard vers ses pieds, vers cette détresse qu'elle vient seulement de remarquer.

Un soin chez la pédicure ne servirait plus à rien. Il ne reste qu'à contenir tout cela dans des bas épais. Alma a un petit banc spécial qui lui permet de se reposer les pieds tout en enfilant ses bas. Elle attache les bas à des jarretelles, c'est plus facile à tendre qu'un panty, même s'ils sont moins confortables. Toute sa vie durant, Alma a senti dans son dos la fermeture de fer d'un porte-jarretelles.

Elle parcourt la pièce du regard. C'est un fourbi, avec toutes ces robes étalées. Une à une, elle les replace dans l'armoire. Hormis la bleue en soie, qu'elle suspend sur un valet de nuit.

Je ne peux pas aller chez le coiffeur en combinaison. Si je mets la bleue maintenant, elle risque de se salir. Je transpire. Il y aura des cheveux dans le col. Des traces de teinture. Heureusement que j'y pense.

Alma sort de l'armoire une robe d'été en coton, bleue à fleurs blanches. Elle se dirige vers son lit et enfile sa robe assise. Chaque manœuvre pour laquelle des objets doivent être déplacés ou emportés lui demande au préalable une réflexion précise. Elle ne peut pas se déplacer sans canne, même en position debout, elle a besoin d'un point d'appui. Avec l'augmentation de la concentration, tout file à la vitesse d'un train, mais toute réflexion est exclue.

Un taxi. Je dois appeler un taxi. Le numéro de téléphone de la borne la plus proche a été scrupuleusement noté par Oscar à côté du téléphone. Quelqu'un viendra à trois heures, c'est sûr, madame, tout à fait certain !

Alma dépose quelques centaines de florins dans son sac à main, elle n'a aucune idée de ce qu'elle devra payer au coiffeur ni de ce qu'elle fera ensuite. Tout est devenu si différent. Si elle essaie de sentir son corps, elle constate une douleur lancinante à la hanche et une sensation de fatigue dans le dos. La douleur au bras gauche a disparu ; mais elle éprouve une étrange fatigue dans ce bras, comme s'il était détaché du reste du corps. Elle ne réussit pas encore à relever ses cheveux.

Il faudrait de toute façon les relâcher bientôt.

Devant le miroir des W.-C., elle n'en est plus aussi sûre. Son visage blême au nez osseux prend un air chétif sous la couronne des cheveux lâches, il a l'air maladif, et désagréable. Un foulard, un châle tout autour !

Ai-je mangé aujourd'hui ? Je dois boire par cette chaleur.

Alma claudique en direction de la cuisine où règne le chaos. L'évier contient encore les débris du gâteau-pierre. Le fourneau est encombré de casseroles contenant la nourriture d'hier, le repas du soir d'Oscar désormais inutile. Des assiettes souillées, des tasses avec du café ; relents douceâtres de vaisselle sale.

Elle boit un verre d'eau et referme la porte de la cuisine. On doit établir des priorités. Son sac à main sur les genoux et sa canne à côté d'elle, elle va s'asseoir sur la chaise, près de la porte d'entrée. Soupirs. S'éponger le visage avec le grand mouchoir. Des larmes ? Oui, des larmes.

Que suis-je en train de faire, que se passe-t-il ? Je devais aller quelque part, mais pourquoi ? Et je ne peux même plus courir. Les garçons. J'ai un rendez-vous avec les garçons !

Cette pensée tranquillise Alma. Ses petits-enfants viendront la chercher chez le fameux coiffeur. Un vague sentiment que tout va bien si la famille est au courant l'envahit. Respirant calmement, elle attend le chauffeur de taxi. Elle a la clé de la maison dans la main, elle fermera la porte avant de monter dans la voiture. Clés et sac à gauche, canne à droite, pieds par terre.

Sans hésitation, Alma pousse la porte du salon de coiffure et se retrouve dans un hall d'accueil clair, tout en vitrines. Derrière un comptoir, une femme est en train de téléphoner. Elle a le crâne rasé, et des mèches blond clair pointent en tous sens. La femme regarde dans la direction d'Alma mais continue de parler au téléphone. Devant la vitrine, il y a une table et des chaises. Une autre cliente attend là, une femme de l'âge d'Ellen. Un escalier conduit à l'étage où se trouve le salon proprement dit, où sont installés pêle-mêle des miroirs devant des chaises hautes. De jeunes hommes en noir évoluent au milieu de tout cela, allant et venant au pas de danse. Une musique désespérée, percutante, gronde dans tout le magasin.

Alma est tentée de retourner sur ses pas. Mais le taxi est déjà reparti. Qu'irait-elle faire dans la rue, et puis elle a un rendez-vous ici, elle mettrait Ellen dans l'embarras si elle ne le respectait pas.

Il fait encore plus chaud ici que dehors, pour autant que cela puisse être. Dans l'air flotte une odeur de shampooing, pas désagréable en soi, mais parcourue de miasmes de cheveux mouillés. Nausée. Impossible de tenir debout plus longtemps. S'asseoir à la table ? Mais se lever ensuite quand Tête de Rat aura le temps. Mieux vaut attendre un peu. Allez, regarde par ici !

Tête de Rat raccroche le téléphone, feuillette un grand agenda et tourne finalement vers Alma son visage dans lequel brille une large bouche rouge feu, animée d'une expression interrogative.

— Ma belle-fille m'a pris un rendez-vous. Pour quatre heures.

La femme regarde d'un air étonné frisant le mépris. Il n'est même pas trois heures et demie. Les gens qui déclarent qu'ils ont du temps à perdre comptent pour rien, semble-t-elle se dire. Elle n'a pas de sourcils, sinon ils se seraient haussés.

— Votre nom ?

Il n'est nulle part écrit Hobbema dans le grand agenda. Alma a le dos brûlant de sueur. De douleur aussi. Si seulement elle pouvait s'asseoir.

— Qui a pris le rendez-vous ?

— Ma belle-fille. Ellen Visser. Hier.

Le téléphone se remet à sonner. Elle décroche.

— *La Technique du Cheveu*, bonjour ? Deux semaines. Oui, très chargé. Mardi, une heure trente. Avec Olav. Dans trois semaines, donc. Votre numéro ?

Tête de Rat écrit dans l'agenda et reprend la conversation avec Alma.

— Vous disiez ?

Alma répète, espère, attend avec anxiété.

— Oui, vous avez été rajoutée. Une exception. Edwin va vous prendre. Vous pouvez attendre ici. Il est encore occupé. Voulez-vous du thé ?

Alma se laisse choir dans une chaise de la vitrine. Des passants déambulent dans la rue, s'il n'y avait la vitre on pourrait les toucher. Ils portent des shorts et des maillots sans manches. A une terrasse, de l'autre côté de la rue, des gens boivent de la bière sous des parasols, les jambes paresseusement allongées.

Alma reçoit son thé avec gratitude. Elle n'ose pas réclamer du sucre. Rien que d'y penser, elle a faim, elle a résolument oublié de manger, aujourd'hui. Tant pis.

Un jeune homme descend l'escalier et serre la main à la cliente qui attend. Il porte un collant de danseur sous une tunique noire. Les emmanchures sont si larges qu'on peut voir son buste nu. Il est chaussé de hauts brodequins noirs, de ceux que porte Ellen pour la randonnée.

Le garçon a des cheveux longs, sales, qui recouvrent négligemment ses épaules. Il emmène la femme avec lui à l'étage ; leurs têtes penchées l'une vers l'autre, ils confèrent sur la coiffure à réaliser.

Bizarre qu'eux-mêmes fassent si peu de réclame pour leur clientèle, pense Alma. Tous les gens qui travaillent ici ont des coupes à coucher dehors. Une fille en maillot de bain noir balaie. Une moitié de sa tête a été rasée. De l'autre côté, les cheveux sont plaqués sur sa joue comme l'aile d'un corbeau.

— Edwin est déjà là ? crie Tête de Rat à travers la musique, à l'intention d'on ne sait qui, en haut.

Non, Edwin n'est pas encore là. Alma se renverse en arrière : son dossier est trop bas. Un blond en jean descend l'escalier, une carte de crédit à la main. Son visage n'est pas inconnu à Alma : quelqu'un de la télévision ? de la presse ? Ses cheveux semblent dégouliner de graisse, ils lui pendouillent sur le front en mèches collées ensemble. A l'arrière, ils ont été rasés haut, la transition entre la peau brune et la lividité récente est clairement visible.

— Beau résultat, dit Tête de Rat.

Tandis que l'homme règle la facture, un solide gaillard, un Noir, entre en trombe dans le magasin, revêtu d'un shalwar large, au tombé souple, noué au niveau des chevilles. Pieds nus noirs dans des sandales, pull sans manches dont ressortent de solides biceps.

Tête de Rat lui chuchote quelque chose et tous deux regardent en direction d'Alma. Le Noir acquiesce de la tête. Il s'approche d'Alma et lui tend la main.

— Edwin. Vous venez ?

Alma hume de forts effluves de genièvre. Oh Dieu, que va-t-il m'arriver ? Comment ai-je pu atterrir ici ? Si seulement j'étais restée chez moi !

A sa surprise, Edwin, attentionné, l'aide à monter les marches de l'escalier à un rythme lent. Il la conduit vers une chaise, près d'une fenêtre.

— Nous allons d'abord voir ce qu'il y a à faire. Asseyez-vous, je vous prie.

La chaise est en toile, et haute. On dirait une chaise d'enfant, Edwin la porte pour l'y installer. Elle ne trouve pas d'appui pour les pieds, les jambes pendent désespérément dans le vide, Edwin a appuyé la canne contre le mur.

A présent, Alma regarde dans la glace. Elle voit la tête d'Edwin, rasée sur le pourtour, mais surmontée d'un épais gazon de cheveux. Il la regarde par le biais du miroir. Alors elle se regarde aussi. Prend peur. Rougit de honte. Une vieille femme négligée. Ebouriffée. Une triste sorcière aux cheveux dégoûtants. Les larmes jaillissent. L'initiative est désespérée, tout cela n'est pas bon, elle doit partir d'ici.

Edwin a pris un peigne dans les larges plis de son pantalon. Pas très propre, pense Alma, mais protester est bien la dernière chose à quoi elle songerait. Aucun son ne sortirait de sa gorge si elle essayait de parler.

Les mains noires ramassent les cheveux gris sale sur les épaules, exécutent avec eux des mouvements vers le haut, vers le bas, une boucle vers l'arrière.

— Les remonter vous est sûrement devenu pénible ? Vous voulez les garder longs ?

Non, fait Alma de la tête ; le miroir renvoie son image affolée.

— Vous savez, si j'étais vous, je ferais une coupe courte. C'est agréable, par cette chaleur. Et vous avez l'air plus gentille quand ils vous encadrent le visage.

Il façonne les cheveux usés autour de ses joues. Il voit quelque chose que je ne vois pas, pense Alma, il voit une gentille mamy qui ne peut plus porter les mains à sa nuque.

— En fait, nous devrions les teindre en blanc. Blanc argent. Ça vous irait à merveille. Mais l'atelier de teinture est déjà fermé, aujourd'hui, ce n'est plus possible. Je peux vous faire une coupe courte, un peu ronde, que ça vous tombe comme ça sur les joues. C'est d'accord ?

Alma approuve, abasourdie.

Edwin l'aide à redescendre de sa chaise pour aller lui laver la tête. Dans une pièce située à l'arrière, il y a un lavabo devant lequel Alma doit prendre place ; c'est tout un remue-ménage avec la canne, les serviettes et la chaise réglable, jusqu'à ce qu'elle soit installée.

Tête renversée, le cou fait mal, Edwin émet de légers bruits rassurants, il bricole auprès d'un robinet, hors de son champ visuel. Il teste la température de l'eau ! Alma se rend.

Sa gorge palpitante de vieille femme est exposée sans défense, elle n'a plus aucune velléité de fuite, ce qui doit arriver s'accomplira sans aucune ingérence de sa part.

L'homme lave les cheveux de la femme. Le jet chaud, le premier massage au savon parfumé. Le cuir chevelu est à peine effleuré ; presque ludiques, les bouts des doigts courent au-dessus des tempes, descendent vers l'occiput. Chair de poule.

— Froid ?

Alma fait signe que non. L'eau est juste à bonne température. Rinçage. Encore plus de shampooing. Des mouvements énergiques, le savon est frictionné avec force et précaution. Les deux tempes en même temps, Alma ferme les yeux. Oh.

Giclures de mousse à son front. La main attentionnée les essuie. Frissons de plaisir lorsque les doigts s'enfoncent dans son cou. Plus de pensées, rien.

— On laisse pénétrer quelques instants. C'est bon pour le cheveu.

Edwin s'éloigne, Alma, immobile, écoute le tintement de ses sandales au loin, la musique enragée (une voix aiguë crie l'amour) et les bribes de conversations qui montent autour d'elle.

— Le photographe la voulait justement de l'autre côté ; ça n'ira pas, j'ai pensé.

— Quelques mèches tirant sur le rouge, mais pas plus, surtout pas trop.

— Le golf, c'est plus possible, je trouve. Le croquet à la rigueur, à la maison, au jardin. Mais le golf, plus du tout.

Les sandales se rapprochent. Odeur de cigarette, fumée mélangée à quelque chose d'aromatique. Du hasch ? Rinçage. La grande main plaquée sur son front tel un coquillage protecteur, de sorte que le savon n'atteigne pas ses yeux. Les cheveux crissent quand la mousse est partie. Séchage. Se tenir droite. La tête lui tourne un peu. Edwin drape la serviette comme un turban autour de sa tête. Déménager jusqu'à la chaise en toile. Miroir.

Un visage blafard au menton tremblant. Les joues pendent en plis de chaque côté du nez. La bouche est une barre droite, pâle. Sous les coins des lèvres, ces zones traîtresses de peau très vieille, très fragile. Le regard de ces yeux provient de très, très loin.

Démystification lorsque le turban tombe. A travers les cheveux mouillés, on peut voir la peau du crâne. La tête elle-même semble si petite, si vulnérable, comme si je m'amoindrissais et décroissais jusqu'à disparition totale, pense Alma.

Edwin s'affaire avec le peigne sale et les grands ciseaux. Il a enfourché une selle de vélo montée sur un pilier roulant et pédale sur ses sandales tout autour d'Alma, happant çà et là une mèche de son outillage chromé. Dans le miroir, Alma voit la rue ; des gens qui montent dans leur voiture du faux côté et roulent à l'anglaise. Faisant montre d'une patience infinie, Edwin coupe les cheveux strate après strate, contrôlant sans cesse la symétrie de la composition, ramenant des deux mains simultanément les extrémités des cheveux vers le menton. Il soulève une mèche entre deux doigts et coupe de la pointe des ciseaux dans les pointes des cheveux. Il tourne ainsi en rond, en rond, et en rond. Sur le sol gisent des mèches gris anthracite. Il a drapé Alma dans une cape noire sous laquelle ses mains reposent sur les genoux.

Il peigne les cheveux du front vers l'arrière et y laisse se dessiner une raie. Trois quarts d'heure plus tard, il saisit un sèche-cheveux posé sur le sol à côté du miroir. Durant tout ce temps, Edwin et Alma se sont tus.

Le sèche-cheveux insuffle de la vie à la vieille femme. Les cheveux prennent une teinte gris clair et s'écartent du cuir chevelu pour s'arrondir autour du visage.

Les yeux se mettent à briller, les lèvres se convulsent jusqu'à former un sourire. Lorsque Edwin, d'un geste gracieux, retire la cape, Alma se lève toute seule de son siège. Edwin, qui préfère la prudence, lui tend la canne. Dans sa main libre, Alma reçoit un miroir, elle se retourne et se voit de dos. Une allure magnifique, de dos : libérée de son poids, la chevelure danse au ras du col de sa robe d'été. Lisse, elle brille, s'arrondit vers l'intérieur avec souplesse. Alma secoue la tête, et les cheveux suivent le mouvement.

Edwin balaie et ramasse les vieux cheveux ; puis il escorte Alma au rez-de-chaussée.

— Quatre-vingt-douze cinquante, dit Tête de Rat.

Alma lui donne cent florins, se tourne vers Edwin et presse également cent florins dans sa main. Il regarde, stupéfait. Alma ressort du magasin sans pouvoir proférer une parole. Triomphe de *La Technique du Cheveu*.

Peter et Paul, qui entre-temps se sont installés à la terrasse d'en face, surveillent l'entrée du salon de coiffure. Lorsque Alma paraît, Paul traverse pour aller la chercher. Ses deux petits-enfants lui avancent une chaise entre eux deux. Des tas de jeunes hommes s'occupent de moi, pense-t-elle, de diverses races, aux différentes couleurs de cheveux, contre paiement ou pas. Demain je vais voir mon mari, que j'ai aimé, qui m'a prise pour modèle. Que le grand portrait soit perdu, c'est vraiment très dommage. Demain, il verra le meilleur de ce que Johan a fait, alors il sera éclipsé par son fils. Il va ouvrir de grands yeux en voyant que la peinture a continué à évoluer après lui ! J'ai toujours été entourée de peintres. Toujours l'odeur des solvants dans la maison, toujours des taches qui ne partaient pas au lavage.

— Comme tes cheveux sont beaux, Oma, tu veux manger quelque chose ? Qu'est-ce que tu bois ?

Les garçons, les garçons de Johan, un samedi après-midi en ville avec Oma. Comme autrefois. Les merveilles achetées au grand stand du marché, les tartelettes au salon de thé, et plus tard les hamburgers au McDonald's. Maintenant, les rôles sont inversés. Le week-end a commencé, la vague s'incurve dans sa course vers la plage, qui veut l'accompagner doit se laisser porter.

— Une bière, dit Alma. C'est si joli avec la mousse, et sur les verres l'eau perle à cause des variations de température. Regardez donc, là, comme c'est magnifique. Et mettez-moi aussi une croquette. J'ai faim. Deux croquettes, à la moutarde.

Les garçons satisfont ses désirs sans sourciller, entre grands-parents et petits-enfants, peu de choses paraissent incongrues, et l'on est en général tout prêt à se faire mutuellement ses quatre volontés.

— Elles sont brûlantes, Oma, je te les coupe en deux, pour qu'elles refroidissent ?

La vapeur jaillit des croquettes chaudes, en effet le grand verre est embué à ravir et la bière fraîche est un soulagement, une récompense, une promesse.

Les garçons bavardent entre eux, de prises de pêche miraculeuses, de cannes à pêche, de leurres à se payer la tête des brochets. Ils ont pêché des saumons pendant les vacances, au nord de la Scandinavie, et regardent en arrière avec nostalgie.

Ils sont toujours ensemble, pense Alma. Il y a déjà vingt-cinq ans qu'ils partagent la même chambre, qu'ils font les mêmes choses, ne sont jamais seuls. Peter dit ce que Paul pense. Dans leurs conversations avec autrui, ils sont toujours déçus de ce que leur interlocuteur ne lise pas dans leurs pensées et que tant d'explication soit nécessaire. Lorsque ensuite ils se retrouvent ensemble, c'est un soulagement. Paul est un peu plus petit que Peter. Peter a une cicatrice sur la joue, dans laquelle un jour l'hameçon d'une canne à lancer est venu se planter. A part cela, ils sont pareils. La sensation que je connais depuis toujours, d'être seul avec soi-même, ils n'ont pas idée de ce que c'est. Sont-ils seuls à deux ? Ou bien ne sont-ils jamais seuls ? N'y a-t-il pas de solitude quand on est face à son image depuis le berceau ?

Peut-être ont-ils des sentiments tout autres que les gens ordinaires. En tout cas ils ne connaissent pas l'irritabilité explosive qu'il y avait toujours entre Johan et Oscar. A l'époque, je n'ai jamais pu être assise tranquillement, à écouter le paisible murmure de la conversation, en abandonnant toute vigilance. Une petite excursion à trois au centre-ville était une épreuve dans laquelle toutes les parties se tenaient sévèrement à l'œil et qui pouvait à tout moment aboutir à une rixe. Dans le tram, c'était à qui aurait droit à la place près de la fenêtre ; l'autre, le visage renfrogné, détournait la tête. C'était à qui recevrait la plus grosse tartelette au buffet du grand magasin. Et les coups de pied qu'ils s'envoyaient dans les tibias sous la table. Et les comparaisons des cadeaux d'anniversaire, de l'heure du coucher, des privilèges.

Cela avait tout de même du bon, ce combat pour la défense de son territoire, cette bataille de tous les instants pour sauver ses droits. C'était fascinant. C'était épouvantable quand ça n'arrivait pas, un mercredi après-midi, pendant des vacances, ou au cours d'une rare veillée de Noël, de ces moments qui rendaient les deux enfants heureux. Il vit, celui qui fait des histoires et qui est jaloux.

— Tu te sens bien, Oma ?

Non, Alma est soudain loin de se sentir bien. La bière est du pipi froid dans son ventre, la croquette grasse lui a donné la nausée et elle sent monter de son épaule une terrible migraine.

— Tout est si différent. Je ne vais jamais chez le coiffeur. Il était si gentil, un si gentil jeune homme. Maintenant je suis très fatiguée, tout d'un coup.

Peter va chercher la voiture et Paul règle l'addition. Alma reste assise. En face, le salon de coiffure ferme,

Tête de Rat et Edwin sortent ensemble dans la rue. Alma palpe sa nouvelle chevelure. Elle est encore là.

Les garçons entrent avec elle. Paul jette un regard dans la cuisine et se met à empiler la vaisselle et à jeter les restes du gâteau. Au salon, Peter remarque l'absence du *Facteur*.

— Johan est venu le chercher, demain il sera exposé avec les autres toiles. Vous venez aussi, n'est-ce pas, tout de suite, à l'ouverture ?

— On a été convoqués. On doit venir te chercher ?

— Ellen devait passer me prendre, allez de votre côté.

Je voudrais qu'ils partent, pense Alma. De la cuisine parvient un cliquetis de couverts et d'assiettes, puis le vacarme du lave-vaisselle, cadeau d'Oscar.

Quand ils seront partis, j'irai m'asseoir sur les W.-C. Retirer les bas. Au lit. Partez, voyons, partez donc !

Les garçons se tiennent au salon, hésitants. Dehors, des nuages sont apparus. Il fait une chaleur suffocante, l'air est moite, il n'y a pas de vent.

Alma embrasse ses petits-enfants et les pousse vers la porte, les remerciant de l'avoir raccompagnée, de lui avoir offert des croquettes. Qu'ils marchent ou qu'ils se tiennent debout, les garçons sont constamment côte à côte, sans jamais se bousculer ou se couper la route. Ils sortent de la maison tel un quadrupède.

C'est ça être seul, pense Alma. Comme ça, comme maintenant, c'est être seul. C'est affreux, mais je ne peux plus faire autrement. Le contact d'une autre personne me rend malade. Les mains de ce Noir m'ont mise hors de moi, je n'ai pas supporté. J'éprouve le besoin de me fâcher avec les gens qui me sont proches, c'est plus fort que moi. Hier j'ai mis mes deux fils en rage, d'abord l'un et plus tard l'autre, ils ont quitté la maison furieux. Pour pouvoir me retrouver seule après le claquement de la porte. Ai-je poussé Charles dehors, l'ai-je poussé dans les bras de cette traînée de chanteuse ? Qu'on me fiche la paix ne suffit pas, j'élève un mur de colère derrière lequel je suis véritablement seule. La porte doit claquer. Il me faut un esclandre. Quelles étranges choses me traversent l'esprit ! C'est le temps, la température qui n'offre pas de résistance, qui passe directement la frontière de la peau. S'il y avait du vent, on le sentirait. Ou s'il pleuvait à flots, s'il faisait un froid glacial. Je me chargeais du froid glacial quand les enfants étaient petits. Et des orages violents. Pour qu'à la maison, il n'y ait jamais le calme, mais toujours la tension. Au milieu de tout cela, je pouvais être avec moi-même, seule.

Aux W.-C., Alma s'humecte le visage à l'eau froide. Assise sur la lunette, elle s'échine à retirer ses bas et tend la main derrière son dos pour détacher le porte-jarretelles. Elle retire sa robe et va au jardin en combinaison rose, s'asseoir sous la haute berce. Maintenant, il peut pleuvoir.

*

— Oscar ? C'est Ellen, je te dérange ?
— Non, non.
Oscar a des palpitations, des sueurs froides, ses mains tremblent.
— Je me suis dit que j'allais t'appeler pour savoir comment tu vas. J'ai cru comprendre qu'hier, chez Alma, ça avait un peu dégénéré, c'était grave ?

Oscar va s'asseoir pour reprendre son souffle. C'était grave, demande-t-elle. Oui, c'était grave.

— Alma n'est pas elle-même en ce moment, Ellen. Je me fais du souci pour elle.

Il lui raconte la visite dramatique qu'il a faite à sa mère et la mystérieuse apparition du gâteau.

— Elle était en plein rêve. Je ne savais plus quoi faire. J'ai dit : Il n'a plus jamais pensé à toi, le gâteau vient de moi.

— Ça a changé quelque chose ?

— Ce que je disais ne comptait pas. Elle n'entendait pas. J'ai démoli ce fichu gâteau dans la cuisine, Ellen. Tellement j'étais furieux. Et je suis monté au grenier.

— Au grenier ?

— Je ne croyais plus rien. Qu'elle n'avait plus eu de contact avec Charles, qu'elle n'avait rien conservé de lui. J'ai cherché, je voulais regarder partout. C'est arrivé parce qu'elle agissait si bizarrement, elle faisait comme s'ils étaient en contact. Et qui a envoyé ce gâteau ?

Ellen se tait.

— Ellen ? Qu'est-ce que tu penses ? C'était Charles ? Il faut bien que quelqu'un l'ait fait et ce n'était pas moi !

— Tu sais, Oscar, ç'aurait pu être Johan. Il lui aura envoyé le gâteau pour la narguer, parce qu'elle est toujours à lui rebattre les oreilles des aptitudes picturales de Charles, ou bien parce qu'il était fâché contre elle. Peut-être aussi sans raison particulière, sur une impulsion, pour faire quelque chose de gentil… après tout, il s'appelle Steenkamer !

Ici, Oscar en reste bouche bée. L'énigme est résolue, mais le soulagement ne vient pas, Oscar est exclu. Il avait semblé un moment qu'il se battait dans le cercle des hommes importants qui entouraient Alma, elle avait craint pour lui et l'avait pris au sérieux. Maintenant il est de nouveau question de Charles et de Johan et lui, tel un vieux bichon assis derrière la chaise d'Alma, hors de danger, il aboie.

— Oui, cela se pourrait, Johan. Naturellement.

Oscar a la voix cave. Une grande fatigue le gagne, tenir le téléphone près de l'oreille lui est presque de trop. Ellen parle, sa voix résonne de très loin. Elle lui parle de demain, de demain où elle ira prendre Alma, ainsi il n'aura pas à le faire ; et lui, il viendra au dîner, n'est-ce pas ; a-t-il fait des trouvailles, dans ce grenier ?

— Il était complètement vide. Il n'y avait rien. Il y avait des planches sans rien dessus.

— A quoi t'attendais-tu, alors ?

— Les gens gardent des choses, non ? Au bout de soixante-quinze ans dans la même maison, on a eu le temps d'amasser, des objets d'autrefois qu'on ne veut pas jeter, des choses qu'on garde parce qu'elles seront utiles un jour, que sais-je encore, qu'importe… mais il n'y avait rien. J'étais à la recherche d'affaires qui auraient appartenu à Charles, naturellement, des carnets de croquis, peut-être des lettres, son violon. J'étais comme un fou, sur cette échelle, la tête dans le grenier vide. Je suis reparti. J'étais tellement furieux, je ne suis même pas resté manger.

— Tu dois prendre un peu de repos. Mets-toi de la bonne musique, retire tes chaussures. C'est samedi, tu es libre. Demain sera assez chargé. Il fait aussi tellement chaud, chez toi ?

— C'est étouffant. Je vais ouvrir la fenêtre. C'est gentil d'avoir appelé, Ellen.

Oscar a retrouvé son énergie en se revoyant perché sur l'échelle du grenier, prêt à accomplir des exploits inattendus. Il se lève de la chaise grise de bureau placée près de la table du téléphone et entre dans son salon. L'ordre de cette pièce lui procure un sentiment de satisfaction. Sur la gigantesque table grise sont entassés avec soin des papiers et des magazines, quelques piles près de chacune des trois chaises. Il y a une place pour l'administration, une autre pour les documents de travail, et une autre pour la mise à jour du catalogue musical. Oscar n'a jamais besoin de ranger parce que c'est toujours en ordre. Il mange dans sa cuisine et regarde la télévision dans sa chambre. Là, il y a aussi une bibliothèque, si bien que la nuit il n'est pas si seul. Dans le séjour, à côté de la table, il y a deux chaises basses près d'une chaîne stéréo. Contre le mur sont alignés des trente-trois tours et des disques compacts ; sous les rebords des hautes fenêtres, il stocke ses musicassettes sur d'étroites étagères.

Comme concession à la canicule, Oscar retire ses chaussures et les dépose sur un rebord qui leur est destiné dans l'entrée. Le bouton du haut de sa chemise peut être ouvert, la cravate retirée, à condition qu'elle soit rangée dans l'armoire de la chambre, tout comme son veston.

En vrac, tous ces divers supports sonores, et sans cesse de nouveaux appareils pour les écouter. A chaque fois qu'il entre dans le séjour, le coin stéréo le dérange par le polymorphisme de ses objets. Leur acquisition, l'achat de tous ces appareils, lui a maintes fois donné le tournis dans les grandes surfaces musicales bondées. Passer en revue les piles de boîtes de disques compacts une par une, en nage, pendant que d'autres acheteurs vous pressent, vous arrachent tout cela des mains et vous poussent avec leurs corps. Demander à écouter un morceau ? Il n'ose pas, il préfère acheter sur les indications des revues musicales et du journal.

Des archives centrales du son, voilà l'avenir ; toutes les sortes de musique et toutes les exécutions y seraient enregistrées à la perfection. On pourrait s'y abonner, pour la musique de jazz ou le chant choral ou plusieurs catégories à la fois. Ce serait plus cher, alors. L'abonné reçoit chaque mois un journal qui annonce les dernières acquisitions, et naturellement le catalogue de son domaine préféré lui est offert avec l'abonnement. Toute publicité devient superflue. Chercher en jurant sur des émetteurs de radio qui crachent, c'est du passé. Il suffit d'émettre un souhait par téléphone (numéro d'accès, cote de l'œuvre que l'on veut entendre) et presque simultanément, la musique entre chez soi par le haut-parleur relié à ce système. Finie la cohue des magasins, finies les frustrations d'avoir manqué une interprétation, ou de rester sans voix face à un vendeur pressé. L'élabo-ration de l'index exige encore de l'étude, mais il en viendra à bout.

Les grandes compagnies de disques y feront obstacle, c'est sûr. Ce projet signifiera leur perte parce que les musiciens seront engagés directement par les archives centrales. Oscar soupire. Pas de musique maintenant, il faut travailler, rattraper le temps perdu hier.

Il sort de son sac le rapport de direction et le dépose sur la table, devant la chaise destinée aux questions concernant le musée. Je retire les chaussettes aussi ? Non, il vaut mieux pas. Un verre d'eau. Fenêtres ouvertes, stores baissés. Changement de lunettes.

Le rapport est formulé dans le style vague, malaisé à déchiffrer, propre au directeur. Le sujet porte sur la répartition de la collection entre le Musée municipal et le Musée national.

Depuis la création du Musée municipal dans les années cinquante, une polémique oppose le nouvel arrivant insolent au vétéran serein, qui jusque-là avait joui du privilège de la conservation des toiles. Le Musée municipal ne possédait pas de collection ancienne mais acquérait de nouvelles œuvres et devenait "moderne". L'art ancien devenait le terrain du concurrent, qui ne voulait pas s'incliner devant les faits et qui continuait à acheter. Le résultat : des prix gonflés, deux têtes de directeurs échauffées, à la vente aux enchères, des peintres qui montaient les deux musées l'un contre l'autre et, au bout d'un certain temps, une intervention ministérielle.

Sur ordre des autorités fut imposé un armistice accompagné d'un règlement de circonstance, stipulant que les œuvres créées avant 1950 devraient trouver place dans la collection du Musée national et que les œuvres plus tardives reviendraient au Musée municipal. Il y a trois ans, afin de parvenir à une réglementation définitive, fut mis en place un groupe de travail réunissant les deux directions, un expert extérieur ainsi que des représentants de la ville et du gouvernement. On n'a rien remarqué, pensait Oscar, hormis quelques lignes dans le rapport annuel. Bien qu'il s'agisse d'une problématique complexe, avec des imbrications artistiques et historiques qui nécessitaient inévitablement un examen, pas à la légère, du matériau sensible, les réunions furent caractérisées par une atmosphère sobre, on travailla avec beaucoup d'ardeur.

Il fallait voir la rogne du directeur quand il revenait, le mercredi après-midi, de la réunion mensuelle de l'atelier. Sa collection était grignotée ! Ce vantard de citadin, avec ses manches de veste retroussées, osait toucher à son intégrité ! Plutôt faire sauter toute la panoplie de tableaux que céder une seule toile à cette nullité.

— Rien que restaurer, ils en sont totalement incapables, Steenkamer ; ils n'ont pas le sens de l'histoire.

Pour eux c'est tout, tout de suite. Ils ne pensent jamais au fait que ça se dégrade sous leurs yeux si on n'intervient pas. Je veux dire intervenir en expert ! en expert !

A présent, le rapport est prêt. Ils n'ont pas abouti mais il y a de l'espoir. Oscar compulse le document. Le directeur du Musée municipal veut fusionner, il voit grand. L'art pictural tout entier sous une seule gestion, de préférence sous un seul toit, un nouveau bâtiment, prestigieux, en définitive dirigé par un seul directeur, lui-même.

Un peu trop porté sur la carrière, trouve Oscar, il aurait mieux fait de tenir sa langue en ce qui concernait la répartition des fonctions de direction, cela nuit à sa position. Les membres de l'atelier sont d'accord sur le fait que les mesures de circonstance ne sont pas bien élégantes et entraînent une dispersion des œuvres. Parfois il y a des malentendus, les peintres ne datent pas tous leurs œuvres avec la même minutie ; il y a eu une affaire de fraude, des datations intentionnellement erronées, si bien que le peintre en question put voir son œuvre intégrale rassemblée au Musée municipal (le directeur très sport, très mode, du Municipal regardait en l'air lorsque ce point fut abordé) ; autant les directions que les artistes et le public, tous sont mécontents. Le fonctionnaire du gouvernement propose de procéder à un partage sur la base de critères artistiques : l'art moderne ici, l'art ancien là-bas. Il faudrait engager une commission permanente pour définir la modernité ou non des œuvres.

Oscar se laisse aller à un ricanement intérieur. Tout est moderne. Et rien ne l'est. Prenez Johan, lui devrait remiser ses œuvres anciennes, abstraites, au Musée municipal, et ses œuvres récentes, figuratives, celles qui l'ont rendu célèbre, au national ! Absurde. Irréalisable.

A vrai dire, la suggestion du directeur d'Oscar est encore la plus raisonnable : prendre pour critère l'âge des peintres et non celui de ses peintures. Un artiste né avant 1950 a sa place au National, quel que soit le caractère de son œuvre. Les jeunes peintres relèvent du Municipal, le National ne s'en mêle plus.

Bravo, pense Oscar. Une collection restreinte à laquelle peu à peu viendra un terme. Alors l'accent sera mis sur la conservation, l'agrandissement de la collection dans la largeur, et sur la politique d'accrochage. Les têtes brûlées, les écervelés, avec leurs projets mégalomaniaques, exécutés dans un mauvais matériau, obtiendront satisfaction auprès de ce m'as-tu-vu. Très très bien, très bien amené aussi. Mais Mme la Municipalité n'encaisse pas cela et menace de se retirer. Le partage doit prendre place au tournant du siècle. Pas au-delà. Implicitement, la municipalité déclare par là même que le principe est acceptable ; seule l'année à choisir nécessitera encore des luttes. Oscar sait parfaitement que son directeur se rend malade à l'idée de remplir sa maison de toute cette camelote produite par des peintres qui ont entre quarante et cinquante ans. Ils arriveront bien à la date de 1925, probablement. Alors Johan appartiendra définitivement au Municipal, et Charles au National.

Charles ! Les toiles de Charles ! Elles ne peuvent tout de même pas être au National ? 1950. Achevées bien avant cette date. Le Municipal n'existait pas encore.

Oscar se sent défaillir, son idée l'a dépassé. Le musée qu'il connaît, où il se sent en sécurité, qui est son domaine réservé, renferme une bombe. Ou du moins, pourrait en renfermer une. Car il n'est pas du tout certain, n'est-ce pas, que l'œuvre de Charles se trouve stockée dans les combles du musée, pas du tout certain. C'est même assez improbable, car comment aurait-elle pu échouer là ? Et comment aurait-elle pu échapper à la perception d'Oscar durant toutes ces années ?

D'abord, ma mère me dupe et maintenant, rien n'est plus comme avant. Ils me font des cachotteries, ils ne me disent rien parce que je suis insignifiant, je ne compte pas pour eux. Nom de Dieu. Dans mon propre musée ! Ça ne va pas, ça.

L'inquiétude d'hier s'embrase, elle a pris possession d'Oscar. Le dossier est ouvert sur la table, la chaise est de travers et Oscar arpente la pièce en marmonnant.

— J'ai cherché, cherché des objets qui ont appartenu à papa. Et qu'est-ce que je vois sous mon nez ? Et personne qui ait jamais dit quoi que ce soit ? Il faut que j'aille là-bas. Il faut que je sache, maintenant.

Il bourre la poche de son pantalon avec le trousseau de clés, enfile ses chaussures et dévale l'escalier. Lorsqu'il referme la porte de la maison, une chaleur lourde, moite, s'abat sur lui. Il se dirige vers le musée d'un pas pressé, en manches de chemise.

Les magasins sont sur le point de fermer mais la rue est bondée. Les gens sont fébriles, ils doivent vite faire un dernier achat, ils n'ont pas de patience, ils sont de mauvaise humeur parce que le soleil est parti, ils heurtent Oscar sans s'excuser. Une voiture décapotée s'arrête devant lui en crissant des freins au moment où il traverse la rue : Ordure, bigleux de mes deux, va te faire empailler, hurle l'automobiliste. Autant parler à un sourd, Oscar a mis un sens après l'autre en inactivité et ne s'aperçoit de rien.

A l'entrée du musée, les derniers visiteurs sont pilotés vers l'extérieur où les attendent les autocars. Oscar se précipite dans l'escalier, sous les yeux étonnés du portier. Oscar est trempé de sueur, sa chemise lui colle aux épaules. Sa veste ? Oubliée à la maison. Animal. Ça se fait pas.

— Je fais un saut à mon bureau. Oublié quelque chose. Je dois encore vérifier quelque chose. J'ai les clés sur moi.

Oscar montre les lourdes clés. Pourquoi tout expliquer, qu'est-ce que ça peut bien leur faire ? Un enfant obligé de rendre des comptes, voilà ce que je suis. Comme si j'allais transgresser des interdits, comme si je n'avais pas le droit d'être ici !

Cette formulation rejoint l'impression que ressent Oscar : présence illégale, motifs blâmables. Moi, ma place est chez moi, dans mes articles. Eux, ils ont le droit d'être là, les ramasseurs-de-manteaux-à-la-réception, les vendeurs de billets, les surveillants. Moi pas.

— Les bureaux travaillent, aujourd'hui ! dit le portier sur un ton élogieux. Mme Bellefroid est encore là, elle a tapé à la machine toute la journée.

Un instant, Oscar prend peur : Keetje Bellefroid va-t-elle tout gâcher, rendre impossible la réalisation de son plan ? Osera-t-il aller consulter le fichier si elle est dans les parages ?

Sûr qu'il va oser. L'opportunité de trouver un résultat à sa course au trésor sur les traces de Charles, afin de réduire à néant l'offense et la frustration éprouvées dans la mansarde d'Alma, lui donne des ailes, une force héroïque. A vrai dire, c'est même une idée plutôt agréable à son goût : Keetje pourra peut-être l'aider et le fait qu'elle soit là légalisera sa propre présence, en quelque sorte.

Elle est paralysée de peur lorsque Oscar fait irruption dans la pièce avec sa tête d'oiseau blême dans laquelle les yeux flamboient, sombres derrière les verres épais de ses lunettes. Il a surgi à la porte de son bureau le bras levé, trousseau de clés au poing, comme flanqué là par un géant.

— Oh ! vous m'avez fait peur, monsieur Steenkamer, je ne savais pas que vous alliez venir. Vous restez, je vous prépare une tasse de thé ? Cela me prend tellement de temps, à moi, un nouvel article pour la réunion extraordinaire de lundi, l'atelier avec la municipalité, vous savez ; vous avez déjà vu le dossier ? C'est de cela qu'il s'agit, nous allons soumettre une proposition, enfin, nous, je veux dire, le directeur. Il le veut pour ce soir, c'est bien plus de travail que je ne pensais mais je parle je parle, asseyez-vous donc, vous ne paraissez pas très en forme !

Keetje Bellefroid est une dame d'un certain âge, corpulente et sympathique. Ses paroles sont une douche tiède, relaxante pour Oscar. Il s'assied en face d'elle tandis qu'elle remplit la bouilloire électrique. Un thé avec beaucoup de sucre, Oscar remue la cuiller, la tête vide.

— Tu sais, Kee, je ne viens pas pour ça. Mais c'est une veine que tu sois ici, je vais pouvoir te demander quelque chose. Tu connais le peintre Steenkamer ?

— C'est votre frère, non ? Celui qui a la grande exposition au Municipal ? Eh bien, j'y vais la semaine prochaine, pendant ma journée de congé, bien sûr que je le connais, ce Steenkamer. Mais vous ne lui ressemblez pas vraiment, je trouve, on ne dirait pas que vous êtes son frère.

— Ce n'est pas de lui que je parle, Kee. Mon père, lui aussi, était peintre. C'est Charles qu'il s'appelait. Bon, enfin… qu'il s'appelle, mais il ne peint plus. Il vit aux Etats-Unis. Il est parti quand nous étions très jeunes. A vrai dire, je n'ai jamais vu une œuvre de lui. Je me rappelle vaguement qu'il y avait quelque chose, quelques tableaux, mais je n'ai pas la moindre idée de ce qu'ils sont devenus. Cet après-midi, tout d'un coup, je me suis fait la réflexion que je n'avais jamais regardé ici. Mais il n'y a sûrement rien, sinon je le saurais.

— Ah, monsieur Steenkamer, ce n'est pas dit. Il est de quelle année, votre père ?

— De 1920, Kee.

— Ah, vous voyez ! Vous n'êtes pas si loin dans votre description. De cette époque, vous n'avez encore vu passer aucune donnée. Puis-je regarder pour vous ?

Kee est tout à fait partante pour cette mission romantique : le malheureux, le solitaire Steenkamer cherche son père. En ce samedi après-midi, jour de congé.

Steenkamer, 1920, marmonne Kee tandis qu'elle se dirige vers la pièce où est conservé le vieux fichier. Elle a les jambes nues, la peau blanchâtre et porte des sandales à cause de la chaleur, des nu-pieds blancs à talons, sous une robe à fleurs évasée. Oscar la suit du regard, avec une certaine satisfaction.

— Comme c'est étrange, dit Kee, qui revient vers le bureau en se dandinant, il y a bien une carte sous Steenkamer : il est écrit "voir legs Bramelaar", rien d'autre, ah si : quatre pièces.

Bramelaar, Bramelaar – ce nom n'est pas inconnu à Oscar. Il ferme les yeux pour aider la mémoire, Bramelaar… ça ne marche pas.

— Je devrais pouvoir regarder sous la correspondance, dans les vieilles archives ? Dans ce cas je dois m'absenter un moment, il y a un bout de chemin à faire.

Les bureaux sont situés sur l'arrière du bâtiment. Au premier étage la direction et la représentation, au deuxième, où se trouvent en ce moment Oscar et Kee, l'administration, et au troisième, la section scientifique. C'est là qu'est aussi le cabinet de travail d'Oscar. Au quatrième étage, sous l'immense mansarde qui tient lieu d'entrepôt, sont conservées les archives.

Oscar attend en buvant son thé. Il essaie de ne pas penser. Si elle trouve quelque chose, est-ce que ce sera formidable ou justement affreux ? Et qui donc était ce Bramelaar ?

"Leo Bramelaar Sr. & Jr., luthiers", lit-on sur l'en-tête. Kee lui tend la lettre qu'elle a sortie de la chemise d'archivage jaunie. Elle a été dactylographiée sur une vieille machine à écrire et signée à la main, par Junior, en 1949.

Le violon alto, se souvient Oscar. Papa joue sur un Bramelaar que M. Bramelaar a construit pour lui. Un instrument superbe, recouvert d'une laque rouge doré, qui fleurait l'huile, une essence spéciale, nouvelle mais raffinée, rappelant l'encaustique. Dans la lettre, Junior dépeint la situation avec concision : lorsque Steenkamer est parti, il a apporté le violon alto et les quatre tableaux chez Senior. Bramelaar a racheté l'alto qu'il a remis en vente par la suite ; dans l'équivoque, offertes ou laissées en dépôt, les toiles restèrent à l'atelier. Senior est mort, Junior veut rénover. Que faire de ces œuvres d'art ? Mme Steenkamer-Hobbema, contactée par écrit à trois reprises, n'a pas réagi. (Le poêle, pense Oscar, les lettres jetées au feu non décachetées, de rage !) Dans son testament, Senior avait en fait stipulé que les tableaux devraient faire l'objet d'une donation au Musée national si la famille ne manifestait aucun intérêt. Voilà pourquoi Bramelaar Junior fait maintenant don de quatre authentiques Steenkamer au musée. Legs de Bramelaar.

Oscar se sent défaillir. Ai-je mangé aujourd'hui, pour être pris de vertige aussi soudainement ? Oui, ce matin, j'ai fait des courses : des bananes, du lait, le supermarché était tellement bondé, des œufs. Dans la cuisine, un pot de compote de pommes dévoré à la cuiller, debout près du frigo. M. Bramelaar portait un grand tablier de cuir ; de grandes boucles faisaient saillie sur sa tête comme des tire-bouchons, une grosse tête. Dans l'atelier, il y avait un violon complètement nu, pas encore verni, sans cordes. Il y avait des violons malades et un violoncelle sans cou. Papa jouait sur le nouvel alto que M. Bramelaar avait fabriqué pour lui. Le sol était jonché de copeaux de bois et à l'arrière se trouvait une pièce sombre dans laquelle des planches étaient superposées en tours carrées. Lorsque M. Bramelaar tapotait sur son bois de la jointure de l'index, il en sortait un son avant même qu'on n'en joue. Avant même de devenir violon, le bois savait à quoi on le destinait. Papa. Les peintures. Elles y sont. Quatre. Au dépôt, dans la mansarde. Jamais exposées, dit Kee.

— Alors nous devrions aller voir, monsieur Steenkamer. Mieux vaut nous en assurer tout de suite. Vous préférez y aller seul, est-ce indélicat de ma part ? Vous avez une clé de là-haut, n'est-ce pas ?

Toute cette démarche est indélicate, pense Oscar, c'est un viol, le franchissement d'une limite qui ne devrait jamais se produire. Laissons-la venir avec moi, je ne m'en sortirai pas seul. Je ne peux même plus regarder ces papiers, m'orienter, je perds les pédales, il se passe tellement de choses.

— J'apprécie beaucoup que tu m'accompagnes, Kee, dit Oscar d'un ton solennel. Ce sont des circonstances particulières, cela m'impressionne un peu et on s'égare facilement, dans cette mansarde.

— Venez, dit Kee Bellefroid.

Elle se dirige vers l'ascenseur d'un pas décidé. Oscar suit avec le trousseau de clés.

Le grenier du musée sent la poussière. Kee allume la lumière mais les lampes n'éclairent guère. Derrière les lucarnes, le ciel s'est assombri. Les tableaux sont rangés le long de hauts châssis de bois que l'on peut faire coulisser hors de la rangée, chacun d'eux soutenant six tableaux. Sur les tranches des châssis figurent des inscriptions. Kee, une feuille à la main, circule entre les rayonnages. Elle sait vers où elle s'oriente. Oscar lui emboîte le pas en toussant à cause de la poussière, effrayé à l'idée de la perdre de vue. A l'extrémité d'une sorte de couloir, il la voit tirer sur un châssis, s'empresse de l'aider, avec succès : le châssis, tapissé des quatre Steenkamer, glisse dans l'allée.

Une giboulée clapote sur le toit, la pluie rebondit. Quatre toiles, trois petites et une grande, un rectangle dressé à la verticale. Les plus petites sont carrées. Oscar reconnaît M. Bramelaar dans son atelier. Il lève les yeux d'un violon auquel il est occupé, comme s'il posait pour un photographe.

Une assemblée de gens chargés de valises et de sacs : ils s'agrippent avec des visages tristes. A l'arrière-plan on voit un bateau noir. La troisième toile est une nature morte, elle représente un pommier au tronc tanné, buriné. Gris et fibreux au niveau de l'écorce, mais plein de vie à la cime, il porte de joyeuses feuilles vertes et des centaines de petites pommes jaunes. Oscar ne peut pas en détourner les yeux, si étrange est cette image d'un corps décrépit qui, de ses dernières forces, faisant fi de toute notion du temps, porte un fardeau de pommes lisses, comme si de rien n'était.

Regarde, se dit Oscar comme pour se morigéner, mets-toi devant et regarde, tu l'auras voulu, voilà ce que tu cherchais.

De la douce pénombre des rayonnages, la jeune Alma le fixe droit dans les yeux. Elle porte une veste de velours noir à manches longues et tient dans ses bras quelque chose qui se perd dans l'ombre, dans la moitié inférieure de la toile. Elle a le regard si sérieux qu'Oscar et Kee en retiennent leur souffle. L'ondée tambourine sur le toit sans discontinuer, le regard qui émane du visage de la femme est implacable, couronné de boucles blondes rebelles.

DEUXIÈME PARTIE

Elvira : *"Ma tradita e abbandonata provo ancor per lui pietà."*

4

LE COUP DE POIGNARD DE LA FINITUDE

La maison de Johan et Ellen se dresse au-dessus de l'eau
de la ville tel un bateau délabré. Tout ce qu'ils mangent,
eux et les enfants, a été traîné dans le raide escalier jusqu'à leur domaine, aux deuxième et troisième étages.
Par Ellen, la plupart du temps. Dans la grande pièce
commune, année après année, s'élèvent des montagnes
de désordre intégré, comme des herbes folles dans un
jardin négligé.

Ranger signifie ici réarranger, mettre un nouveau
désordre sur l'ancien avec aussi peu de place pour circuler. Les albums de football des jumeaux, les revues contenant une photo ou un article sur un vernissage de Johan et
des caisses de jouets forment la couche inférieure sur
laquelle s'abat chaque semaine une pluie de journaux et
de magazines : périodiques comportant des annonces
pour des fonctions de direction destinées aux cadres
moyens pour Ellen, revues de rock pour Paul et Peter,
bandes dessinées pour Saar. Johan stocke ses revues d'art
et deux ou trois catalogues quelque part ailleurs.

Lui-même est souvent ailleurs, ces derniers temps, et
ne rentre pas pour le dîner, ou trop tard. Johan donne
cours à l'académie des beaux-arts, où son attitude dis-
tanciée et expérimentée en fait un enseignant recherché.
Il est un des rares peintres de sa génération à vivre de

son art : il est satisfait de l'importance que cela revêt et sait s'approcher des personnes idoines de la manière idoine, sans se compromettre ni se faire violence. Ainsi, il travaille en grande partie sur commande ; il donne forme et couleur à des halls d'entreprises et à des gares. Récemment, il s'est lancé dans la conception des panneaux et des décors scéniques pour un opéra contemporain. C'est la raison pour laquelle il déambule dans le théâtre en arborant des chaussures de marque hors de prix. C'est un nouvel univers pour lui, dans lequel metteur en scène et compositeur montreront une œuvre d'art qui ne subsistera que quelques heures, alors que ses montagnes et ses bancs obliques resteront encore des dizaines d'années au dépôt. Et puis il y a les chanteurs, et les cantatrices. Fasciné, il regarde leurs corps, leurs instruments, et perçoit dans la salle de répétition l'ambiance physique d'un sauna. Johan est à l'aise dans le domaine du corps.

Il n'ira pas sur les traces de son père, il reste à l'arrière-plan et regarde. Il pense à Charles par flashes successifs : voilà ce qui s'est passé, il s'est levé et il a touché ces cuisses fermes, pétri ces ventres, déplacé ces bras et pour finir, il est devenu metteur en scène.

A côté de Johan sont assis Mats et Zina, étudiants à sa classe d'examen de l'académie, qui l'assistent. Vêtus de jeans crasseux, ils mélangent la peinture destinée à ses étranges paysages ; à la fin de la journée de travail, Zina se change et devient tout entière un corps ferme dans des vêtements soyeux, miroitants. Elle est à la fois ronde et vive, elle porte des talons hauts.

Après le travail, Johan fait l'amour avec elle, grognant et ronflant entre ses chairs voluptueuses. Zina lui prouve ainsi sa subordination, car elle appartient à Mats. A s'être amourachée de son vénéré professeur, elle fait naître chez Mats une rage impuissante, mais aussi une profonde satisfaction ; Mats la questionne et abdique en soupirant devant le fait accompli. Lui aussi connaît le charme de Johan ; quand Johan est debout à côté de lui pendant le cours, il sent leurs peaux à tous deux, et il éprouve de la difficulté à écouter. Le triangle tient debout.

En rentrant chez elle, cet après-midi de février, Ellen trouve ses enfants devant la télévision. Cartables et assiettes sales jonchent le plancher. Les garçons ont leurs devoirs sur les genoux, Saar est affalée sur le canapé, pâlotte. Heureusement, ils n'ont pas de chat, car la puanteur d'une litière ferait basculer ce tableau dans la négligence sordide.

— Qu'est-ce qu'on mange, m'man ? Des hamburgers ? De la pizza ? Des détritus ? demandent les garçons.

— Je crois qu'il n'y a rien, dit Ellen, demain j'irai faire des courses. Vous voulez des crêpes ? Elle voit déjà la fumée bleue se répandre. Alors mieux vaut l'ouvre-boîte : pois gris, compote de pommes, saucisses fumées.

— Papa rentre à la maison ? demande la petite Saar.

— Je ne sais pas, il n'a rien dit. Nous allons manger, et on verra bien.

Le blazer à chevrons jeté sur le lit, vite, enfiler un vieux pull. Tablier. Les bas se prennent aux échardes. Saar, tu viens m'aider ? Non, trop fatiguée, préfère s'étendre.

Les enfants n'ont jamais faim, ils mangent toute la journée. La paillasse est pleine de tasses de chocolat, de petites assiettes maculées de traces d'œuf, de tartines desséchées. Ellen range, lave la vaisselle, entrepose, met la table, et achève la préparation du repas en dix minutes.

Au milieu du repas, il entre, le père, l'homme. Il va se servir directement dans la casserole, des pois tièdes avec oignon et saucisse. Quand cuisineras-tu pour de bon ?

Ça, c'est notre famille, pense Ellen, quand en referas-tu vraiment partie ? Et moi, est-ce que j'en fais partie ? J'ai fui dans l'épuisement et le surmenage. Parce qu'il fait ça avec Zina et qu'il sent le foutre quand il me rejoint au lit. Pourquoi est-ce que je ne lui claque pas la porte au nez ? Ai-je peur de rester seule, est-ce pour les enfants, ou bien j'espère encore qu'il va me revenir ?

Peter pose son livre de mythologie sur la table pour leur faire voir une peinture horrible : le Cronos de Goya en train de dévorer un enfant voluptueusement.

— Ça, c'est un repas, dit Johan, dommage que tu sois trop maigre, Saar.

La petite fille regarde la gravure, effrayée, puis elle dévisage son père.

— Les poissons de Lisa mangent leurs petits parce qu'ils oublient que ce sont leurs enfants. Miam, à manger, qu'ils se disent, mais ce sont leurs bébés !

Paul pose des questions sur l'opéra et Johan raconte que, pour la première fois aujourd'hui, ils ont travaillé sur scène et que le metteur en scène déplace des murs et des pierres, sinon les chanteurs ne pourraient pas bien se mouvoir.

— Tu dois être là, tu dois leur donner ton accord, alors c'est toi le chef, papa.

— Que tu es bête, Saar. Le vrai chef, c'est le chef d'orchestre. On peut venir, pa ?

Oui, dans une semaine c'est le spectacle. Alors nous entrerons dans la salle sur les pas de Johan, pense Ellen. Et puis il va dire : Mets-toi quelque chose de chic, mets de belles chaussures et une jupe sexy. Achète-toi donc quelque chose. Pourquoi, pourquoi ? Pourquoi est-ce que je ne peux plus le supporter ?

Ellen ne supporte pas que Johan ait des petites amies. Pas plus qu'elle n'accepte qu'il cherche partout à se rassurer. Même les enfants doivent l'assurer qu'il est un personnage important, tout le monde doit penser quelque chose de lui, autrement il n'existe pas. Les autres existent, par eux-mêmes, indépendamment de lui, cela ne lui vient pas à l'esprit.

Demain, j'ai des entretiens d'embauche importants, pense Ellen, je dois trouver quelqu'un avec qui je puisse travailler en étroite collaboration ; et lui, il ne comprend pas comment on peut avoir envie d'aller travailler dans une organisation aussi merdique. Totalement négligeable, rien ne représente rien pour lui si cela ne rayonne pas sur lui.

Ellen se voit elle-même : fatiguée, maigre, broyée.

Dans la petite chambre, Ellen est frappée par la pâleur et la langueur de l'enfant. Si seulement elle pouvait aller à l'école demain, je ne peux pas me libérer, pas demain.

— Tu as mal, mon trésor, tu as de la fièvre ?

Le front lisse n'est pas chaud au toucher ; l'enfant soupire en entrant dans son lit auprès de Gijs, le poisson rouge en flanelle au sourire énigmatique. Faire la lecture. Ellen est assise sur le lit, dos au mur, l'enfant entre ses jambes, adossée contre elle. Rien ne sent autant la terre que des cheveux d'enfant. Les draps un peu trop défraîchis forment une tente douillette au-dessus de leurs jambes, le livre repose sur les genoux de Saar. Ellen lit l'histoire du capitaine qui devait naviguer sur sept océans, les mains rivées au gouvernail et qui criait continuellement : Sauvez-moi, sauvez-moi ; la petite fille courageuse le nourrissait de crêpes. Pas question de dormir, et le sauvetage était incertain car qui accepterait de se charger de ce destin ?

Ellen se tait. Elles restent ainsi l'une contre l'autre, silencieuses, la mère et l'enfant, tout en haut de la maison qui ressemble à un bateau.

Ellen porte avec elle un peu de cette ambiance stagnante, le lendemain matin, quand elle ouvre grandes les fenêtres de la cuisine. On est à l'intersaison, ce que les Allemands nomment *Vorfrühling*, une sorte d'avant-printemps : aucun bourgeon n'est sorti, les branches sont aussi nues et noires dans l'air gris que les mois écoulés ; pourtant, il semble évident qu'il ne gèlera plus.

Le sac à dos de Saar contient encore les affaires de gymnastique d'hier, malodorantes. Ellen les remplace par un sachet en plastique avec des tartines. Saar a dû se faire réveiller, ce matin, elle dormait, couchée sur le dos, la respiration faible. Maintenant, elle est affalée à table, Gijs sous le bras, et ne mange pas.

— Tu veux que je te conduise à l'école, aujourd'hui ?

L'enfant fait oui de la tête. Les garçons sont déjà partis sur leurs bicyclettes, chargés de livres et de tartines, ils traversent la ville sur un tempo terrifiant. Ellen dépose les restes de leur gigantesque petit déjeuner sur l'évier. Quelle bénédiction que personne ici n'ait reçu d'éducation à l'anglaise, au moins ils ne réclament pas de poissons fumés et de pommes de terre. Ellen se contente d'un café. Son sac en cuir est près de la porte ; pour la tâche qui l'attend aujourd'hui, elle a enfilé un chemisier de soie grise, une jupe noire et des collants ; elle a maquillé ses yeux de mascara et d'ombre à paupières argentée, brossé et aéré la veste à chevrons. Quand l'ordre intérieur manque, il s'agit de soigner le mieux possible l'aspect extérieur, dans l'espoir que le corps mis en valeur y prendra appui, que les jambes sauront ce que signifie marcher dès que la chaussure aura enveloppé le pied, que le dos se redressera sous la soie douce. C'est ainsi qu'elle procède, la femme de trente-cinq ans.

Ses cheveux ternes, elle les peigne de ses doigts. Johan voudrait les lui voir teints, il ne supporte pas le déclin. Lui est resté le même, comme si le temps n'avait pas de prise sur lui. Bien qu'il dorme peu et sans régularité, et que par périodes il boive énormément, cela ne se voit jamais. Ses cheveux sont restés noirs, ses épaules sont souples et il a des fesses de jeune homme. Un fort tempérament résistant à l'éphémère veille à ce que sa peau reste parfaitement tendue. Les gens qu'il rencontre au théâtre ne croient pas qu'il est père de deux jumeaux de quinze ans. Il se soustrait de plus en plus à ce rôle et il a du mal à reconnaître ses enfants dans ces corps de garçons aux formes oblongues et aux pieds de géants.

Une épave, pense Ellen – nous avons échoué sur la plage et les vagues qui nous y ont portés, splendides, bienheureuses et fortes, pleines de passion, se sont fait aspirer dans la mer il y a longtemps ; on ne les entend plus. Dans un crissement, les bulles de savon craquent autour de nous et nous gisons égarés, séparés l'un de l'autre sur le sable. Jésus, il est temps, arrête cette machine à penser.

Prendre sac et sac à dos, enfiler une veste, lacer les souliers, décrocher les filets à provisions de la patère, les clés dans la main, laisse donc Gijs à la maison, dévaler l'escalier, note pour Johan sur la table pour dire quand elle rentrera, boutonner le manteau de Saar, le second escalier, passer la porte, enfin dehors. La voiture est garée à proximité. Saar prend appui contre le pare-chocs étincelant quand Ellen déverrouille les portières. Elle se glisse à l'intérieur du véhicule et s'affale de tout son long sur le siège en cuir, son sac à dos serré entre ses jambes frêles de fillette. La Saab argentée s'ébranle et se glisse tel un poisson dans la circulation matinale.

— On est un poisson, Saar, eux aussi, ils nagent tous ensemble dans la même direction.

— Et les vélos, ce sont les daphnies. Eux, on va les manger, tout à l'heure. Maman, est-ce qu'il y a aussi des gens qui mangent leurs bébés ?

Oh oui, pense Ellen, qui sucent leurs enfants jusqu'à la moelle puis les jettent aux ordures. Elle se revoit soudain dans la cuisine, avec les jumeaux à peine nés : l'un braillant sur la table, l'autre au sein. Comme la porte du frigidaire avait soudain paru immense derrière l'enfant devenu écarlate, comme elle s'effraya de l'idée qui lui vint de se lever et de déposer le bébé dans le froid glacial, fermer la porte. Etouffer les cris entre les briques de lait et les tomates.

— Les sauvages mangent le capitaine Cook, dans le livre de Paul. Il me l'a fait voir.

Ellen dit que Cook n'avait pas de chance avec son nom. Et que les animaux et les hommes sont moins enclins à dévorer leurs petits quand ils s'en occupent mieux et plus longtemps.

— Alors ils ont de la chance, dit Saar.

L'école jouxte un petit parc. Ellen pose une main sur le cou frêle de sa fille et ouvre la portière. Elle voit l'enfant marcher lentement sous les arbres dénudés, le sac à dos accroché à une épaule. Saar se retourne et, à reculons, elle salue de la main sa mère assise dans la voiture gris métallisé.

*

L'entreprise où travaille Ellen coordonne le commerce du bois en Europe. Ellen y a fait ses débuts à la dactylographie puis y a exercé durant des années le secrétariat de direction. L'entreprise s'est développée, le directeur avait besoin d'un collaborateur à temps plein car on embauchait du monde et Ellen fut promue au bureau du personnel. Son salaire est trop bas car elle n'a jamais suivi la formation requise. Elle travaille quatre jours par semaine et consacre son vendredi aux courses et à la lessive. Le directeur se nomme Niklaas Dissel. Il voudrait qu'elle fasse des études de sociologie et se consacre à l'organisation de l'entreprise. Il lui accordera un temps partiel et financera les études, comme il lui a aussi offert la Saab. ("Il faut l'user. Moi, je n'en ai plus besoin.")

Ellen hésite. A la maison, elle est une autre que chez Niklaas Dissel. Quand elle va le rejoindre, au volant de sa voiture, elle redresse sa colonne vertébrale et constate que son rétroviseur est réglé trop bas. Comment pourrait-elle se rendre à des cours du soir, préparer des examens et rédiger des travaux au milieu de ses enfants, sous le regard réprobateur de Johan ? Si je le voulais vraiment, je le ferais, pense-t-elle. Je ne serais pas aussi sensible à son regard méprisant et j'empilerais les ouvrages de référence dans le salon. Pas de problème.

Mais si, il y a un problème. Elle n'ose pas encore, parce que, après des années scolaires laborieuses, elle ne se fie pas à son intelligence. Elle trouve que Dissel la surestime en la jugeant sur son comportement au bureau, ce qui d'après elle se rapporte davantage à la capacité de tenir une maison qu'à celle de mettre au point une recherche. Ces projets occupent ses pensées et tous les étés, elle demande le guide des études universitaires.

Le bois. Le bâtiment, tout entier monté en acier et plastique, ne vous en lasse pas d'emblée. Dissel ne veut pas heurter de front le représentant du pin de Bosnie avec un panneau en bouleau blanc de Norvège. Ellen pense que l'absence de bois facilite la concentration sur le commerce pur. Le chaos et la confusion sont proscrits, ici. Elle frémit en voyant, sur l'écran de son ordinateur, le batelage d'un chargement de bois entre Helsinki et Anvers, au mois de novembre (corne de brume, blizzard, tourmentes de neige). On est content que personne ne soit forcé d'y être.

Les gens qui viennent s'entretenir au sujet des transactions ne vous font pas penser au bois le moins du monde. Jamais on n'a vu entrer ici une compagnie de solides gaillards chantant d'une voix rauque, tapant de leurs chaussures grossières contre les plinthes en plastique, apportant avec eux une odeur de mousse et de feuillage pourrissant, vous saluant de leur hache et de leur scie dans leurs pantalons en velours de coton. C'est avec des messieurs munis d'attachés-cases et de vestons légers, fleurant une eau de toilette discrète, qu'Ellen doit le plus souvent s'entretenir, avec animation et vigilance, autour de la table de conférence en verre armé dépoli.

Au mur de la salle de réunion est accrochée une photographie en noir et blanc de deux mètres de largeur, représentant une petite forêt de bouleaux suédoise, un nuage transparent de troncs frêles. Dissel a commencé sa collection de photographies, Ellen l'a développée. Les plus vieilles pièces de la collection concernent le bois dans son état d'origine, un châtaignier en fleur dans un parc anglais, un chêne solitaire allemand aux bras tordus, dépourvus de feuilles. Ellen a continué avec l'acquisition d'un alisier de Scandinavie frappé par la foudre et d'un palmier de l'Antarctique fossilisé. Dans le corridor du rez-de-chaussée est accroché un joyeux marchand d'arbres de Noël rotterdamois, les sapins à ses pieds, tels des oiseaux noirs finissant là leur vol. Dissel a dans son bureau un gigantesque charme abattu autour duquel se tiennent fièrement les bûcherons. Dans la pose du vainqueur, le garde forestier, qui doit lever sa jambe un peu trop haut pour pouvoir placer son pied sur une branche latérale, paraît mal à l'aise.

L'étape suivante porte sur l'utilisation du bois : un luthier d'Allemagne méridionale pose fièrement devant des pièces d'érable cunéiformes empilées en croix, son capital.

Il y a un archéologue nautique occupé à la restauration d'un voilier du XVIIIe siècle ; un sculpteur taille un échiquier dans des branches de genévrier.

Le boisement et le commerce des graines sont inclus dans la nouvelle ligne de l'entreprise et apparaissent sur des images fortement grossies, représentant le cœur d'une poire et une jeune pousse de sapin juste sortie de terre. La direction persiste farouchement dans le principe du noir et blanc, même quand les relations d'affaires prennent l'offensive avec des photographies en couleurs.

Les membres du personnel choisissent les clichés qui figureront dans leur champ de vision ; en principe, ils doivent être échangés chaque trimestre, mais comme on s'attache vite et fort à un tableau que l'on a choisi, cela arrive rarement. La seule photographie qu'Ellen n'ait jamais voulu céder à personne est le portrait d'un cercueil en chêne clair rainuré. A présent, il est accroché, parmi les blocs-notes et les crayons, dans la petite pièce qui sert à remiser les stocks de matériel.

Ellen ouvre vivement la porte de son bureau. Au mur, des photographies des enfants, pas de forêt. Un jour, elle accrochera au mur le dernier incendie de forêt. Dissel paraît au moment où elle prend dans son sac les papiers d'embauche. Un géant en costume gris, ce Dissel. Ses cheveux coupés court sont plaqués, mouillés, sur son crâne.

— Eh bien, ma petite, nous allons te chercher un solide assistant. Tu l'inities et ensuite, tu poursuis tes études. Ecoute ton Klaas.

Ellen rit. Il instaure autour d'elle une ambiance dans laquelle elle s'épanouit, sans méfiance ni culpabilité ; un père qui contrôle la balançoire et la grille du jardin : ici, tu es en sécurité.

— Ecoute ton Ellen ! Nous n'allons pas nous mettre à la grande table en verre, mais dans ton bureau.

Dissel retourne sur ses pas avec elle, ils placent et déplacent chaises et tasses à café jusqu'à ce qu'ils aient trouvé une bonne disposition. Se charger ensemble d'une tâche, tendre sans conflit vers un objectif commun, respecter les souhaits et les particularités de l'autre, pourquoi cela ne se peut-il jamais avec Johan ?

146

Cette pensée s'envole bien vite ; peiner et douter ne sont pas des attitudes appropriées dans cette ambiance de travail. Ici, on trouve Ellen au pire circonspecte, jamais indécise.

Sympathique et concentrée, telle est Ellen lorsqu'elle anime les entretiens d'embauche, cédant le terrain, le moment venu, au président du conseil d'administration, laissant place aux éruptions spontanées de Klaas.

(Le bois ! Quel rapport entretenez-vous avec le bois ? Quel est votre plus ancien souvenir, dans ce domaine ?)

Les entretiens terminés, ils vont tous trois prendre une collation à l'extérieur. Tandis que les hommes marmonnent ensemble, Ellen sombre dans ses propres souvenirs, songeant à l'étrange association qu'elle a établie entre le bois et le pain. En Suède, le liber moulu sert à faire le pain. Du moins chez les pauvres gens. Du moins c'était il y a cent ans. Quand elle avait dix ans, elle avait passé des semaines de vacances dans un pays inconnu, et s'était trouvée tellement éloignée de la vie normale qu'elle ne savait même plus, pardi, d'où provenait le pain et qu'elle décida en définitive qu'il poussait sur les arbres. Quelque chose n'allait pas dans ce raisonnement, c'était évident. Peter nommait la baguette le "pain de bois" quand il était bambin. Il y a une demi-baguette de bois dans son assiette, il faut qu'elle mange, dit Klaas. Ellen soupire, satisfaite. Un feu brûle dans la cheminée. Elle secoue les miettes tombées sur ses genoux, allume une cigarette et se renverse dans son siège.

De retour au bureau, autour de deux heures, elle trouve un message près de son téléphone : "Ecole a téléphoné, Saar malade, rappeler, urgent !" La standardiste a noté le numéro de l'école, heureusement, parce que dans l'agenda de l'année écoulée, Ellen n'a pas repris les numéros les moins usités.

Elle reste debout à son bureau, tremblante, fâchée qu'on perturbe son rythme de travail, se sentant coupable parce qu'elle laisse à d'autres le soin de son enfant, inquiète en pensant à la mine pâle de Saar.

Elle appelle l'école debout, comme pour se prouver qu'elle ne fait pas que traîner, ici, mais qu'elle accomplit une tâche lourde, au pas de course, en haletant. Par l'intermédiaire d'une mère d'élève bénévole, qui était de surveillance pour la pause de midi, et qui s'est attardée là un moment ("Etes-vous un parent ? Je ne sais pas si vous pouvez déranger. Il y a cours") puis de la concierge qui se met à discourir sur sa caravane et ses chiens, elle parvient enfin à joindre l'institutrice de Saar, la sévère Mara. Cette féministe végétarienne s'habille de chiffons gris et de pantalons larges, elle ne connaît ni maquillage ni soutien-gorge, ni indulgence. Indulgente, elle l'est d'autant moins à l'égard des femmes qui ferment leurs paupières et respirent doucement lorsque, les omoplates dénudées, elles s'appuient contre la poitrine d'un homme. Elle mène sa classe sans humour mais avec une implacable équité. Ses valeurs (ne jamais sortir sans avoir noué ses lacets ; être à l'heure pour tout, même sans montre au bras ; la couleur de la peau et le pays d'où l'on vient n'entrent pas en ligne de compte) sont gravées impitoyablement dans le crâne des enfants de dix ans. Ce que dit Mara est un bagage pour plus tard. Dans sa classe, personne ne doit craindre le ridicule. Mais des rires, il y en a rarement. Lorsque, à son dixième anniversaire, Saar distribua des têtes-de-nègre aux autres enfants, elle écopa d'une dissertation sur la discrimination et le sexisme. Ellen fulmina, quand elle entendit cette histoire au dîner d'anniversaire. Parce que avec elle, rien n'est jamais bien, parce qu'une telle femme sera toujours insatisfaite, par définition, tant qu'il y aura des injustices. Si l'enfant avait apporté des carottes décorées, cela aurait été interprété comme de la persécution envers la communauté des lesbiennes, ou comme une passion aveugle pour la maison royale.

Ellen garde ses distances, elle essaie de préserver une bonne relation, ouverte, avec ceux qui s'occupent de ses enfants et pour cela, elle prend plaisir à leur accorder des faveurs qu'elle ne tolérerait pas en d'autres circonstances. Elle laisse ses enfants retirer eux-mêmes les marrons du feu, les pousse parfois à la contradiction, favorisant ainsi leur propre inspiration.

Au téléphone, Mara est irascible et sèche, mais avec une nuance sincèrement attentive dans sa voix d'émeri.

— Nous n'avons pas réussi à vous joindre. Votre mari n'était pas à la maison non plus. Heureusement que Nadja de l'école maternelle savait où vous travailliez. Mais vous n'y étiez pas non plus.

Ellen déguste les reproches en contenant l'exaspération qui s'embrase violemment en elle. Si j'avais été à la maison, elle aurait été furieuse de ce que je ne fasse rien pendant qu'elle s'échinait avec les enfants. Elle aussi a un emploi. Suis-je responsable de Johan ? Pourquoi n'appelle-t-elle pas au théâtre ? On peut lire tous les jours dans les journaux qu'il y travaille en ce moment. Dites-moi enfin ce qu'il y a, qu'est-il arrivé à ma fille, je veux bien m'accabler de toutes les fautes, faire pénitence, m'incliner, baisser la tête, mais je trépigne d'impatience.

Saar a été conduite à l'hôpital.

En classe, elle était de plus en plus pâle, elle n'a pas chanté avec les autres, elle a glissé lentement par terre pendant la séance d'expression orale. On l'a étendue sur le lit de camp dans le bureau du directeur ; Stanley, un grand nègre du Surinam qui était infirmier avant de devenir enseignant, l'a vue bleuir, et comme elle semblait ne pas entendre quand il lui parlait, il a insisté pour qu'on téléphone. A la maison, personne. Au bureau, personne. Alors ils ont appelé le médecin de service qui, sans avoir vu l'enfant, a aussitôt envoyé une ambulance en entendant qu'elle était sans connaissance.

Saar a été conduite à l'hôpital.

Stanley a laissé sa classe en plan et s'est assis aux côtés de l'enfant dans l'ambulance, tenant sur ses genoux le petit sac à dos avec son goûter. Il l'a appelée "mon petit lapin", lui a tenu la main, elle avait la main froide ; elle n'a rien remarqué. Il avait emporté avec lui les piteux résultats de la dernière visite médicale (Saar Steenkamer, poids 34 kilos, position des pieds RAS). Ellen comprend les mots de Mara et ne ressent rien.

Saar a été conduite à l'hôpital.

*

Sur le chemin de l'hôpital, Ellen est désorientée. Pas en ce qui concerne l'itinéraire à suivre – les grands panneaux figurant sur le boulevard périphérique indiquent clairement la sortie vers l'hôpital loin à l'avance –, elle est désorientée dans le temps. Dans sa tête, c'est comme si les cloisons séparant les différents compartiments de sa vie s'étaient percutées entre elles. L'après-midi, quand arrivent trois heures, elle a l'habitude de se sentir sans complexes, en sécurité dans son travail, dans le jardin de

Dissel. Le sentiment qu'elle éprouve à présent est l'exaspération. Elle se sent terriblement accablée, le fardeau des obligations familiales et des conflits lui est retombé trop tôt sur les épaules.

Où aller ? Neurologie ? Médecine interne ? Urgences ? Pédiatrie, bien sûr. La peur indicible associée aux spécialités semble s'annihiler avec ce mot. En pédiatrie il ne se passe rien de grave, en pédiatrie l'ambiance doit être joyeuse. Trouver à se garer. Beaucoup trop loin de l'entrée. Contre le vent froid. Se diriger vers la grande porte à tambour, qui tourne exaspérément lentement. Passer devant le portier, l'équipe des portiers, tous les six occupés à prendre un café et à converser avec des visiteurs, leur casquette sur le comptoir, leur veste sur le dos de leur chaise. Le panneau d'information, garder son calme, regarder, réfléchir. Dernier étage. La flèche qui indique les ascenseurs. Les ascenseurs. Je dois trouver les ascenseurs. On se croirait dans une ville méditerranéenne : des gens assis à des tables, des verres et des cendriers devant eux, un brouhaha de conversations. Que de blanc : les vestes des médecins, les jambes plâtrées, les draps des lits sur roulettes. Des enfants turbulents escaladent les sculptures, une mère les tance sévèrement. Pédiatrie, je dois aller en pédiatrie.

Devant les portes de l'ascenseur s'est rassemblé un groupe de personnes : patients en robe de chambre, visiteurs chargés de sacs en plastique pleins et de bouquets de fleurs, un homme de ménage derrière une sorte de charrette de glacier remplie de matériel de nettoyage, des médecins, la blouse déboutonnée (les stylos et la montre, avec l'alliance autour du bracelet, dans les poches). Quand un ascenseur s'arrête, ils se pressent jovialement à l'intérieur ; Ellen, elle, recule devant la cabine pleine, bien qu'une aimable femme noire lui ménage une place. De l'ascenseur suivant sortent deux personnes sur des chaises roulantes. Elles décrivent habilement une courbe avant de se diriger vers le hall, s'interpellant en riant. Ellen monte dans l'ascenseur, une cabine aux cloisons étanches, avec pour seule échappatoire un tableau orné de boutons. Elle appuie sur le bouton supérieur et va s'adosser à la cloison du fond. Les gens qui entrent appuient à leur tour sur leur bouton, et prennent position pour attendre patiemment. Tous connaissent les règles. Une femme entre avec des enfants qui la tiennent silencieusement par l'ourlet de sa veste. Deux assistants aux traits tirés s'entretiennent, appuyés à une cloison, d'une excursion en voilier prévue le week-end. Une laborantine vient se poster à côté d'Ellen, le bras chargé d'une pile de dossiers. Au-dessus, une feuille de papier jaune est fixée sur une planchette par un pince-notes. Patient Sneefhart. Docteur Baudoin. Une liste de résultats de laboratoire. Avec de la concentration, on pourrait retenir l'état de Sneefhart et le pronostic du médecin. Il n'y a pas de secrets. A la polyclinique, où Ellen est déjà allée pour le rhume des foins de Paul et Peter, les informations les plus intimes concernant les patients étaient révélées à tous les intéressés sur un écran de télévision. On y débattait à tue-tête de parenté ("Est-ce aussi le père biologique ?") et de MST, qu'elles soient éradiquées ou non. Il n'y a pas de secrets. Hormis le secret. Sneefhart connaît-il son propre diagnostic ? Baudoin lui remettra-t-il le papier jaune ? Lui expliquera-t-il le sens des chiffres et des symboles ? Des étagères remplies de dossiers sont à la disposition du passant dans les couloirs. Vont-ils expliquer ce qui se passe avec Saar ? Ils ? Soudain, Ellen se rend compte que ses jambes tremblent comme s'il fallait affronter la guerre.

L'ascenseur s'arrête. Quand les portes à glissière s'ouvrent, il y a là un lit haut paraissant encore plus haut qu'il n'est à cause du support à perfusion qui s'y trouve fixé. Les infirmiers encadrent le lit, tels le capitaine et son matelot. Le passager est couché la tête tournée sur le côté. Un tuyau sort de sa bouche. Ses mains sont attachées aux montants nickelés du lit.

Tous les gens sortent de l'ascenseur d'un pas rapide. Les malades ont la priorité, à condition d'être alités. Ellen traîne les pieds à la suite des autres. Hématologie : c'est inscrit sur le mur opposé à l'ascenseur, cinquième étage.

Elle a la gorge nouée et les yeux lui piquent. Tout cela n'est pas bon. C'est une sorte d'enfer où on se fait maltraiter et duper, d'où on ne ressort jamais, jamais. N'y a-t-il pas d'escalier ? Se rendre maître des marches d'escalier, les genoux flageolants, donnerait au moins l'impression qu'on exerce une activité autonome, un brin d'illusion de pouvoir. Ellen cherche, derrière les portes du cinquième étage, le service d'hématologie. Pas d'escalier. La cage d'escalier de verre qu'elle trouve dans un couloir reculé est fermée à clé. Une infirmière qui porte un masque de chirurgie lui indique de son bras nu le groupe de gens en attente devant les portes de l'ascenseur. Ta place est là-bas. Ellen se précipite à l'aveuglette dans l'ascenseur suivant, au milieu d'une famille du Surinam chargée de sacs de linge sale et de demi-rôtis sur des barquettes en carton. Ça sent le marché, la foire. On n'entend aucune musique qui-joue-l'air-de-rien, mais seulement les bruits produits par les mandibules mâchant du chewing-gum, un homme qui tousse, et les mangeurs de rôti.

Lorsqu'elle ouvre les yeux, Ellen est de nouveau dans le hall rempli de tables. Il est trois heures et quart, à la grande horloge sans chiffres accrochée au-dessus du portail de la sortie. Réprimant une vive impulsion de s'enfuir de l'hôpital à toutes jambes, Ellen va se reprendre sur un banc un peu à l'écart. Une flèche blanche indique : "Lieu de recueillement."

Peu à peu, la panique dégouline de la tête, des épaules, de l'estomac, des genoux et fait place à une violente inquiétude. Maintenant, Ellen veut savoir où est son enfant. Elle prend un ascenseur et monte au dernier étage sans s'arrêter une seule fois.

Saar se trouve dans une petite salle d'observation. Il n'y a pas de fenêtres. Une lumière crue tombe d'un tube au néon fixé au plafond. Le lit est coincé entre une table d'examen recouverte de papier blanc et un petit bureau installé le long d'une cloison où il y a aussi un lavabo surmonté d'étagères. Sur une chaise, entre la table et le lavabo, est assise une fille jeune, un livre sur les genoux.

Ellen se faufile entre la table d'examen et le lit. Sa fille repose sur plusieurs oreillers. Un tuyau qui sort du mur, derrière elle, lui insuffle de l'oxygène par le nez. Quand Ellen pose sa main le long de la joue froide, Saar la regarde et sourit. De lourds amoncellements de nuages s'écartent, un faisceau de lumière solaire passe.

— Stanley m'a accompagnée. Dans l'ambulance. Il est venu avec moi. Et il a pensé au sac à dos. Je suis tombée, j'avais tellement sommeil, tout le temps. Mara a dit : Va te coucher.

Tais-toi. Ménage ton souffle. Tout va bien maintenant. Ou c'est maintenant que tout va mal ? Que se passe-t-il ? Que faisons-nous ici ?

La jeune fille est infirmière. Les blouses blanches effraient les enfants, c'est pourquoi elle porte un jean, des chaussures de gym et une blouse à carreaux. Baudoin, le médecin qui a examiné Saar, va venir tout de suite. Il a été prévenu, il sait que la maman est arrivée. Vous pouvez rester ici, il va venir dès qu'il aura terminé.

— Baudoin ?

Est-ce que je connais ce nom ? Le rapide tour d'horizon de sa mémoire ne fonctionne pas comme d'habitude ; Ellen ne parvient pas au-delà d'une vague impression de déjà entendu.

— Cardiologie, dit la jeune fille, pédocardiologue consultant. Vous avez de la chance, il n'est ici que le lundi et le jeudi. Sauf urgence, naturellement.

A présent le nom de Sneefhart refait surface, Ellen en reste pétrifiée de crainte, car dans ses divagations de l'ascenseur, cela se terminait mal pour le patient à la feuille jaune.

La petite Saar semble s'être endormie, Ellen va s'asseoir dans le couloir, en attendant le bourreau.

— Valvules cardiaques recroquevillées ?

Ellen répète ces mots étranges, sans comprendre. L'intérieur de ses enfants est souple, avec des organes lisses, des nerfs extensibles comme des élastiques neufs : rien ne peut y être déformé, obstrué, ankylosé.

S'il y a des antécédents dans la famille, demande Baudoin, peut-être du côté du père ?

C'est un homme râblé, courtaud, à la mine avenante derrière d'épais verres de lunettes. Quand il consulte ses papiers, il pose ses lourds binocles à côté de lui ; il les réajuste sur son nez pour regarder Ellen. Ce docteur-là porte une blouse blanche. Manches courtes, bras velus, larges mains aux doigts noueux, ongles propres, coupés court.

Des cheveux noirs un peu gras débordent sur le col. Quand il se penche sur le dossier médical de Saar, on voit son crâne sous les cheveux clairsemés.

Avec une concentration souveraine, Ellen enregistre les plus infimes détails physiques chez cet homme qui détient la clé de l'intérieur de son enfant. Court duvet noir sur les phalanges inférieures. Callosité jaune à l'extrémité extérieure de l'auriculaire gauche. Poils pectoraux poivre et sel dépassant d'un tee-shirt défraîchi. Joues pleines, fines veinules rouges au-dessus de la partie rasée. Attention à ce qu'il dit, attention.

Flux sanguins, litres par minute, le marécage des vaisseaux capillaires, la pompe et les valvules, les valvules. Habillage du conduit.

J'ai devant moi un préposé du service des eaux. Seulement il porte une blouse blanche et un stéthoscope dépasse de sa poche de poitrine. Ici je suis à leur merci, on a déréglé mon enfant, attention, attention, écoute !

Pas de problèmes cardiaques dans la famille. Ce qu'elle avait atrocement souffert du cœur lorsqu'elle était tombée amoureuse de Johan, une passion dévorante à la rendre folle, qui activait son pauvre cœur, l'exténuait, à le rompre. Mais il ne s'agit pas de cela, ici. Les jumeaux, rappelés à sa mémoire par Baudoin, sont en parfaite santé, au rhume des foins près. Saar a-t-elle été malade étant petite, une forte fièvre qui n'aurait pas résulté d'une maladie infantile ?

Tous les pédiatres surestiment l'appareil mental de la mère. Sa question réveille les souvenirs des nuits de veille, la chaleur énervante d'un corps d'enfant en proie à la fièvre, l'air parfumé d'oranges pressées et de sirop pour la toux. Ellen ne sait pas.

Le téléphone vrombit, menaçant, au milieu de la conversation, Baudoin aboie dans le combiné.

Il examinera Saar demain. Les radios et les mesures montreront pourquoi elle garde sa réserve d'oxygène à un niveau aussi défectueux. Il parle d'opération, de valvules en plastique fabriquées à la main. Aux dimensions d'un enfant ?

Ils se lèvent. Ellen est surprise de le dépasser d'une tête. La taille n'est pas proportionnelle à la force, c'est bien plus complexe. Il lui tend la main et la dirige aimablement vers l'infirmière en chef, car il faut qu'elle téléphone à son mari, n'est-ce pas ? Elle sera plus tranquille là-bas, dans le bureau, pour s'entendre avec lui sur ce que Saar a besoin qu'on lui apporte de la maison, quant à lui il se chargera d'informer le médecin de famille, ne vous faites pas trop de souci, madame Visser, je vous vois demain.

Voici la chambre où Saar a été installée près de la fenêtre, toujours accouplée au tuyau d'oxygène nourricier. Le lit voisin est vide. En face d'elle, également sous la fenêtre, est étendue une fillette ronde au crâne chauve. Sa mère, qui est en train de lui faire la lecture, est son portrait vivant à ceci près qu'elle se tient droite et que ses cheveux forment d'épaisses boucles brunes. A vrai dire, ce qu'Ellen voit en premier est un garçon noir alité près de la porte. A ses pieds a été dressée une sorte d'estrade au-dessus de laquelle passe un fil de fer lesté de poids. Le fil ressort sur un appareil qui se resserre sur une broche. La broche en acier passe à travers la peau, les chairs et les os de la cuisse brune du garçon. Il lit, allongé sur le dos. Une bande dessinée de Donald Duck.

Ellen a envie de vomir. Le goût suri du saumon de midi lui remonte à la bouche. Elle se ressaisit. Ne pas penser. Elle tire une cuvette de sous le lit de Saar et regarde sa fille. La femme ronde du lit d'en face l'épie, Ellen le remarque au rythme de sa lecture, aux hésitations. Ellen tourne le dos à l'enfant chauve et s'adresse à Saar.

— Il faut que tu restes ici quelques jours, ils vont regarder ce qui se passe.

— Comment ils vont faire, pour regarder ? demande Saar. Ils vont m'ouvrir le ventre ?

Ellen explique les radios, l'électrocardiogramme, les ballons dans lesquels on souffle et les prises de sang. Elle ne dit rien de l'anesthésie, des tables d'opération, des valvules cardiaques transparentes, ultra-minces, fabriquées à la main.

— Je serai rentrée pour l'opéra de papa, alors ? Et je n'ai pas fini les devoirs de calcul pour Mara. Il faut que je dorme ici ? Toute seule ?

Il le faut. L'infirmière en chef, une femme agitée au visage gris, fatigué, dépassant d'une blouse boutonnée à demi, a expliqué à Ellen qu'actuellement, les parents peuvent aussi rester la nuit auprès de leur enfant. Mais cela donne plus de travail que cela n'en épargne, a-t-elle soupiré. Quand l'enfant est très jeune, vraiment désorienté, ou lorsqu'il ne parle aucune des langues pratiquées par le personnel, et quand l'enfant a très peur la nuit avant une intervention importante, alors c'est permis. Mais les enfants normaux, en bonne santé, qui sont à l'hôpital, sans problèmes de langue et sans peur, ceux-là doivent se passer de leurs parents. Mme Lapie a proposé qu'Ellen dorme chez elle pour le moment. Si Saar prenait peur et qu'on ne parvienne pas à la calmer, ou s'il se passait quelque chose (quoi ?), on préviendrait Ellen par téléphone et dans ce cas, on glisserait un lit supplémentaire. Il y a suffisamment de place dans la chambre, pour le moment.

Ellen se voit suant sur un brancard aux côtés de Saar, à deux mètres de l'enfant chauve et de la mère ronde, avec la menace de l'engin extenseur d'os sur la gauche de son champ de vision. Oh, Jésus. Et si on décide d'une opération, lundi, nous en reparlerons. Mme Lapie a dit. Maintenant, Ellen va rentrer à la maison ("Alors, je dois manger ici, maman ?") ; ce soir, elle reviendra avec la brosse à dents, le pyjama aux fraises et *Le Petit Capitaine*.

— Et je veux aussi Gijs, lui, il faut que tu l'apportes.

Elle appelle Johan au théâtre, où le ton morne et brusque de sa voix fait qu'elle l'obtient aussitôt au bout du fil. Il se montre irrité et incrédule, comme si un enfant de lui ne pouvait pas succomber à la maladie ou à l'infirmité. Il va rentrer à la maison, maintenant, dans un petit quart d'heure et il ira chercher un repas chinois parce que les courses, ça n'a pas été possible.

Elle appelle Dissel pour l'informer. Pour lui dire qu'elle ne sait pas si lundi elle sera présente. Le nouveau peut commencer tout de suite, dit Klaas. Mets-le au courant par téléphone si c'est nécessaire. N'oublie pas de te nourrir un peu, un enfant à l'hôpital coûte deux kilos par semaine.

Ellen imagine comme ce serait délicieux de pouvoir pleurer désespérément dans le giron d'un père comme Dissel qui lui dirait : Doucement, calme-toi, tout va bien se passer et tu n'y peux rien, ce n'est pas de ta faute. Pourtant, elle a les yeux secs ; elle barre d'une croix le nom de Dissel sur sa liste et compose le numéro suivant. Lisa. Lisa est encore occupée avec un patient-de-fin-de-journée. Lawrence écoute le récit d'Ellen, compatit, transmettra, ils la rappellent, courage, courage, le bonjour à Johan, curieux de voir l'opéra la semaine prochaine. On entend Kay et Ashley qui parlent et aussi le son de la télévision. Ellen repose le combiné, fourbue. Au fait, où sont ses propres enfants ?

Un battement rythmé à l'étage supérieur lui donne la réponse dès qu'elle franchit le corridor. Ellen va dans sa chambre, troque ses vêtements contre sa tenue de week-end : jean, pull et vieux tee-shirt. Puis elle monte chez les garçons à l'étage, où elle trouve Paul allongé sur son lit, des écouteurs sur la tête, et Peter assis à son bureau, devant une radio tonitruante. Quand Paul retire son casque des oreilles à l'arrivée d'Ellen, on y entend une musique identique à celle de la radio, à une mesure près. Ellen ne s'étonne plus depuis longtemps de ce genre de choses, tout au plus les enregistre-t-elle, amusée, comme une illustration de leur manière d'être, à ces fils issus d'une seule cellule accidentellement divisée.

Sa grossesse avait paru héberger l'embryon d'un géant. Ellen avait un ventre si formidablement distendu qu'elle ne sentait plus son corps comme étant le sien. L'accouchement vint comme une libération ; elle allait être rendue à elle-même comme dans une véritable délivrance. Et aussi à Johan, qui se consumait la nuit contre son dos et se heurtait à ce ventre de quelque côté qu'il approchât sa femme. Elle allait de nouveau pouvoir respirer à fond, se coucher sur le ventre, monter un escalier à pas légers. Le double berceau était prêt, les paquets supplémentaires de couches entreposés dessous.

Ce fut un interminable martyre ; finalement, le gynécologue mit les ciseaux dans son sexe meurtri et aspira Peter à l'extérieur au moyen d'une ventouse. Ellen, la voix cassée d'avoir crié, devint muette de peur. Paul suivit sans peine, comme plus tard, il ferait tout, cela va de soi, à la suite de son frère.

160

Ellen était étendue sur la table de travail, un bébé barbouillé de sang dans chaque bras. Le petit Peter avait une bosse bleue à la tête, Johan et le médecin étaient tous deux occupés à la regarder, elle. Ils vous enfoncent à coups de bélier leurs verges affamées, par-devant, par-derrière, jusqu'à ce que vous enfliez et que vous en soyez toute tourneboulée à l'intérieur et ensuite, ils vous virent l'enfant du ventre à coups de pied pour que vous n'ayez plus rien, plus rien. C'était comme si elle avait été battue à mort, elle était terrifiée de la facilité avec laquelle cet homme, un étranger, avait taillé dans une chair qu'il ne connaissait pas. Dans ces moments-là, on pense ces sortes de choses, sans le vouloir, pas vraiment sincèrement. L'espace d'un instant elle s'était sentie abandonnée de tous, là auprès de ces hommes, les deux grands, et les deux petits, étendue sur le dos.

Le tissu balafré, boursouflé, la fit souffrir pendant des mois. Déféquer avec peine, dans la douleur, se faire empaler en grinçant des dents, soulever les enfants, les sphincters tendus à l'extrême. Elle concentra toute son énergie sur les jumeaux, ne tolérant par ailleurs aucune remarque, aucun contact physique. Johan rongeait son frein, cachait sa déception d'avoir perdu sa fluette partenaire sexuelle, dissimulait sa jalousie croissante envers les petits braillards. Les journées à l'atelier se firent de plus en plus longues, il repoussait le moment de franchir le seuil d'une maison qui s'encrassait peu à peu et sentait le lait sur, jusqu'à pouvoir s'affaler, bituré, auprès de son épouse rompue, sans allumer la lumière. Si Ellen avait eu l'énergie de prendre garde, si elle s'était intéressée aux occupations de Johan, elle aurait su que c'est dans cette période qu'il commença à batifoler avec ses modèles.

Mais Ellen ne prenait pas garde et ne s'apercevait de rien. Les rares moments où les jumeaux, rassasiés, dormaient en même temps, elle restait assise sur le sofa, en proie à une extrême anxiété. Les pensées qui l'assaillaient n'allaient guère plus loin que le sentiment d'un manque fondamental : l'essentiel, ce qui aurait dû les lier indissolublement l'un à l'autre, cela même les écartait l'un de l'autre. Pris de panique, Johan fuyait ces enfants qui réunissaient en eux son nez affilé et l'ossature gracile d'Ellen.

Comme disait un grand écrivain, on n'apprend pas à l'école à s'offrir en pâture à ce genre de vicissitudes. Ni l'influence des grossiers points de suture au vagin sur la forme des selles, ni les conséquences de la ratification d'un traité sur celui qui est inféodé ne figurent dans les programmes scolaires. Ellen était seule à devoir faire face, et venait à bout de la situation en vivant à demi. Ce qui se cachait derrière les cloisons qu'elle s'était empressée d'élever dans sa tête était indicible. Le cauchemar d'une balle de malheur qui roulait sans qu'elle puisse l'arrêter dans sa course, et qui finirait par la broyer, était l'unique message qu'elle s'envoyait à elle-même de ce terrain déserté.

Les jumeaux ne la contraignirent pas à une implication excessive, comme tendrait à le faire un enfant unique. Les garçons se suffisaient très souvent à eux-mêmes et ne lui réclamaient que la nourriture et les soins. Des années plus tard, lorsqu'elle reprit conscience, ce fut trop tard, elle ne pouvait plus pénétrer le cercle de la communication secrète qui liait ses deux fils.

Assise sur le lit de Paul, elle explique ce qui est arrivé. Les jumeaux sont effrayés, Paul lui passe un bras autour des épaules. Ils s'inquiètent davantage de la mine impénétrable de leur mère que du récit de l'hôpital. Un garçon de quinze ans qui commence à peine à ressentir du plaisir avec son grand corps (tennis, se raser deux fois par semaine, les merveilles de la masturbation, toutes les fois) ne peut fatalement, à propos de la souffrance du corps, se représenter rien de plus qu'un bouton sur le nez. Les problèmes au cœur, c'est pour les vieilles personnes, jamais ils ne se sont demandé pourquoi le sang battait à leurs tempes et à leurs aines.

En entendant rentrer Johan, ils descendent au rez-de-chaussée. Il dépose des barquettes en plastique de *bami* et de *saté* sur la table ; de nouveau, Ellen contient de justesse son envie de vomir.

Johan a un regard maussade. Ils mangent. Echangent des détails pratiques : comment se nomme le médecin, qui apportera les affaires tout à l'heure (Johan), ce qu'il amènera (Gijs), dans quelle chambre est Saar (près de la chauve, près de l'enchaîné), quelles sont les heures de visite (tout à l'heure, tout de suite), si les garçons l'accompagnent (oui).

Puis les voilà tous partis, ils lui font au revoir, Peter agitant le sac en plastique qui contient le pyjama et la trousse de toilette de Saar, Paul serrant Gijs le poisson rouge sous son bras. Ellen est assise à table près des barquettes de nourriture grasse à moitié vides. Elle met les fourchettes et les cuillers dans l'évier et enroule tout ce qui reste sur la table dans la nappe souillée, un cadeau de mariage offert par Alma. Le balluchon bien serré finit tout entier dans la poubelle. Sur la table propre, Ellen tire le téléphone à elle ; elle reprend sa liste.

Chez Mara, c'est un homme qui décroche, la dernière chose à laquelle Ellen se serait attendue. Mara, qui a pris le relais, aspire bruyamment les fibres laissées par le soja entre ses dents mais sa voix est gentille. La classe écrira des lettres et fera des dessins. Ellen lui donne le numéro de la chambre, remercie pour son attention vigilante, pour les bons soins de Stanley. Une croix sur Mara.

Fumer une cigarette. Se faire un café. Le téléphone : Lisa.

— Je viens chez toi. Lawrence est à la maison, il pourra mettre les enfants au lit. A tout de suite.

L'amitié féminine est ma planche de salut, pense souvent Ellen. Les promenades et les conversations avec Lisa la sauvèrent, dans les années qui suivirent la naissance de Peter et Paul. Avec une amie, nul besoin d'expliquer. Nul besoin de veiller à ne pas prendre trop de temps en lui confiant son histoire. A prendre soin, dès qu'on parle de soi, d'y mêler de l'admiration pour l'autre. Nul besoin de faire quelque chose, de faire de l'esprit. Il ne faut rien. La seule relation qui puisse en un certain sens faire ombrage à l'amitié est la relation mère-fille, mais il y manque les affinités que crée la similitude des expériences ; et peut-être un autre élément : la possibilité de choisir.

Ellen et Lisa ne se sont pas choisies, pensent-elles. Leurs chemins se sont croisés un jour, voilà tout, elles ne savent même plus au juste dans quelles circonstances. Toutes les deux tombent ainsi chaque année sur des dizaines de femmes, c'est donc bien une question de choix. Il est vraisemblable que cela est arrivé de la manière dont les amies se comportent entre elles : sans beaucoup de paroles, naturellement.

C'est l'attitude qu'elles ont en ce moment, assises ensemble à la table nue.

— J'ai fichu la nappe d'Alma à la poubelle. Tout d'un coup, j'en ai eu assez.

— Tu as téléphoné là-bas ?

— Johan n'a qu'à le faire quand il rentrera.

Elles gloussent comme des petites filles.

— C'est possible, dit Lisa, un défaut de valvule cardiaque à la suite d'une infection dans la petite enfance. Attends de voir ce qu'ils vont faire demain. Avec qui as-tu parlé ? Ce pourrait être une réaction allergique, ou quelque chose dans les voies respiratoires, ce qui lui arrive en ce moment. C'est un peu brusqué de parler de nouvelles valvules. C'était qui, ce médecin, un maniaque du scalpel ? Un type qui coupe pour le score ?

— Un homme gentil. Et humain, en plus, pour un médecin. Juste un coup de fil entre-temps. Et il a ajouté quelque chose comme "garder son calme", et qu'il me permettait de téléphoner. Non, gentil, vraiment. C'est sûr, il s'excitait sur ces valvules, mais plus comme sur une découverte qui allait nous sauver, il me semble. Baudoin, il s'appelle. Un type assez velu, avec des lunettes aussi épaisses que des verres à genièvre. Il jouerait du violoncelle que ça ne m'étonnerait pas.

Lisa en a un vague souvenir, du temps où elle était coassistante en pédiatrie. Il est musicien, en effet. Ses jeunes patients l'adorent et comme médecin, il est consciencieux.

— Sa femme est morte l'année dernière. D'un cancer. Un mélanome foudroyant, il n'y a rien eu à faire. Affreux.

Ellen pense au col souillé, aux vêtements défraîchis sous la blouse blanche. Elle boit toutes les informations concernant ce gardien de son enfant comme si elle pouvait influencer le sort de Saar en s'identifiant au médecin. Le diagnostic lui-même ne l'intéresse pas tant que son auteur, dont elle veut tout, tout, absolument tout savoir.

Lisa prend la main d'Ellen. C'est ainsi, soupirant et maugréant entre elles, que les retrouvent Johan et les garçons.

Conversations, bavardages à tort et à travers, à propos de Saar, de la chambre, et très vite on en vient à l'opéra de Johan et à la première, qui est pour bientôt. Alma est prévenue, Peter et Paul montent dans leur chambre, Johan ouvre une bouteille, Ellen va embrasser ses enfants pour la nuit parce que c'est un soir si étrange. Ils sont allés se coucher bien trop tôt. Ils réagissent à peine à ses questions mais se déchaînent dans un ronronnement incompréhensible dès qu'elle se retrouve dans le couloir.

La porte est ouverte, à la chambre de Saar. Quand Ellen regarde à l'intérieur, qu'elle voit le lit défait, la pile de bandes dessinées par terre, le collant rouge sur la chaise, elle sent des persiennes au fond d'elle tomber à grand fracas. Se maîtrisant, elle ferme la porte et redescend l'escalier.

Durant ce week-end, Ellen a tout loisir de déguster l'enfer de l'hôpital.

Vendredi après-midi, l'heure des visites : à la place du lit de Saar, il y a un grand vide, entouré, sur la table de nuit, des fleurs que Lisa a apportées et, au-dessus de la tête de lit maintenant disparue, des cartes envoyées par les camarades de classe collées à l'aide de scotch. Saar est partie pour un examen, dit Lapie. Si Baudoin passera aujourd'hui, s'il expliquera quelque chose ? Mme Lapie ne sait pas, peut-être que oui, peut-être que non.

— Il est de service ce week-end en tout cas, vous le verrez soit samedi, soit dimanche, c'est sûr.

Attendre. Aller à la boutique, en bas, sur la place. Tout le monde se promène avec les mêmes bouquets jaunes. Qu'est-ce que je fais ici ?

Remonter. Attendre. Traîner devant le guichet du service. Le nom de Baudoin figure au tableau d'affichage. Son emploi du temps là-derrière est imprimé juste en trop petit pour être lisible. Presque six heures, je dois rentrer. Je dois voir Saar. Pourquoi est-ce que ça dure aussi longtemps ? Ils me regardent comme s'ils se disaient : Hé, toi, va-t'en, fiche le camp de là. C'est sûrement ce qu'ils pensent. Tout cela n'est pas vrai. Pourquoi est-ce que je ne me réveille pas ? Une petite cigarette au fumoir au fond du long couloir. Des cendriers pleins de vieux mégots. Ils les laissent exprès sales pour décourager les fumeurs ? Même les fenêtres sont crasseuses, une buée brune les recouvre.

Le lit de Saar est poussé hors de l'ascenseur. Eteindre la cigarette, sac sur l'épaule, retour à la chambre. Un infirmier rebranche le tuyau d'oxygène. Saar a l'air fatigué, elle est toute bleue. Elle a un grand sparadrap à l'intérieur du coude et des morceaux de gaze à l'extrémité de ses doigts pâles.

— Comment était-ce ?

— Ça va.

— Faim ?

— Non.

— Tu veux quelque chose ?

— Sais pas.

Un plateau de nourriture arrive. Tartines sous cellophane, beurre dans un emballage en plastique, fromage dans un sachet à la fermeture invisible. Saar ne veut ni manger ni boire.

Ellen va voir Mme Lapie dans son bureau. Stylo en main, tire des traits sur de longues listes.

— Nous allons nous en occuper, madame Visser. Elle est fatiguée par les examens. Ce soir, nous la ferons boire et dormir tôt. Demain, nous verrons. Vous devriez vous-même aller dormir.

Dormir ? Allongée à côté de Johan qui ronfle, Ellen est tendue. Si elle appelait Baudoin, maintenant ? Si elle allait lui faire la vaisselle dans sa maison solitaire ? Le gros docteur, en larmes, se blottit dans ses bras, elle caresse précautionneusement ses cheveux qui tombent. Je vais tout faire pour sauver ton enfant, dit-il, si tu viens vivre ici et que tu mets de l'ordre dans ce fourbi ; l'aspirateur est derrière le rideau.

Quand même dormi un peu, donc.

Le samedi est tout entier consacré aux visites familiales. Quand Ellen arrive dans la chambre, elle voit une grande femme du Surinam à côté du lit de Marlon l'enchaîné, des sacs ouverts à ses pieds ; deux petites sœurs en robe d'été rose sur des pulls de laine, avec des dizaines de tresses dans les cheveux, regardent leur grand frère les bras croisés.

La mère de Marlon a loué une télévision pour son fils, elle est posée sur un support installé aux pieds du garçon, à côté de l'appareil de torture. Elle est allumée. Fort.

La mère lui a apporté du *barras*, et du *pom* qu'elle a préparé elle-même. Marlon, allongé, picore nonchalamment.

— Où est pa ?

— Ah, celui-là, il ne me dit pas où il est ! Il part avec ses amis et me laisse prendre le bus ! Il ne dit pas s'il va venir, il ne me donne pas d'argent pour le taxi. Ah, ton père, il va voir ce qu'il va voir, je te dis, il va bien voir !

Ellen a pitié du garçon. Sans compter l'horrible douleur qu'il doit ressentir, il y a aussi l'humiliation de ne plus pouvoir rien faire. Marlon urine dans un bassin qu'il ne peut pas prendre lui-même. Aller à la selle est une véritable calamité. Le rideau est alors tiré tout autour du lit et, avec l'aide de deux infirmières, il est déposé très doucement sur le bassin tandis qu'il s'agrippe à la potence accrochée au-dessus de son lit. Comme il ne peut pas se tourner, c'est tout un art pour lui laver le derrière. Un garçon de treize ans, se faire laver par une aide-soignante de dix-huit ans ? Ce n'est pas ce qu'il y a de mieux, pense Ellen.

Des grands-mères entrent, ainsi que des voisins joviaux. C'est la fête autour du lit de Marlon, la mère rayonne, les petites sœurs disent à chacun de ne pas se heurter contre les poids suspendus.

Ils mangent, bavardent, rient, on dirait un festival kwakou. Ellen prête l'oreille. Elle écoute même les sons de la télévision. Ses yeux et ses oreilles s'emplissent de tout ce qui les entoure, de tout sauf de Saar.

Arrive le père de la fillette chauve. Cela fait des semaines que sa femme et sa fille vivent à l'hôpital. Il a apporté du linge propre et un baigneur grandeur nature qui ressemble à l'enfant à faire frémir.

Les deux crânes dénudés reposent côte à côte sur l'oreiller, on a peine à les distinguer l'un de l'autre. Le père est un homme soigné en chemise-cravate. Il porte un pantalon aux plis nets et un veston surmonté d'un étrange bout de ceinture dans le dos, fixé par des boutons. L'homme donne l'impression d'être tout en plastique et de n'avoir aucune odeur. Il est gentil, il embrasse sa femme replète et caresse sa fille sur sa tête glabre.

— Salut, le père de Winnie, dit Marlon, j'ai reçu une télé !

Le père de Winnie va serrer la main à Marlon et à la mère de celui-ci. Puis il vient faire connaissance avec Ellen. Saar est trop affaiblie pour lui tendre la main. On se croirait dans une auberge de jeunesse, pense Ellen, nous sommes tous dingues, ici, ça ne tourne pas rond dans nos têtes, et personne n'y fait rien. Des gens se présentent les uns aux autres, font un brin de causette, prennent une collation et rient devant la télévision. Mais un serpent sort d'un mur, une broche est fichée dans une jambe vivante, un œil pousse à fleur de tête sur une fillette.

Au fumoir, la mère de Winnie a les yeux rouges et des traces de mascara sur les joues. Elle se tient droite sur une chaise, les pieds serrés l'un contre l'autre. Elle tient son grand sac à main sur ses genoux ronds, charnus. Quand Ellen s'assoit en face d'elle, elle se met aussitôt à parler vite et sur un ton monocorde. Le nerf optique de l'œil droit de Winnie n'est pas bien fixé. Elle n'a jamais bien vu, de cet œil-là. L'œil gauche grossissait de plus en plus. Du fait de son utilisation excessive, pensa-t-elle d'abord, et il bougeait aussi, mais l'autre, l'œil mort, celui-là non. Mais c'était une tumeur, a dit le docteur. Elle avait presque trois ans, à ce moment-là ; quand elle marchait dans la rue, elle avançait de travers, en diagonale. Elle tombait souvent, aussi, à la maison c'était difficile, Conrad est tellement maniaque, mon mari. Et toujours des bleus, j'ai même eu peur qu'on croie que nous la battions. Ils ont irradié la tumeur, ils l'avaient attachée sur un brancard, toute seule, dans la salle des rayons et personne n'avait le droit de l'accompagner. Ses cheveux sont tombés, ça ne la dérange pas mais moi oui, elle avait des cheveux bruns bouclés. J'ai trouvé ses boucles sur l'oreiller, tous les matins. S'ils réparent son œil, j'ai pensé, je lui achèterai une perruque, ça ne fait rien.

Ça n'a pas marché. L'abcès continue de se développer, toute la cavité de son œil en est pleine. Lundi, ils vont le lui enlever. L'œil aussi. Il n'y a pas le choix. Elle ne verra plus rien du tout. On ne peut pas expliquer cela à un enfant de trois ans. Ils ont pris la décision dans la semaine. C'est le docteur qui nous l'a expliqué, il nous avait convoqués tous les deux. Conrad a pleuré. Maintenant elle peut encore nous voir. Après-demain elle ne pourra plus. Impossible de se l'imaginer. Même le docteur en était désolé.

Mais si, Ellen se l'imagine bien. La destruction de ce qui est sain, c'est son cauchemar à elle. Le bébé dans le frigo. Ne pas laisser la guêpe sortir par la fenêtre mais l'écraser en deux. Le pire, le plus inconcevable dans tout cela, c'est la jouissance. Personne ne lui a dit de congeler son enfant, c'est elle qui l'imagine, cela lui vient à l'esprit, et donc c'est qu'elle le veut, de quelque part derrière les cloisons de sa tête. Comment est-ce possible ? Le couteau à découper et le couteau à pain dentelé, elle les remise au fond d'un tiroir de la cuisine, de peur que les enfants n'y accèdent. Mais non, ils étaient bien trop petits. De peur d'autre chose.

Lisa est la seule à le savoir. Quand on ose y penser, on n'est pas tenté de le faire, a dit son amie. Celui qui paraît dans les journaux parce qu'il a commis le meurtre rituel de son enfant n'aura pas osé s'imaginer bourreau.

Fantasmer chez soi, dans sa cuisine, avec des enfants sains, joyeux, qui vous tournent autour, est une chose. Fantasmer sur ces films d'horreur où toutes les blouses blanches dissimulent un scalpel derrière leur dos, où en toute quiétude est forgée la résolution d'arracher un œil sain d'un crâne et de le jeter aux ordures, en est une autre.

Broyer un gâteau au chocolat parfait, compact, d'un coup de pelle transversal à travers la glace, est une chose. Scier intentionnellement une jambe vivante, réfléchir à l'endroit où placer la scie, à la pression qu'il faudra exercer, se mettre en position, en position ! Ça c'est autre chose.

Saar est gênée par le bruit.

— Est-ce qu'on peut éteindre la télévision, maman ?

A chaque fois qu'elle s'endort, elle est réveillée en sursaut par le rire tonitruant du voisin de Marlon, par Winnie qui a renversé un verre de la table de nuit, par des gens qui poussent des hauts cris en entrant dans la chambre.

Mme Lapie vient voir. Saar va pouvoir être transférée dans une chambre à un lit qui s'est libérée ce matin. On a téléphoné à Baudoin, il va passer tout à l'heure. Saar ne boit pas assez. Lapie replie le drap, soulève le pyjama et enfonce deux doigts dans la peau du ventre de Saar.

— Des rides. Vous voyez ? Elle ne s'hydrate pas assez.

Ma fille ne s'approprie pas assez les éléments, pense Ellen quand Lapie est repartie à petits pas. L'air et l'eau sont violemment injectés en elle, on viendra avec le feu quand elle aura refroidi. Quel est le quatrième élément ? Ma mémoire ne fonctionne pas, je n'arrive pas à m'en souvenir.

Dehors, la nuit a une consistance de terre noire lorsque Baudoin entre enfin dans la chambrette à un lit où se trouve maintenant Saar. Ellen sourit en se rappelant le rêve de l'aspirateur. Le médecin lui renvoie son sourire. Il reste un moment silencieux, les mains derrière le dos. Ils regardent l'enfant endormie. Une infirmière entre dans la pièce avec une potence à perfusion. Elle y accroche deux sachets en plastique transparent. De chaque sachet sort un tuyau. Les tuyaux se réunissent en formant un Y.

Baudoin pique dans une veine de l'avant-bras de Saar. L'aiguille est raccordée au tube de plastique qui, avant d'arriver au Y, passe par une sorte de station de comptage. Des chiffres rouges s'allument sur un écran noir, les gouttes sont-elles comptées ? L'appareil émet des bips, trois bips successifs à intervalles réguliers, suivis d'un tapotement. Le rythme est juste trop lent pour y plaquer une chanson.

— Nous l'hydratons, elle en a besoin. Et elle aura tout de suite quelque chose pour lui donner un petit coup de fouet.

La lumière crue s'éteint quand ils sont partis. Assise au chevet du lit, Ellen tient la main droite de Saar. La gauche est attachée à la barre du lit. L'enfant dort. Ellen écoute le bruit de la perfusion. C'est samedi soir, il est onze heures. Il est temps de partir.

Le lendemain matin, Saar est moins bleue. Elle a mangé un demi-pot de yaourt, d'une seule main. Elle écoute la radio à travers un cornet posé contre son oreille : des spirituals chantés par le chœur du personnel, dans le hall d'entrée.

Sous la couverture grise des nuages, le paysage de polders s'étend jusqu'à l'horizon. Ici, il y a eu de l'eau, des vagues qui ont porté les bateaux ou les ont engloutis, qui ont poussé des épaves sur la plage et qui parfois ont pénétré dans le pays. Une mer furieuse, entêtée, s'est lentement circonscrite : la digue qui se tortille à travers le pays a ramené au calme la surface de l'eau. Vidé et desséché, le lac ainsi formé montre son fond en capitulant. Ce qui vivait dans l'eau est mort. L'herbe peut maintenant y pousser entre les canaux alignés les uns derrière les autres, dans lesquels l'eau brille comme autrefois. Un polder est une implosion de fureur tourbillonnante agglomérée, un paysage dangereux.

Relevez la tête, les portails grands ouverts. Qui est-ce donc, qui entre ici solennellement ? Un roi, plein de majesté !

Saar partage l'écouteur avec Ellen. Elles rient quand juste à ce moment, Baudoin entre dans la chambre. Le roi plein de majesté porte un jean large sur des chaussures inappropriées, munies de boucles. La blouse blanche est entièrement boutonnée.

Le fait que le médecin fasse une visite un dimanche matin de si bonne heure, Ellen ne peut d'aucune manière l'associer avec l'état de son enfant. Non, il est super-consciencieux, voilà tout ; il n'a rien à faire à la maison ; il fuit les pièces pleines de souvenirs douloureux lui rappelant sa femme disparue ; il est tombé amoureux d'Ellen et saisit toutes les occasions de se retrouver avec une maman aussi fascinante.

Il l'entraîne avec lui hors de la chambre. Dans un tronçon de couloir qui se termine en impasse, il y a un banc peint en blanc devant la fenêtre. Ils s'assoient là, côte à côte, la mère tout emplie d'un amour en détresse, désordonné, affolé, le docteur armé d'un plan minutieusement préétabli.

Il veut opérer Saar demain matin de bonne heure. Il lui posera les valvules les plus nouvelles, les plus belles qu'il puisse trouver. Elle pourra les garder environ quatre ans, en fonction de la rapidité de sa croissance. A quatorze ans, quand le cœur et les veines se seront développés, elle en recevra de nouvelles.

Donne-moi un nouveau cœur, pense Ellen. Le chœur ne chantait-il pas cela ce matin, quand elle avait traversé le hall en direction des ascenseurs ? Demain matin, on va retirer un œil à Winnie, ajouter quelque chose à Saar. Je dois écouter ce qu'il dit.

— Avec des valvules défectueuses, la pompe fuit, vous savez, comme dans les polders là-dehors. L'opération en soi est complexe, mais nous avons une grande expérience, même chez les enfants. Les canalisations, le débit de liquide, le terrain uligineux, l'assèchement, l'irrigation – c'est un domaine fascinant.

Un amateur de voile, sûrement. Ou le fils d'un surintendant des digues. Deux cygnes prennent leur envol au-dessus d'un fossé et planent immobiles, là-haut, sur leurs larges ailes. Mes jambes me portent là où je veux aller, même si je suis fatiguée, même si mes pieds sont douloureux dans mes nouvelles chaussures serrées. Ma fille a dix ans. Nous sommes dimanche matin. Ses valvules cardiaques sont racornies et je l'ignorais.

Ils retournent ensemble auprès de Saar. Baudoin explique ce qui se passe avec son cœur, pourquoi elle est fatiguée, a souvent des vertiges, et comment il va réparer l'organe défectueux. Il explique que ce soir, l'infirmière va la raser.

— Comme Winnie ? Alors je serai chauve ?

Sur sa poitrine, sous ses bras. De tout petits poils qui s'appellent du duvet poussent là et ils doivent être enlevés. Quand on opère, tout doit être très propre. Ensuite on l'amènera à la salle d'opération et le docteur l'endormira. Cela se fera facilement par le petit trou qui est dans son bras, elle n'aura pas besoin d'une nouvelle piqûre. Ce langage-là, Ellen le comprend. Une implacable panique l'inonde. C'est sérieux.

Saar le verra aussi, mais il aura un bonnet de douche sur la tête, un de couleur verte. Et un bout de tissu sur la bouche, pour que ses bactéries n'aillent pas sur elle. Quand elle sera endormie, il lui mettra les nouvelles valvules.

— OK, dit Saar, c'est d'accord.

Pendant l'heure de visite (Lisa, Johan avec les enfants, et grand-mère Alma) elle dort. Quand les gens sont repartis, la perfusion reprend (pr, pr, prrrrt) sa structuration sonore. Le tuyau d'oxygène souffle un son généralement bas.

Cette nuit, je reste. Je ne t'abandonnerai jamais. Nous n'aurions jamais dû venir ici. Je reste jusqu'à ce que nous puissions en ressortir. Tu te souviens comme nous nous étions égarées, une fois, en cueillant du cassis ? Je savais que le lac était en contrebas, je l'avais vu quand nous avions escaladé la montagne. Nous avons laissé le seau avec le cassis, nous avons grimpé à travers le bois sur des sapins morts et des pierres lisses jusqu'à ce que nous retrouvions le chemin qui longeait le lac, celui que nous connaissions, notre chemin.

Le fumoir. Une cigarette. Encore une. De grands cousins de Marlon roulent des cigarettes et jouent aux cartes. Le père de Winnie fait un signe de tête amical à Ellen. A quatre heures, ils partent tous, laissant Ellen seule dans la fumée. Elle regarde les gens passer dans un sens et dans l'autre du long corridor, tous zélés ; ouvre la porte pour laisser se dissiper la fumée et pour entendre quelque chose. La visite prend congé, salue aux portes. Le personnel circule avec des pots de chambre et des sachets à perfusion.

L'infirmière à la blouse à carreaux du premier jour est maintenant en uniforme. Elle quitte le corridor en ouvrant chaque porte de chambre pour voir si le calme est revenu.

Arrivée à une porte au milieu du couloir, elle entre. Et ressort rapidement en appelant d'une voix bien audible, sur un ton maîtrisé, à droite et à gauche : "De l'aide, s'il vous plaît !"

Visiblement, c'est un mot de passe, pense Ellen. Les infirmières posent par terre les objets qu'elles transportent. L'une d'elles se précipite vers la réception et téléphone. Deux infirmiers accourent avec un chariot chargé de tuyaux. Ils entrent à quatre par la porte, au-dessus de laquelle un voyant rouge se met à clignoter.

Ellen s'étire, les bras au-dessus de la tête. Allons dire au revoir à Saar et rentrons manger (Alma, de nouveau chinois) et prendre des affaires pour cette nuit. Elle se dirige lentement dans le couloir déserté, passe devant la lampe clignotante, entre dans la chambre. Marlon est là avec sa jambe en l'air. Winnie avec sa mère. A la place de Saar, un nouvel enfant.

Retour dans le corridor. De la chambre au voyant rouge ressort le chariot. L'infirmière à la blouse a des larmes dans les yeux. Pourquoi les gens ont-ils tous les bras ballants ? Ils reculent contre le mur pour laisser passer Ellen. La chambre est vivement éclairée. Dans la chambre règne un silence mortel. Sur la perfusion, les chiffres sont éteints. Le tuyau d'oxygène se tait. Dans le lit gît une enfant de dix ans qui ne respire pas.

5

LE GRACIEUX SOUVERAIN

Ellen a lu quelque part que le véritable désespoir ne durait jamais plus de deux jours, parce que, au-delà, l'être humain recommence à se nourrir. Le désespoir n'est pas non plus ce qu'elle ressent durant les premiers mois qui suivent la mort de l'enfant. Elle est détraquée. Tout comme il est inconcevable que la croûte terrestre se crevasse pour engloutir un massif montagneux, il est inconcevable que les enfants meurent avant que leurs parents soient disparus.

Il s'est produit un tremblement de terre, des inondations, un ouragan dévorant qui a tout entraîné avec lui, tout anéanti et qui s'est abattu en d'étranges endroits. Mais quand elle ouvre la porte de son armoire, ses vêtements y sont suspendus comme avant ; l'escalier a toujours vingt et une marches ; la vue depuis la fenêtre de la cuisine est restée exactement la même.

Ellen n'est ni désespérée, ni morose, ni révoltée, ni dans l'impasse. Elle ne ressent absolument rien hormis la structure de son corps. Elle est devenue une construction ligneuse, un bâtiment fait de vieux chevrons et de vieilles poutres qui produisent un ahan lorsqu'ils frottent les uns contre les autres. La conscience de son corps s'est réduite aux articulations, qu'elle sent tout le temps. Le fléchissement des genoux, la position du coude et la rotation du cou sont les données transmises à Ellen par la centrale de son cerveau ébranlé. Aucune information sur la peau : l'écorchure produite sur son bras par un fil de fer saillant sur la bicyclette de Peter, elle ne la sent pas. Elle n'a pas chaud, pas froid. Aucune information sur les organes internes : elle n'a pas faim et ne s'aperçoit qu'elle doit uriner qu'assise aux cabinets.

La position de son corps est la seule chose dont elle ait conscience jusque dans les moindres détails : de minute en minute, les racines des cheveux lui disent, par une douleur cuisante au cuir chevelu, de quel côté du crâne sont enracinés les cheveux. Le maintien de la respiration est une tâche qui accapare toute son énergie. Inspirer, au moyen d'une légère dilatation de la poitrine, les épaules à peine soulevées ; et expirer, quelque chose s'affaissant en direction du ventre, quelque chose qui peut être retenu ; courte pause ; nouvelle inspiration, nouvelle expiration, nouvelle pause, nouvelle inspiration.

Elle mange quand elle est assise à une table et que quelqu'un pose une assiette devant elle. Sans réfléchir, quelques bouchées, sans prêter attention à la combinaison des aliments et sans rien savourer : des spaghettis sans sauce, une tranche de pain sans beurre. Elle dort parce que la nuit, elle étend son corps sur un matelas et dénoue toutes ses articulations. Au bout de quelques heures elle se réveille raidie ; quand il fait jour elle se lève. Le corps ne reste pas volontiers étendu.

Les parties tendres du corps se manifestent d'autant moins qu'elles ne contiennent pas d'os. Elles disparaissent peu à peu : Ellen n'a jamais eu beaucoup de ventre, mais à présent, elle a un ventre en négatif, sa peau est accrochée comme une voile entre les os du bassin. Les fesses fondent et les seins deviennent flasques.

Dans le silence confiné du crâne surviennent de temps à autre des pensées relatives aux curiosités qui entourent le processus de deuil. Ellen sait qu'il doit être question de dénégation et de révolte, mais la conscience que Saar est morte ne la quitte jamais. Elle s'en est revêtue comme d'une chemise intime et ne s'en défait pas. Immobile sur le banc (genoux et coudes à angle droit, orteils incurvés, poings serrés), elle cherche dans son paysage intérieur des signes de colère ou de culpabilité, veillant dans l'intervalle à la cadence de son souffle. Derrière le va-et-vient de l'air ainsi brassé surgissent des bribes d'idées sur lesquelles Ellen jette un regard fugitif : n'aurais jamais dû l'envoyer à l'école ; jamais su qu'elle avait une maladie, sûrement trop préoccupée parce que malheureuse avec Johan ; négligée ; quelle mère égoïste ; je me donnais sûrement la priorité ; aurais jamais dû m'asseoir dans ce fumoir ; près de son lit, non ? Là, je m'en serais aperçue, ça ne serait pas arrivé ?

Elle refoule l'air de ses poumons et aspire une nouvelle bouffée. C'est fâchée, furieuse qu'elle devrait être.

Contre cette conne de Mara ? Elle s'est rendu compte trop tard que quelque chose n'allait vraiment pas, elle a épuisé Saar avec ses devoirs d'arithmétique, elle a provoqué en elle la peur d'être puérile, de se plaindre.

Mais le visage blême de Mara éveille en elle un sentiment de parenté, pas la colère, pas la foudre. Elle s'imagine comment elle pourrait se jeter à la gorge du docteur Baudoin, lui arracher ses lunettes, lui planter un scalpel dans la gorge, lui donner des coups de pied dans le ventre ; elle devrait le broyer avec des poings d'acier parce qu'il a laissé son enfant s'éclipser. Inspiration, pause, expiration. C'est un dessin animé muet, dans sa tête, le médecin désespéré face à la femme furieuse qui le poursuit entre les armoires à dossiers, le pourchasse autour de son bureau.

Ellen inverse la position de ses pieds. Des larmes lui coulent des yeux. Elle se mouche le nez dans le mouchoir qu'elle porte désormais toujours sur elle. Le suicide n'est pas une option sérieuse, Ellen ne l'envisage pas, là n'est pas le problème. Le problème est le maintien de la respiration, et la position du dos. La mort est venue et doit être supportée. Ellen l'endure en faisant d'elle-même un cadre autour d'un contenu aussi léger que possible. Son souffle bien contrôlé est acide et altéré, son urine sent l'acétone.

Le seul sentiment qu'Ellen connaisse est l'irritation si on trouble sa concentration. Les bruits domestiques violents : la porte d'entrée claque, on tambourine en crescendo dans l'escalier, la porte ouverte violemment heurte la cloison, "maman, maman !" crie Peter, une peinture dans le cadre de la porte. Alors elle pense : Laissez-moi tranquille. Si Paul lui demande ce qu'il doit préparer à manger, elle ferme les yeux. Il détourne son attention, il ne doit pas.

Le pire, c'est Johan. Il s'approche d'elle avec un corps qui dégage de la chaleur, il l'entoure de ses bras brûlants et presse sa tête contre ses épaules. Il voudrait qu'elle le caresse, qu'elle l'enlace. Il se blottit contre elle au lit, il la mitraille de son rayonnement thermique. Ses pleurs sont des hurlements, il frappe des poings dans les oreillers en gémissant. De cette façon, Ellen a le plus grand mal à contrôler ses épaules, leur position rectiligne contre les draps, parallèle aux genoux. Aspirer de l'air, expirer, pas trop, faire une pause, qu'il cesse cette agitation, inspiration, va-t'en, va-t'en, et expiration, doucement, le calme, le calme, la fraîcheur.

— Tu perds la tête, lui dit-il, tu dois prendre des pilules pour dormir une bonne fois, ça ne peut pas continuer.

Pour s'en libérer, Ellen absorbe les médicaments conseillés, pourtant elle n'est pas visitée par le sommeil salvateur, mais par des bruits inquiétants qui ne peuvent avoir lieu. Un téléphone posé à côté de son lit se met à sonner, la porte fermée s'ouvre, des gens absents crient son nom très fort, avec insistance. Assise droite dans son lit, Ellen se défend contre la chute dans le sommeil ; elle attend jusqu'à ce que la pilule ne fasse plus d'effet.

La tenue de la maison a été prise en charge par les jumeaux. Ils font les courses et errent ensemble au supermarché, à la recherche de produits qu'ils connaissent. Ellen ne peut pas leur donner d'avis, elle reste muette quand on aborde la question de la nourriture. Le soir, Peter met la table, quatre assiettes, tandis que Paul fait cuire des œufs et sert de la salade pas lavée ni assaisonnée. Lisa vient quelquefois montrer aux garçons comment faire cuire les saucisses et les côtelettes : du beurre dans la poêle, retourner la viande de temps en temps, baisser le feu, entre-temps préparer les pommes de terre. Il n'y a plus de papier toilette et Peter pose le porte-serviettes par terre, dans les W.-C. Johan reste de plus en plus souvent et de plus en plus longtemps dehors ; il est à l'atelier, il travaille. Il mange à l'extérieur parce qu'à la maison, il ne sait plus à quel saint se vouer.

Paul lui rend visite sans prévenir : "Papa, tu viens manger à la maison ?"

Johan ne se fâche pas d'être ainsi dérangé ; il prend son fils et ils vont chercher un repas chinois. Ellen fait la vaisselle. Elle fait aussi tourner une machine, parfois, quand les enfants déposent leurs draps sales sur le sol de la salle de bains, mais elle oublie ensuite de retirer du tambour cette masse mouillée, répugnante. La vie de la maison se désintègre. Les jumeaux sèchent les cours, et la direction de l'école, étant donné le deuil récent, n'en fait pas cas, si bien qu'Ellen et Johan l'ignorent. Alma le sait, elle, Peter et Paul passent leurs journées chez elle. Ils boivent du chocolat chaud et mangent des tartines au fromage passées au four. Ils passent des heures à jouer au Monopoly avec leur grand-mère. Parfois ils parlent de Saar. Alma a pris dans la bibliothèque une encyclopédie médicale vulgarisée et là-dedans, elle cherche les maladies du cœur. Elle en fait la lecture aux garçons : ni incantations ni complaintes, mais des faits. Elle porte la perte de son unique descendante féminine avec stoïcisme et aussi avec une pointe d'aigreur, mais elle porte quelque chose, il y a bien une perte, il s'est bien passé quelque chose dont on peut parler et au sujet de quoi on peut poser des questions. Cela soulage les garçons, ils s'informent dans l'encyclopédie sur les défauts de valvule et sur l'hérédité ; ils sont choqués, mais contents aussi, quand Alma fait encadrer un dessin de Saar, des poissons rouges dans un bassin d'eau claire, avec des plantes aquatiques, et qu'elle l'accroche au mur. Alma ne pleure pas et ne les fait pas pleurer non plus, mais en ouvrant ainsi sa maison sans limites, pendant les heures de classe, elle montre clairement aux garçons qu'il se passe quelque chose de grave, et qu'ils n'ont pas à se le cacher.

Chez Ellen, la paralysie ligneuse des sentiments a commencé dès la mort de Saar et l'a protégée des tracas d'organisation durant la semaine qui s'ensuivit. Elle a assisté à l'enterrement, elle a entendu les enfants de la classe de Saar chanter un air, Lisa raconter une histoire, Johan prononcer des remerciements. Elle a regardé le petit cercueil. Elle tenait Peter et Paul par la main, ou bien étaient-ce les garçons qui la tenaient par la main ? Elle portait une robe noire, que Lisa avait choisie pour elle. C'était le printemps, les arbres du cimetière bourgeonnaient tout juste. Le matin, c'était le matin, et beaucoup de gens marchaient derrière eux. Ils ont porté le cercueil dans une section spéciale du cimetière, une section réservée aux enfants, avec de petites stèles funéraires et moins d'espace entre les tombes que pour les adultes. "Notre rayon de soleil", a lu Ellen sur une pierre tombale, et "A notre petit Evert". Ils ont fait glisser Saar dans la terre et tout le monde a déposé des fleurs près de ce trou indécent. Johan a eu un tremblement des épaules à côté d'elle, Lawrence le soutenait. Une centaine de personnes au moins sont venues lui serrer la main, l'embrasser. Elle voyait leurs bouches qui remuaient. Baudoin était parmi eux, Mara, Stanley aussi. Tous parlaient à Ellen qui n'entendait rien. Klaas Dissel, les yeux rouges, l'a serrée dans ses bras. Ellen en eut le vertige.

Après la cérémonie il y a eu un repas chez Lisa et Lawrence. Le verger était rempli de monde. Les garçons faisaient le tour avec des verres et des tasses de café. Lisa avait fait apporter des sandwiches, on avait faim. Ellen regardait par-dessus tout cela, vers le faîte des arbres garni d'un nouveau feuillage. Il faisait soleil, un agréable soleil printanier, mais là-haut dans le ciel des nuages couraient à l'horizon. C'est cela, pensait-elle, c'est cela. Lisa l'a emmenée à l'étage et couchée sur le lit. Plus tard, Johan est venu la chercher et l'a menée à la voiture, l'a conduite à la maison. Ellen a courbé ses articulations dans le sens qui lui était prescrit et a pensé à la respiration. On était jeudi.

De la nuit du dimanche précédent, Ellen ne se rappelle rien. Etaient-ils toute la famille chez Lisa ? Le lundi matin, Ellen a vécu quelques heures. Johan et les garçons dormaient encore, dans la maison de Lisa. Ellen a demandé à Lawrence de la conduire à sa maison. Comme un chauffeur, il attend dans la voiture quand elle entre.

Un verre d'eau du robinet. Un sac en plastique dans le tiroir. Ellen monte dans la chambre de Saar, s'assoit sur le lit et réfléchit. Les sous-vêtements avec les fraises, la chemisette et la petite culotte aux motifs préférés. Le pull aux poissons qu'Alma lui a acheté l'année dernière. Le nouveau jean, d'une vraie marque. Les chaussettes ? Des chaussettes chaudes sans talon, qui sont toujours à la taille. Elles sont usées mais n'ont pas encore de trous. Les beaux chaussons de gym.

Ellen cherche les vêtements dans l'armoire, les chaussures sous le lit, les chaussettes dans la pile de linge propre. Le pull aux poissons traîne dans le séjour, sur le canapé. Elle plie le tout et le met dans le sac en plastique. Par-dessus, elle dépose une petite boîte de couleurs, cadeau de Johan pour son huitième anniversaire, et un ours en peluche que les garçons ont acheté à Saar quand elle a eu un an.

Aujourd'hui, j'enterre ma fille, pense Ellen. C'est une souffrance indicible, comme si elle se faisait trancher les deux mains, une souffrance mêlée à la terreur que provoque la vue des os déchiquetés dans un bain de sang, à la conscience d'être infirme à jamais et de ne jamais plus, jamais plus pouvoir tenir quelque chose.

Ahanante, Ellen s'écroule contre le montant de la porte et reste là étendue, le sac en plastique collé contre elle. Elle s'entend produire un son étrange, une sorte de rugissement. Elle sent ses ongles plantés dans ses joues.

Lawrence appelle par la boîte aux lettres, lui demande si elle vient, si ça va, s'il peut faire quelque chose. Elle se traîne jusqu'à la cuisine, maintient son visage sous le robinet, descend l'escalier et va s'asseoir dans la voiture, le sac sur les genoux.

Lawrence la dépose à l'hôpital. Il l'embrasse, lui souhaite bon courage et repart. Elle lui fait au revoir de sa main libre. Rituels, rites, vieilles coutumes pour circonscrire avec elle cette chose nouvelle, absurde, irréelle.

Au service pédiatrie, tout est différent. Cela provient de l'éclairage, on est tôt le matin et le soleil éclaire des endroits où Ellen ne l'a encore jamais vu briller. Aucun visiteur dans les couloirs, seuls des gens qui doivent se trouver là à titre professionnel déambulent dans le corridor ou stationnent devant la réception. Un homme lessive le sol avec une machine et une vieille femme passe avec un chariot à café.

Au bout du couloir, Ellen aperçoit les têtes des parents de Winnie au fumoir. Elle détourne rapidement les yeux. Etre jalouse des parents dont l'enfant juste à ce moment va être rendue aveugle, c'est un sentiment tellement troublant qu'elle ne peut le supporter. Elle ne pourrait pas vivre avec eux ni tolérer leur compassion à son égard.

— Madame Visser, c'est bien que vous soyez là. Voulez-vous bien m'accompagner jusqu'à mon bureau ?

L'infirmière en chef Lapie lui serre la main, la précède, ferme la porte. La petite pièce qui lui sert de bureau n'a pas de fenêtres sur l'extérieur ; l'unique fenêtre donne sur la réception derrière laquelle deux infirmières sont en train de passer une liste en revue. Elles ont des stylos à la main et sont séparées par une pile de dossiers. Elles s'occupent des soins en pédiatrie, c'est là-dessus qu'elles se penchent toutes les deux, pense Ellen, elles organisent le traitement des enfants malades, de sorte qu'ils soient opérés à temps et qu'ils retournent dans leur lit ; elles définissent qui doit être placé à côté d'eux ; elles s'occupent des soins, de sorte qu'ils se rétablissent et qu'ils puissent rentrer chez eux.

— Voulez-vous du café, madame Visser ? demande l'infirmière Lapie en lui tendant la thermos.

Ellen se redresse. Elle a déposé le sac en plastique à ses pieds et accepte une tasse de café.

— Vous pouvez fumer, ici, si vous voulez, ça ne me dérange pas.

Lapie déplace un cendrier sur le bureau, en direction d'Ellen, et la regarde. Elle a une mine fatiguée et sérieuse.

Pas de discours, pense Ellen, pas de compassion, et pas d'excuses administratives.

Mais l'infirmière Lapie sait mieux. Elle se limite aux choses concrètes. Elle donne du feu à Ellen. Elle ferme les rideaux de la fenêtre donnant sur la réception.

— L'infirmière est en train de laver votre fille. Elle en a encore pour un petit moment, ensuite elle va venir vous chercher dès que ce sera fini. Elle vous donnera les affaires qui sont restées ici.

Brosse à dents, pense Ellen, pyjama, cartes postales, dessins. Ses dépouilles. La preuve qu'elle était bien ici, puisqu'elle a laissé quelque chose. Les percussionnistes laissent leurs baguettes sur une tablette, la princesse laisse son étole de fourrure sur une chaise pour monter sur la piste de danse. A son tour, l'infirmière au chemisier à carreaux et au visage bouleversé me laisse la dépouille de mon enfant. Cela s'appelle faire la toilette funèbre.

Il y a des papiers à signer, des formalités administratives. L'infirmière Lapie explique clairement et calmement, elle parle d'une voix posée. Ellen écoute, fait ce qu'on lui demande, boit son café et fume. On frappe à la porte, Ellen prend congé de Mme Lapie et sort dans le couloir avec l'infirmière qui est venue la chercher. Comment s'appelait-elle encore, oublié, que c'est stupide. Ellen jette un regard oblique sur le badge que l'infirmière a épinglé sur sa bretelle : Paula. Paula explique qu'elle a lavé Saar, Saar est dans la salle de bains, où elles se rendent en ce moment, c'est ici, nous entrons par ici, avez-vous apporté les vêtements ?

Une porte s'ouvre, Ellen voit un paravent. L'infirmière, qui la précède, contourne le paravent en entrant dans la salle de bains vivement éclairée. Il y a une baignoire le long du mur, il y a une bicyclette d'intérieur, un casque sèche-cheveux, un déambulateur, une forêt de supports à perfusion. Il y a une civière avec un drap par-dessus.

— La petite Saar est là, madame Visser.

L'infirmière sonde le visage d'Ellen. Ellen acquiesce d'un signe de tête.

Saisir le drap et soulever doucement, replier, retirer le drap. Voir l'enfant nu. Voir l'enfant. Voir l'enfant mort. Regarder soi-même l'enfant, l'enfant mort. Une petite blessure au genou due à la leçon de gymnastique de la semaine dernière. Des cals sous la plante des pieds. La mort ça veut dire une peau jaunâtre, cireuse, sous laquelle le sang ne circule plus. Incompréhensible, que les gens aient peur de passer indûment pour morts ; la mort ne se confond avec rien d'autre quand on regarde, quand on regarde l'enfant nu, l'enfant mort. Saar a une couche entre les jambes et sous les fesses. Ses paupières sont maintenues closes au moyen de bandes adhésives blanches : un visage de clown aux lèvres décolorées. Sous le menton, l'infirmière a pressé une grosse serviette afin que la bouche reste fermée. Ellen pose sa main sur les cheveux de Saar, qui ont encore le même aspect au toucher ; sur le front de Saar, c'est frais, mais pas froid. Elle est bien non vivante, ne renferme pas de secrets mouvements, elle n'est pas encore une chose mais en prend le chemin.

L'infirmière Paula met un grand tablier en plastique, et des gants. Elle demande si Ellen veut aussi des gants mais Ellen ne veut pas.

— Alors vous devrez bien vous laver les mains après, dit Paula. Nous allons maintenant habiller Saar, à nous deux ça va aller.

Elle continue de parler tandis qu'Ellen sort les objets du sac en plastique et les dépose sur une table étroite à côté de la civière. Ces paroles ne pénètrent pas l'esprit, elles servent d'enveloppe verbale aux actions qui sont accomplies, d'accompagnement vocal auquel Ellen, après un temps, se met à prendre part.

— D'abord la petite culotte, si nous prenons toutes deux un pied, pour l'enfiler, voilà, je soulève un peu les jambes et vous pouvez faire glisser la culotte vers le haut, voilà, comme cela. Maintenant si vous la tenez, je vais ajuster la couche, oui, maintenant nous la reposons, allons-y.

Ellen a son enfant froid dans les bras lorsque Paula remonte la culotte sur les fesses. Elle pense intensément à la différence : hier chaude, aujourd'hui froide. Hier Saar se joignait à l'étreinte, aujourd'hui elle ne participe pas. Hier rose, aujourd'hui jaune. Pour Ellen, le fait que ces différences soient possibles est la pire chose qui soit. D'avoir à être témoin de ces différences, d'être doté d'une mémoire et d'un appareil perceptif, et le fait que ces facultés doivent s'adapter aux conditions variables de son propre enfant : cela est pire que tout ce que l'on peut imaginer. En en faisant la constatation, je touche le fond de l'horreur absolue, pense Ellen, moi, seule avec cette infirmière pleine de respect. Ce sont mes mains, ma mémoire, mes yeux qui me font subir cela. J'observe. J'existe encore et je dois enregistrer et retenir.

— Pour la chemise, enfilons d'abord les bras, oui, des deux côtés en même temps, et ensuite je lui soulève la tête et je passe la chemisette par-dessus ; maintenant vous pouvez la tirer sur le dos, vers le bas.

— Je faisais pareil quand elle était bébé, en un seul mouvement au-dessus de la tête, ce n'était pas aussi ajusté et on tenait les petites mains par l'intérieur des manches. Maintenant les chaussettes, sûrement ?

Ce sont de vieilles chaussettes des garçons. Saar aimait les porter. Elles les tirent haut au-dessus des maigres tibias. Maintenant le jean. Le tissu est raide, elles doivent tirer dans tous les sens pour bien le mettre en place.

— Ça paraît irrespectueux, dit Paula, mais c'est important qu'elle porte les bons vêtements, c'est pour cela que nous le faisons ainsi. Le pull est le plus pénible.

Elle étire l'encolure autant que possible. D'abord les manches sur les bras raidis, impossibles à plier. La tête ne passe pas à travers le col. Paula prend des ciseaux.

— Je vais couper le col par-derrière, ça ira plus facilement. C'est bien dommage mais on ne le verra pas.

Maintenant elles peuvent faire glisser le pull par la tête de Saar et le lui passer entièrement. Paula fait pivoter Saar vers Ellen et applique du ruban adhésif sur l'entaille. Ellen ne peut croire à ce qui arrive, mais cela arrive bel et bien. Les chaussons de gym. Nouer les lacets.

— Voulez-vous peigner ses cheveux ? Nous laissons encore les sparadraps sur les yeux. Avez-vous un peigne ? La trousse de toilette est là.

Ellen prend son propre peigne dans son sac à main et coiffe les cheveux de sa fille. Puis elle dénoue la chaîne en or qu'elle porte en permanence et l'attache au cou de Saar. Elle dépose Gijs le poisson rouge dans un bras de Saar et l'ours en peluche dans l'autre. La boîte de couleurs à côté.

Paula prend le sac en plastique qui contenait les objets de Saar restés dans la chambre.

— Voudrez-vous remettre vous-même le drap ? Je vous laisse un peu seule, je vous vois tout à l'heure dans le couloir.

Le tube au néon bourdonne et vibre, tant il s'acharne à dispenser de la lumière. L'enfant est en paix, vêtu de ses habits préférés, accompagné de ses objets favoris. Une vague de fureur s'empare d'Ellen : pourquoi faut-il qu'elle ait les yeux ouverts ? Pourquoi sa mémoire devra-t-elle désormais faire une place à ce qu'elle vient de vivre cette dernière demi-heure ? Pourquoi ses jambes devront-elles tout à l'heure la porter hors de l'hôpital ? Pourquoi vit-elle et plus l'enfant ?

Elle attend. La rage reflue. Elle embrasse l'enfant, ajuste le collier, caresse les cheveux. Elle n'ose pas parler maintenant qu'elle est seule. Elle regarde autour d'elle dans cette pièce absurde, sourit, prend le drap et le dépose sur les jambes de Saar. Elle murmure un air, une berceuse, une chanson enfantine, mais elle ne chante pas à voix haute, pas avec des mots.

— Saar, je laisse la lumière.

Elle tire le drap au-dessus de la civière et quitte la salle de bains sans bruit.

*

Ellen ne s'aperçoit pas que le printemps persiste et se fond peu à peu dans un été chaud. Les narcisses pointent et les berges de la rivière sont parsemées des étoiles jaunes de la ficaire. Les fenêtres s'ouvrent aux maisons, de la musique résonne dans la rue, les gens lavent leur voiture, taillent leurs haies et se parlent. Si la pluie survient, elle est une caresse, bienfaisante et douce, pour le pays. A la fin de l'après-midi, la ville exhale un énigmatique parfum d'asphalte mouillé, la poussière est captive, la peau reluit, les pneus bruissent. Johan rentre en sifflant.

A la maison, il y a une lettre du proviseur du lycée, adressée "aux parents de Peter et Paul Steenkamer".

"Cette lettre inhabituelle, écrit le proviseur, pour vous préparer au fait que vos deux fils redoubleront leur classe cette année. Il ne fait aucun doute que cela est dû à de tristes circonstances familiales et non à des dispositions intellectuelles déficientes des garçons, qui avant le décès de leur petite sœur étaient connus pour être des élèves intéressés et studieux."

Aussi le proviseur part du principe qu'avec le retour de leur équilibre moral, leur motivation première reviendra et qu'avec elle prendra fin la longue série d'heures de cours séchées sans justification, "des absences illégitimes que par ailleurs, malgré tout le respect et la compréhension que nous en avons, nous ne pouvons naturellement pas tolérer, mais au sujet desquelles nous n'avons pas voulu jusqu'à présent vous incommoder. Je suis confiant dans le fait que vous voudrez bien l'un et l'autre en parler avec vos fils et veillerai de mon côté à ce que Peter et Paul soient réintégrés en classe de quatrième à compter de la nouvelle rentrée scolaire. Veuillez agréer…"

— Nom de Dieu, dit Johan.

Il jette la lettre sur la table et regarde Ellen.

— Tu étais au courant ? Qu'ils ne sont jamais à l'école ? Maintenant ils redoublent, c'est tout de même un échec, ça, on pourrait s'en passer, ils ne sont tout de même pas idiots ! Il le dit lui-même, ce connard ! C'est ta faute, tu aurais dû faire attention, Ellen. Tu restes ici à ne rien faire, tu n'es même pas capable de contrôler tes gosses. Faire bleu ! Jusqu'où ça va ! Je travaille, moi, non ?! Et à quoi passent-ils leur temps, hein ? A fumer des joints dans les coffieshops ou quoi ? Hein ?

— Oui, dit Ellen lentement, je suis au courant. Je pense aussi que c'est de ma faute, je ne m'intéresse pas assez à eux. Je n'ai pas fait attention.

— Alors, réagis ! J'en ai assez de ce qui se passe ici. C'est le bordel, y a jamais personne à la maison et vous tirez tous de ces tronches !

Il fait une grimace jusque par terre. Va s'asseoir à table. Repousse sur le côté les journaux et le courrier.

— Ils allaient chez Alma, ils ne se droguent pas. Ils ne fument même pas, pour autant que je sache.

— Mais voilà, tu ne sais pas grand-chose. Chez Alma ! Quelle idée, nom de bleu !

— Je ne sais pas, pour la compagnie, je pense. Quelqu'un qui vit normalement, qui est là. Ils ont joué à des jeux, m'a dit Paul.

— A des jeux, oui. Et maintenant ils repiquent. Mes enfants repiquent ! Je vais lui dire les quatre vérités, moi, à ce proviseur, tu sais. Avec quelques cours de soutien, ils rattraperont et ils iront en troisième. Pas d'exception ni de circonstances particulières qui tiennent. Ils monteront, comme tous les enfants normaux. Qu'est-ce

qu'il croit, ce lèche-cul, qu'il va pouvoir faire le ratioci-
neur avec son indulgence, sa triste situation familiale ?
Berk !

— Je crois en fait que c'est bien, Johan, comme il
veut régler cela. Ce n'est pas si grave, qu'ils perdent une
année, il faudra aussi du temps avant que les choses
soient redevenues normales. Alors c'est peut-être mieux
qu'on n'ait pas des exigences trop hautes à l'école ? Je
vais leur parler, qu'ils retournent en classe, et je vais
prendre un rendez-vous avec le proviseur pour y réfléchir ensemble.

— Tu sais que ça me met mal, toute cette comédie
mollassonne ? Prendre du temps, faire son deuil, réfléchir, tout cela m'emmerde ! Il faut que ça change, il n'y
a plus de problème, il n'y a aucune raison pour tourner
en rond à la maison. Pas plus pour eux que pour toi.
Tout ça est fini, tu entends, bien fini. Et je veux aussi
que la chambre de Saar, tu la débarrasses.

Johan s'effraie de ce qu'il vient de dire et reste un
moment silencieux avant de tonner de toutes ses forces :

— Je ne supporte pas que tu te traînes dans la maison
comme un zombie. Fais la cuisine, maquille-toi, mets de
jolies fringues et va chez le coiffeur, je ne sais pas, moi.
Ça a assez duré comme ça. Il faut en finir une fois pour
toutes et si tu ne peux pas, alors va-t'en. Fiche le camp
d'ici. J'en ai jusque-là, de ton chagrin, il faut en finir !

A vrai dire, ça vient seulement de commencer, pense
Ellen. Le chagrin. Il a raison, je vais débarrasser la
chambre, mettre les affaires de Saar dans des boîtes,
enlever le lit.

Ellen s'active lentement. Lisa lui vient en aide pour la
petite chambre de Saar, et là, sur le lit étroit, dans les

bras de son amie, Ellen éclate en sanglots pour la première fois. Johan se tient dans l'embrasure de la porte et regarde Lisa droit dans la figure, une figure décontenancée, avec des yeux écarquillés. Lisa entoure de ses bras Ellen, qui a la tête couchée sur ses genoux.

Johan redescend sans rien dire. La porte d'entrée se referme en claquant.

C'est l'été, ce sont les vacances. Ellen part une semaine avec les jumeaux à l'île de Terschelling. Johan reste à la maison, il veut travailler. Les garçons courent sur l'immense plage et nagent dans les vagues. Ellen est assise à la terrasse de la petite maison qu'ils ont louée et se laisse mordre par le soleil. Elle pleure et le soleil évapore ses larmes. Elle sent sa peau qui la pique ; le soir, sa peau brûlée lui cause une douleur cuisante et lui rappelle qu'elle existe. Le dernier jour, un violent vent d'est s'est levé. Ellen traverse l'île à bicyclette vers la pointe est, où se trouve une maison qui se nomme Finisterra. Tendue à l'extrême, elle pédale contre la tempête, se cramponne à son guidon et conquiert mètre par mètre le sentier de coquillages. Le vent évacue les larmes de ses yeux, celles-ci forment des croûtes blanchâtres le long des joues. Me revoilà, pense Ellen, j'ai de nouveau des jambes, j'ai une voix. J'ai subi une perte. J'ai eu une fille. Sur le chemin du retour, elle se laisse pousser par le vent. Elle a faim. Ils mangent des pizzas au village.

Quand ils reviennent à la ville, les garçons vont travailler au supermarché. Ils remplissent les étalages et balaient par terre. Ellen y fait ses courses pour les voir et pour savoir de quoi ils parlent à table.

— Le gérant du magasin, avec sa coupe à la cowboy, tu sais, il ne vit que pour le magasin !

— Il y est déjà à sept heures du matin ! Et les vacances, ça l'embête, alors il vient quand même !

— Les soupes, c'est ce qu'il y a de pire à caser, y en a tellement de sortes qui se ressemblent, shit, j'en ai rangé une floppée, aujourd'hui !

— On est une grande famille, il a dit. A la pause de midi, tu peux te choisir un repas micro-ondes, mais pas le plus cher.

— Seulement la marque de la maison. On peut pas le bouffer, tellement il est bon. Faut se l'enfourner ! se l'engouffrer !

Johan vient parfois manger à la maison. Il a un lit dans son atelier où il retourne les soirs dès qu'à la tête que fait Ellen, il voit qu'elle est sur le point de fondre en larmes. Il refuse de parler avec elle d'autre chose que des questions domestiques ou de son travail. Cela se réduit à de très brèves conversations.

— Le Musée municipal a acheté une toile.

— C'est chouette pour toi.

— Un article va paraître sur moi dans la *Revue du musée*.

— Formidable.

— Mon Dieu.

Silence.

Ellen téléphone à Klaas Dissel. Il l'a appelée régulièrement ces derniers mois mais, effrayé par l'apathie infinie d'Ellen, il a fini par renoncer. Il continue à lui verser son salaire, bien qu'Ellen lui ait demandé un congé sans solde.

— Quand tu as été embauchée, tu as eu droit à l'assurance maladie. Et cela reste.

Il est ravi qu'elle l'appelle. Bien sûr qu'elle peut revenir travailler, il ne demande pas mieux, tout de suite, si elle veut.

— Si tu reprends maintenant, avec un travail léger, sans échéances. Et pas trop d'heures, mais tous les jours. Tu as les photos à réorganiser, ta commande de l'année dernière est arrivée. On a laissé tout le bazar en plan pour toi. Ce sont de beaux clichés, très élégants.

Chaque jour, Ellen se rend au bureau pour quelques heures. Là, elle est assise par terre, dans son bureau, les photos étalées autour d'elle. Elle s'appuie contre le mur et pleure. Au bout d'une heure, Dissel entre et la prend dans ses bras.

— Viens, mon petit, allons.

Il lui tend gauchement son mouchoir. Tous les jours. Puis Ellen se lève et ils vont prendre un café. Les photos représentent des outils dont l'utilisation est en rapport avec le bois : un passe-partout, des chaussures pour monter aux arbres, une gouge de luthier, une hache. Durant la dernière heure, Ellen rassemble des informations provenant des archives de la correspondance pour un document que Dissel veut écrire.

— Maintenant rentre chez toi, mon petit, tu reviendras demain.

— Je ne veux plus en entendre parler, dit Johan. Va te plaindre chez Lisa si tu veux, ou chez je ne sais qui, cherche un thérapeute, pourvu que tu cesses d'en avoir après moi. Pour moi c'est fini tout ça, tu piges ?

Il parle de notre mariage ? se demande Ellen. Pourquoi est-ce que ça ne m'effraie pas ? Ça ne me ferait donc rien, qu'il me quitte ? Si seulement l'été était fini, si seulement il y avait du vent. Je ne vais pas bien dans ma tête. Plus rien ne m'affecte.

Johan a continué sur sa lancée :

— J'ai du succès, enfin je vends un peu et ils écrivent sur moi. Je vais enfin compter, avoir des commandes.

C'est à cela qu'il faut que tu penses, pas toujours à ce qui est arrivé. La vie continue.

Comment fait-il pour avoir un tel débit ? Il a toujours raison. Sa vie à lui a continué, en effet. Il a été choqué, il a eu du chagrin mais s'en est débarrassé, il en a fait quelque chose, pour ne plus s'en rendre compte. Il s'emporte quand les autres le lui rappellent. Il est bronzé, il a bonne mine. Il s'est acheté un nouveau veston. Que peint-il ? Il y a des mois que je n'ai pas visité son atelier, à quoi s'occupe-t-il avec tant de fougue ?

— Johan, qu'est-ce que tu fais en ce moment ?

— Une pietà. Je crois. Je ne peux rien dire là-dessus et je ne veux pas non plus la montrer. Je dois aussi faire une fresque pour le bureau de poste, j'y travaille en ce moment. Mais occupe-toi de ce qui te regarde, moi ça va, je me débrouille.

Les nuits qu'il passe à la maison sont dramatiques. Quand Ellen est partie se coucher, Johan boit du whisky jusqu'à ce qu'il ait assez de courage pour aller s'allonger auprès d'elle. Il fait l'amour à son corps veule. Si elle ressent quelque chose, elle se met à pleurer. C'est insupportable pour tous les deux. Cela arrive de plus en plus rarement.

Il a une amie, pense Ellen. C'est pour cela qu'il se soigne et qu'il va courir tous les jours. Est-ce que ça me gêne ?

— Ça te gênerait, si c'était le cas ? demande Lisa.

— Oui, naturellement, bonté divine. Ça ne se fait pas, non ? A vrai dire, je m'en fiche. Ça me simplifie la vie. Il exige tellement d'attention, Johan, qu'il est minant, à la fin. Maintenant il l'est moins. Non, ça ne me gêne pas tant que cela. Mais qu'est-ce que cela signifie, c'est affreux, non ?

Elles se promènent. Une excursion qui dure toute une journée, sur des digues et à travers des terres à pâturage. Elles traversent des polders, le long de canaux peu profonds. Le vent qui souffle fort rend la conversation difficile. Ellen marche derrière Lisa, soutenant le tempo avec peine. Ces dernières semaines seulement, elle remarque combien elle est épuisée, une fatigue intense qu'elle compare à la période qui suit un accouchement.

— Tu dois t'en libérer par la marche, dit Lisa. On fait la route de l'eau, dimanche ? Ça te va ?

Oui, en fait, c'est très agréable. Le vent s'ébroue autour de sa tête, ses jambes moulinent la campagne et elle ne pense qu'à mettre un pied devant l'autre et à suivre le dos de Lisa. A l'abri du vent derrière une rangée d'arbres, elles progressent côte à côte.

— C'est formidable que nous le refassions, cela m'a manqué. Ça va ? Il y a un problème ?

— Extra, dit Ellen. Ça va au mieux. Fais attention aux cabots, ils sont lâchés, en plus.

Le promeneur hait le chien, défenseur du territoire dans lequel il est enfermé, qui aboie désespérément et tourne les sangs au passant avec ses hurlements qui ne cessent que lorsque les marcheurs sont éloignés de plusieurs milles ; mais il craint davantage encore le chien libre qui batifole avec insouciance et se jette sur ses jambes à une vitesse vertigineuse tandis que le propriétaire rit, détendu (Il ne fait rien, vous savez ! Il est un peu fou, encore jeune !), qui reste planté devant vous tout baveux et vous fourre sa truffe dans l'entrejambe. Ce chien mérite un coup violent et son propriétaire aussi. L'irritation ne mollit pas à l'usage. Elles règlent le problème en niant par principe tous les chiens. Quand ce n'est plus possible : s'arrêter, pester et toiser le maître avec un extrême mépris. Moments désagréables d'impuissance. Continuer son chemin rapidement. Sans saluer.

— Comment serait-ce, seule ? J'y pense quelquefois, ces derniers temps.

Pendant leur marche, les pensées de Lisa et d'Ellen fusent en tous sens mais tous les éléments de la conversation sont gardés ouverts d'une manière extraordinaire. Quand l'une reprend sans transition un sujet abordé quinze kilomètres auparavant, l'autre sait aussitôt de quoi il s'agit.

— Avant Saar, tu y pensais déjà.

— Oui, mais je ne peux pas décider maintenant, pas juger. Je ne suis pas en état, je ne supporte rien et je suis toujours fatiguée.

— Tu es en deuil, alors tout devient affreux.

— Déjà à l'idée d'un déménagement seule, je suis prise d'un tel malaise, tout ce remue-ménage, toute cette pagaille, cette saleté mise à nu.

Il y a du mouvement dans le fossé le long duquel elles cheminent. De grands ailerons de poissons viennent à la surface, un, trois, vingt. Ils s'encerclent les uns les autres, soudain apparaissent les signes d'un combat, des éclaboussures, le battement d'une queue. Des dizaines de carpes géantes dans un périmètre de douze mètres sur deux ; le reste du fossé est paisible.

— Tu n'y comprends pas grand-chose non plus. Est-ce qu'ils trouveraient cela sympathique ? Ou bien ils ne connaissent pas mieux, parce que ça a toujours été comme ça.

— Si j'étais capable de tout quitter, avance Ellen, avec ce sac à dos par exemple et c'est tout. Je suis trop fatiguée, je crois, pour le vouloir vraiment. Et il y a les garçons, naturellement, je dois rester auprès des garçons.

— Ou bien si dans cette partie du fossé, il y avait un tuyau d'évacuation ? S'il y déferlait de la nourriture, pommes de terre, lait tourné, ce dont la fermière veut se débarrasser ? Ou de l'eau chaude : un paradis tropical pour les poissons du polder. Et si Johan partait, si tu pouvais rester à la maison avec les enfants, tout simplement ?

Au bout du mystérieux fossé, elles escaladent la digue derrière laquelle elles découvrent une plus large étendue d'eau. Le vent froid et le soleil font l'effet d'une morsure décapante, d'un lessivage qui vous ramène à l'essence des choses. Joint à la position en surplomb qu'elles occupent, cela éveille en elles la conscience de leur pouvoir, comme si tout pouvait être embrassé du regard malgré tout, comme si chaque distance, chaque terrain pouvait en définitive être parcouru. Elles rient furtivement de cette gloire. Mais cela aide quand même.

— Si c'est la paresse qui me retient, j'en viendrai bien à bout. C'est encore tellement récent, je dois attendre. Si Johan partait, ce serait une délivrance, sûrement, mais cela signifierait être abandonnée. Enfin, à vrai dire, si ce n'a été fait. Il n'accepte pas l'échec, voilà tout, ça le hérisse, il ne supporte pas. Il n'est jamais là. Il fait énormément de choses, il crée comme un fou. Quand il revient à la maison, il n'est pas triste, il est en rogne. Il aboie contre les garçons et il déconne avec moi. Jésus, qu'ai-je donc à me plaindre ainsi ? Si on croit que la perte d'un être cher vous rapproche, moi j'en suis revenue. C'est une galère de plus, et cela vous disperse, justement.

Le lac devient une large embouchure. Le sentier remonte le courant, un village s'étend au loin.

— On pourra peut-être s'acheter un rafraîchissement, là-bas, espère Lisa. Tu ne trouves pas qu'il y a beaucoup de pêcheurs, aujourd'hui ?

Plus elles se rapprochent du village, plus la concentration des pêcheurs augmente. A la fin, ils sont en rang d'oignons. Chaque pêcheur possède plusieurs cannes et un seul parapluie vert, sous lequel il est assis comme sous l'auvent d'une tente. La plupart ont une canne à la main, une autre à leurs pieds et deux bouchons dans l'eau. Ils sont assis sur une sorte de boîte à couture en forme de tabouret, munie de tiroirs pour les hameçons, bouchons, asticots et autres accessoires. Les cannes aux extrémités noires sont posées en travers du chemin de halage où Ellen et Lisa marchent, sautent, effectuent une course d'obstacles. Certains pêcheurs lèvent la tête contrariés, surtout quand Ellen touche une canne du bout de sa chaussure. Bifurquer vers la berge est malaisé : celle-ci est occupée par les équipes d'encouragement et de ravitaillement. Là, les femmes des pêcheurs sont assises dans des chaises de camping et sur des caisses de bière, des sacs de petits pains, d'œufs durs et des bouteilles thermos pleines de café entre les jambes. Elles regardent passer leurs sœurs marcheuses d'un œil méprisant. Ici et là, un enfant de pêcheur est assis à côté du père du côté de l'eau, il a le droit de tenir la grande bourriche dans laquelle est parfois accroché un poisson. Quand un pêcheur se lève parce que ça mord, la femme assortie surgit dans son dos en gesticulant : Ouais, youhou, allez, vas-y, hop là !

Sur un chemin de traverse est stationné un camping-car surmonté de banderoles : Grand concours pour le Championnat ! Société de pêche "Jamais assez" ! Enseignez la pêche à votre enfant !

— Un sport idéal pour les handicapés, dit Lisa, pour les vieillards aussi. Tu restes tranquillement assis, mais est-ce si chouette que cela pour les enfants ?

— Il est interdit de parler, cela distrait le poisson. Passer un moment à scruter l'eau, ça me paraît plutôt agréable. Tu meurs de peur quand tu en as un accroché à l'hameçon, ça ne devrait pas exister.

— Je ne pense pas que tu puisses devenir membre si tu refuses l'hameçon.

— "Jamais assez", ça c'est un nom hardi. Et beau, en plus de cela. Y aurait-il des femmes-pêcheurs ?

Sur les quarante pêcheurs, il y en a deux tout au plus : une vieille dame coiffée d'un suroît est assise dans le noyau central, le groupe le plus dense. Elle a un contact agréable, à voix basse, avec ses voisins. A l'extrémité de la longue rangée, lorsqu'elles ont presque dépassé les pêcheurs, Ellen et Lisa voient encore une femme, un peu éloignée des autres. Elle est jeune, elle a les cheveux coupés court autour d'un visage mécontent. Sa bourriche est encore vide. Elle ne parle avec personne.

— "Jamais assez", dit Lisa.

Quand elles quittent le village, la rivière fait une courbe, et le vent leur fouette le visage. Le soleil a décliné et ne donne plus de chaleur. Les fermes et les maisons qu'elles longent ont de vieux arbres fruitiers dans leurs jardins, avec des branches anguleuses auxquelles pendent encore les poires tandis que le feuillage est déjà jauni, se détache déjà, s'envole avec le vent. Toutes ces fioritures doivent disparaître, pense Ellen, toutes ces fleurs, tous ces fruits, et tout ce feuillage coloré. Nettoyé, tout cela. L'automne venu, le paysage se dessine clairement. Dans la ville, c'est mieux aussi, le dedans et le dehors sont vraiment contrastés. Cela coûte des efforts de sortir de chez soi, on le sent. J'ai trente-cinq ans, quand est-ce que ce sera assez ? Je n'en suis pas encore à la moitié, si le vent m'est contraire.

Ce ne sera jamais assez, pense Lisa. Jamais assez de deuil, assez de chagrin. Ellen est devenue comme un poisson qui se serait décroché de l'hameçon. Sanguinolente. Elle va développer une grande cicatrice dont elle souffrira toujours, qui chaque jour l'incommodera pour manger et ne disparaîtra jamais.

— Tu sais, dit Ellen, je tolère tellement plus des garçons. Pour eux, la vie reprend ses droits, ils sont ainsi, c'est de leur âge.

— C'est tout de même curieux, cette faculté que l'on a d'endurer tellement plus de ses enfants. Leurs odeurs, leur morve, les bruits dégoûtants qu'ils font. Quand cela va-t-il changer ?

— Tes enfants sont encore extrêmement jeunes, c'est encore comme s'ils se confondaient avec toi. Mais Peter et Paul, je trouve malgré tout qu'ils dégagent des odeurs passablement infectes, quand ils font caca, par exemple. Ils ont maintenant seize ans. Ça s'est insinué imperceptiblement. Ils ont aussi de grands corps d'hommes, je ne les prends plus facilement sur les genoux. Quand je les enlace, ça me fait l'effet d'embrasser un grand gaillard, involontairement on a parfois de ces gestes. Ça fait peur sur le coup. Comment eux le perçoivent-ils ?

— Cela doit aussi leur faire peur, pense Lisa.

— Ce sont des trésors. Ils sont souvent joyeux, ces derniers temps. Ça marche à l'école, leur nouvelle classe est sympathique et ils jouissent d'un certain prestige, ils font partie des grands. Cela ne me gêne pas qu'ils s'absorbent dans leur propre vie, je trouve même cela plaisant à voir. Alors que le même comportement chez Johan me paraît malsain et me rend malade. Je suis sûre qu'il pourrait agir autrement. Chez les enfants, c'est une telle nécessité ; aussitôt après l'enterrement, ils jouaient à des jeux d'ordinateur, c'était tout naturel, cela ne veut pas dire qu'ils n'ont pas de chagrin ou qu'ils ne comprennent pas qu'un autre ait du chagrin.

— Johan, comment est-il avec eux ?

— Plus ils grandissent, plus c'est difficile. Ils se querellent à table, c'est à qui en saura le plus. Surtout Peter. Johan s'implique comme s'il avait en face de lui un adulte dans un café. Clouer le bec, mater, imposer sa volonté. Et moi je ne fais rien. Je suis assise à côté. Plus tard, je parle avec Peter et pas avec Johan. Nous sommes devenus une famille qui ne rime à rien, avec une mère dégoûtée du père. Ce n'est pas bon pour des garçons de seize ans. Pas bon pour Johan, non plus.

— Et pas bon pour toi. Quand tu auras repris des forces, Ellen, dans un an à peu près, quand tu seras un peu rétablie, il faut que tu entreprennes des études. Que tu puisses obtenir un travail vraiment agréable, qui te valorise aussi par l'argent que tu gagneras. Tu te sentiras plus indépendante et tu auras plus de choix ; tous ces problèmes pratiques seront faciles à résoudre. Cela fait un peu comme si on disait : "Mères, saisissez votre deuxième chance, jetez votre homme dehors et allez à l'école", c'est dommage, dit Lisa hésitante.

— J'y pense aussi, Lisa. A mon travail on me l'a proposé, ils sont même prêts à payer si je fais quelque chose qui puisse leur servir. Johan a toujours été farouchement contre, il disait la même chose que toi, que je me retrouverais au milieu de tous ces gens rancuniers, des défavorisés, et que je deviendrais haineuse, moi aussi. Il a été tellement dénigrant que je n'ai pas osé. J'aimerais bien être débarrassée de ce genre de trouillardise, ça ne m'arrêterait pas. C'est trop, voilà tout, quand je pense aux garçons qui doivent aller à l'école : divorcer, déménager, étudier, gagner ma vie, vivre seule, c'est trop pour avoir une vue d'ensemble.

Mais durant cette marche le long du fleuve aux côtés de son amie, le cheminement se fait tout seul en elle. Le vent est tombé avec le soir qui arrive, les muscles sont échauffés et usés, Ellen soulève sans peine ses pieds sur le chemin, elle continue en flottant sans effort et se voit un court instant se déplaçant sur des talons hauts dans une salle de réunion (cheveux remontés, tailleur bien coupé), un porte-documents austère à la main, et le sentiment précis d'un bien-être intérieur.

*

Fin novembre, l'hiver prend l'offensive, une saison rigoureuse, sans concession. Le chauffage, qui mugit jour et nuit, ne peut expulser le froid du couloir et quand les fenêtres s'ouvrent dans la grande pièce pour l'aération, il faut une heure avant qu'une certaine chaleur ne revienne. Les vitres des automobiles sont couvertes de glace le matin, il faut les passer à la raclette. Le démarrage du moteur est une bénédiction.

Pas un flocon de neige, la campagne est sans protection contre le vent mordant ; le gel capture tous les reliefs. A l'extérieur de la ville, les champs et les prés sont gelés en profondeur. Les sillons que les tracteurs et les charrues ont creusés dans la boue d'automne se sont solidifiés, comme d'implacables témoignages de l'agriculture. Les arbres endurent le froid. Ils se sont dépouillés de leurs feuilles et ont arrêté la circulation de leur sève. Ils se concentrent sur les points extrêmes de leur réseau de racines enfouies profondément dans la terre froide. Canaux, cours d'eau et étangs sont recouverts d'une épaisse couche de glace qui diffère chaque pourrissement, chaque décomposition. Dans la ville, les sacs-poubelles et les barquettes de frites à demi pleines sont conservés, ainsi que les étrons de chien, les hamburgers. Des poissons sont figés, captifs dans la glace noire de l'étang, les roseaux inanimés sont immobilisés à la verticale et les oiseaux sont pris peu à peu dans la glace là où l'eau affleurait encore.

Peter et Paul vont à l'école en patins à glace par les voies d'eau. Les week-ends, avec leurs camarades de classe, ils font de longues excursions dont ils reviennent rayonnants, du givre dans les cheveux et les pulls raidis de sueur gelée. Les patins à glace, les gants et les pots de graisse jonchent le sol du salon pendant des semaines.

Johan ne patine pas, il peint. Pour cela, il revêt une tenue d'alpiniste qui maintient la chaleur du corps car l'atelier est si haut de plafond qu'il est impossible à chauffer. Ça ne le gêne pas, il a beaucoup de chaleur corporelle : l'ambition enflamme, la passion brûle et la rancœur couve. Ellen patine tout aussi peu, bien que ce soit une passion, chez elle. Elle ne se retrouve pas encore dans la propulsion facile, elle n'a pas la tête à se laisser glisser ; elle recherche plutôt la résistance, la difficulté à entrer dans la voiture et à la faire démarrer, la sensation taraudante ressentie dans les genoux quand le pied retombe toujours sur un sol récalcitrant. Elle ne profite pas de l'hiver mais de son insubordination. Afin de sentir sa propre insubordination. Sa docilité a assez duré.

Dans cette période, les membres de cette famille en décomposition (le gel lutte contre le pourrissement et camoufle la fragile structure) pensent peu à l'étroite sépulture et imaginent le moins possible ce qui se produit là-bas, sous la terre. Gêné, Paul avoue à Ellen qu'il en est malheureux pour Saar : "Comme si elle avait froid, elle n'est pas à la maison. Mais ça ne se peut pas, hein ? C'est bête, je sais."

Johan n'a plus dit mot de son intention de dessiner une stèle funéraire. Ellen attend. Maintenant, une stèle pourrait éclater sous l'effet du gel, ou bien, posée en période de gel, s'effondrer au printemps. Pendant l'été, Ellen est allée sur la tombe pour y repiquer des plantes : des myrtilles, des fraises sauvages et de la mauve. Elle avait emporté un arrosoir en plastique, une pelle et des gants. Un surveillant sympathique l'a accompagnée sur la tombe ; Ellen n'avait pas réussi à la retrouver toute seule, elle avait erré une demi-heure durant le long d'allées tranquilles, admirant la grande variété des pierres tombales ; l'inquiétude avait monté parce qu'elle n'avait pu localiser le secteur réservé aux enfants. Finalement, elle était retournée vers le bureau de l'administration, chargée de ses plantes et de son matériel. C'est tout près, c'est facile à trouver, à côté de Rayon de soleil, à côté d'Evert.

Ellen a l'impression qu'on la regarde. Il y a des gens à proximité qui, comme elle, jardinent : ils ont posé dans l'allée une caisse de carton remplie d'œillets d'Inde, et ils se sont accroupis pour les planter sur une tombe. Ellen n'ose pas regarder les chiffres indiquant les années sur la tombe. Ce sont deux personnes assez âgées, un couple. Ils font un signe avenant de la tête à Ellen, qui prend le visage impénétrable de ses promenades et déballe ses plantes.

Ici, il faut planter, réfléchir à la rapidité de la pousse et à l'étendue que prendront les plantes en définitive, ici on ne parle pas avec l'enfant enterrée, on ne pense pas à l'état dans lequel se trouvent le jean et les chaussons de gym, on ne pense pas, pas penser, pas penser.

Il est préférable aussi de ne pas marcher sur la tombe de crainte que soudain le pied s'enfonce jusqu'à la cheville dans la terre molle et que le cœur rebondisse dans la gorge, que le sang se retire de la tête, qu'un vertige d'angoisse oblige à s'asseoir, mais sur quel support ? Sur le large rebord de la tombe d'Evert. Un court instant.

L'eau, Ellen la prend à la pompe centrale, elle hume : de l'eau de rivière. Elle en arrose abondamment les plantes, sans penser à l'origine de l'eau.

La plantation est prise dans la glace. Plus tard, un jour, au retour du printemps, il faudra regarder comment les plantes s'en sont sorties et si elles ont pu conserver un embryon de vie. Pour l'instant, il n'y a rien à faire.

Noël, pour l'amour de Dieu que faire à Noël ? Trois jours entiers à occuper, quand tout est mort et silencieux, qu'on doit rester enfermé et se consacrer à la convivialité, si peu convivial qu'on se sente. Pas de travail, pas d'école, pas de magasins. Qu'avons-nous fait l'année dernière ? Saar avait reçu d'Alma le pull aux poissons. Les enfants avaient fait une représentation, un quiz, Saar était l'assistante, elle se promenait dans les chaussures à hauts talons d'Ellen en balançant ses petites fesses. Johan hurlait de rire. Ils avaient bu du champagne. C'était chaleureux.

Pas question de le refaire, ces souvenirs doivent se tenir cois. Une location sur une île ? Les sports d'hiver ? Quelque chose d'entièrement différent ?

Ellen en parle avec Johan.

— Je vais à Paris. Je ne serai pas là.

— Oh ?

— Je pars avec Mats et Zina. Peut-être encore quelques autres élèves. Une sorte de voyage d'études, nous allons visiter des musées, regarder des choses. Et je veux acheter du matériel.

— A Paris ?

Paul et Peter sont surpris.

— On t'accompagne ? Vous y allez tous les deux ? Nous aussi, on vient, n'est-ce pas ? Et Oma, alors ?

— Johan part seul. Avec ses élèves. Nous n'allons pas avec lui.

Paul regarde sa mère.

— C'est triste, maman ? Vous vous êtes disputés ?

Maintenant, pense Ellen, maintenant ce serait bien que j'aie une opinion, que je donne mon avis. Qu'est-ce que j'en pense ?

— Non, nous ne nous sommes pas disputés. Johan désire vraiment aller à Paris. Et moi, ça me fait plaisir de rester avec vous à la maison.

Lâche, lâche, lâche. Ce que je suis en train de dire aux enfants, passe encore, mais je devrais fulminer contre Johan. Lui dire qu'il ne remettra plus les pieds ici s'il se décommande de cette façon, qu'il peut rester à forniquer dans sa chambre d'hôtel avec ses étudiantes jusqu'à en devenir bleu, que je n'en ai plus envie, que je ne veux plus. Plus jamais.

Ellen ne fulmine pas. Elle suit Johan des yeux, froidement, quand il monte dans sa voiture pour aller chercher Zina. Avec son nouveau veston. Crever les pneus ? Mettre du sucre dans le réservoir ? Bof, laisse faire. Dans la cuisine il avait regardé Ellen d'un air décontenancé. La valise l'attendait près de l'escalier. Elle avait vu que derrière ses yeux, il pensait déjà à autre chose.

— Ellen, je ne le peux pas. Rester ici en ce moment, je veux dire.

Tu veux dire que tu ne peux pas t'empêcher de te perdre dans un nouvel amour, que c'est plus fort que toi, que tu es amoureux, que tu vas commettre à Paris une banale infidélité, à Paris s'il vous plaît ! Tu veux dire que tu fais tout cela en échange de l'admiration qu'elle te voue. Voilà ce que pense Ellen. Mais le dire, c'est autre chose.

— Non. Je vois.

— A mon retour il faudra que nous parlions.

— Oui.

— Je ne sais pas quoi dire.

— Pars.

Il bondit vers l'escalier comme un javelot, arrache sa valise au passage et dégringole les marches, libéré.

La veille de Noël, Ellen regarde un film policier à la télévision avec les enfants. Ils mangent des petits pains avec des hamburgers et des chips et boivent du coca-cola ; plus tard, Ellen fait du chocolat chaud. Le lendemain, c'est la veillée de Noël, avec les cadeaux. Alma vient déjà l'après-midi, en taxi. Elle joue au Monopoly avec les garçons pendant qu'Ellen fait la cuisine. Elle a pris acte de ce que Johan était parti en voyage, mais pour Ellen, elle apporte un magnifique bouquet de roses. D'un rouge profond, elles brillent dans un coin de la pièce.

Oscar a paru tendu au téléphone, quand Ellen l'a appelé pour l'inviter.

— Je crois que quelque chose d'autre, je pensais un autre rendez-vous, ça ne marche pas.

— Johan n'est pas là, il est à Paris.

Elle suppose que la présence de Johan constituerait un obstacle mais son approche tactique tourne mal.

— Que je doive justement venir, tu veux dire ? Que c'est triste, alors, que c'est ennuyeux.

— Non, ce n'est pas du tout ce que je veux dire, Oscar. Si tu as autre chose, ou si ça ne te dit rien, ne viens pas. Tu n'es pas obligé. Je pensais seulement que ce serait sympathique, c'est tout.

— Ça me fait plaisir de te voir, oui, bien sûr, je veux venir. Nous ne pouvons pas fixer un autre jour ? Le lendemain, par exemple, c'est encore Noël.

Que peut-il bien faire, se demande Ellen, un Noël gay ? Une célébration de Noël entre célibataires ? Une journée sans le stress de la famille ? Quoi qu'il en soit, il n'en démord pas.

— Bon. C'est un jour de promenade national, je ne me sens pas très concernée. Toi ?

— Non, je viendrai donc l'après-midi et nous resterons à l'intérieur. J'apporte quelque chose de beau à écouter. Je déteste les promenades dans les parcs. Et puis il fait beaucoup trop froid, mes lunettes ne résistent pas et mes oreilles partent en loques si je ne mets pas un bonnet. Je suis désolé pour le dîner de Noël, Ellen. Surtout maintenant, tu sais bien, enfin, je veux dire, l'année dernière c'était si différent, c'est difficile. Je pensais que vous partiriez peut-être, en famille. Juste pour ne pas être à la maison.

— Oui, je ne sais pas. Les garçons sont très contents de rester à la maison. Alma vient, on va faire des jeux.

— Et toi ?

— J'ai acheté un plum-pudding. Je le ferai flamber, cela donnera un air de fête. Je te garderai une part.

— Et tes amis, dit Alma, pourquoi ne sont-ils pas ici ? Ils fêtent Noël aussi, non ?

— Ils sont en Angleterre, chez les parents de Lawrence. Un vrai Noël anglais pour les enfants. Lisa a appelé ce matin, il fait un froid de canard dans l'hôtel et tout le pays sent le chou. Ils passent leurs journées à cuisiner des petits fours pour avoir chaud.

A la Saint-Sylvestre ils seront là, mais Ellen n'en dit rien. Elle va préparer une salade et faire cuire des pommes de terre. Les biftecks ont encore le temps. Des pommes parisiennes ? Jésus. Qu'est-ce que j'en pense ? C'est un connard, il m'humilie, quand il revient je le quitte. Mais à vrai dire, c'est aussi bien ainsi. Seule avec les enfants, au calme. Sans avoir à subir son humeur massacrante. A me raidir quand j'entends la porte qui s'ouvre. Penser seulement à moi. Parvenir au bout de la journée sans Saar. Cette carte de Mara envoyée à l'anniversaire de Saar : des journées affreuses, comme en ce moment. Mieux vaudrait ne pas avoir d'enfants. Mieux vaudrait mourir. Tout à l'heure à table, ça ira mieux. Je serai occupée avec le bifteck, avec les projets des garçons, avec les problèmes de chauffage d'Alma. Parler. Ecouter. Participer. Mais c'est une conversation dans une langue étrangère. Participer et savoir que ce n'est pas mon langage, que je ne suis pas simplement, naturellement comme à l'intérieur je me sens : éteinte. Terre brûlée. Champ de bataille déserté.

Pathos. Je dois cesser. C'est exactement comme si je ne pouvais pas encore vivre, tout ce qui est beau me fait pleurer, c'est plus fort que moi. Comme si c'était un péché, maintenant qu'elle n'est plus là. De beaux ciels, les arbres, la musique. Surtout ne pas savourer, ce serait l'abandonner. Si je quitte le champ de bataille, je perds ma fille à jamais. Les pommes de terre cuisent trop vite.

Sauvées de justesse. Alma est bonne pour les garçons. Ses fils sont vivants tous les deux. Mais ils ne sont pas là, ils cavalent, ils courent après leurs passions. Oscar est toqué, jamais remarqué qu'il avait des amis, il part seul en vacances. Quand il part.

Les steaks. Espérons qu'Alma pourra les mâcher, avec ses dents. C'était un bon boucher, pas de doute.

Quand je serai aussi vieille qu'Alma, j'aurai encore une enfant morte.

Cette pensée frappe Ellen comme la foudre, elle doit s'asseoir un instant sur la chaise de la cuisine. Ce qui s'est passé ne s'effacera jamais. Ce qu'elle vit en ce moment, ce n'est pas l'attente d'un rétablissement, c'est un nouveau point de départ. Elle est devenue une autre personne, quelqu'un qui un jour sera peut-être aussi vieux qu'Alma, quelqu'un qui porte une horrible cicatrice. Espérer une réparation ne servirait à rien et ne mènerait à rien. Reconnaître que la situation est changée procure un sentiment de soulagement inouï, hilarant, irrévérencieux : Youpi, je suis devenue invalide !

Les couteaux traversent la viande en souplesse, la sauce est réussie, les pommes parisiennes sont toutes mangées. Puis on éteint la lumière. Peter tient la cuiller à soupe pleine de cognac au-dessus du gaz, Paul se tient prêt avec les allumettes et Ellen avec le plum-pudding noir-violet. Le feu d'artifice est allumé ; excités, ils entrent tous trois en riant dans la salle obscure. Des flammes bleues dansent au-dessus de la montagne noire. Et dire que nous allons devoir en manger, ce n'est pas croyable, pense Ellen. Souffler pour éteindre. Allumer les bougies. La crème a été oubliée, aller vite la chercher dans le frigidaire. Chouette, au moins si ce n'est pas bon, ce sera mémorable.

Cette année, il n'y a pas d'arbre de Noël. Johan a fait comme si ce n'était pas Noël, les enfants n'ont pas réclamé de sapin et Ellen ne voulait pas y penser. Dans le magasin anglais où elle a acheté le plum-pudding, elle a pris au dernier moment un arbre miniature en plastique. Il y a des piles à l'intérieur, on peut le mettre en marche et alors les bougies s'allument, on entend un air de Noël et l'arbre accomplit une lente rotation sur lui-même. Cette merveille trône sur la table au milieu des plats et des assiettes. De temps en temps, l'un d'eux le met en marche et la magie de Noël répand sa lueur dans la pièce.

Comme il n'y a pas de sapin, les cadeaux ont été déposés près du grand vase dans lequel se dressent les roses d'Alma. Il y a aussi un gros paquet que Paul a dû aller chercher dans le taxi d'Alma. C'est pour Ellen. Un lecteur de disques compacts.

Pourquoi est-elle si gentille pour moi ? Ce que je désirais tant ; j'étais seulement trop paresseuse pour me l'offrir. Comment sait-elle que j'attache autant de prix à la musique ?

Johan trouvait cela stupide, ils avaient déjà l'électrophone, et en outre il n'écoutait jamais ce boucan, et puis c'était cher, ces choses-là. Il faudrait sûrement tout racheter, non merci, encore une foutaise moderne, un truc intelligent des fabricants pour faire de l'argent, lui ne s'y laisserait pas prendre.

Tout cela est vrai, mais je voudrais quand même en avoir un, avait pensé Ellen, avant, avant que, à l'époque. Les garçons exultent, Ellen rougit de confusion et d'émotion devant un si beau cadeau. Elle embrasse sa belle-mère, la vieille femme qui a réfléchi à ce qui pourrait vraiment faire plaisir à la femme de son fils et qui a choisi pour elle le cadeau parfait.

Elle veut me remercier parce que je vais lui rendre son fils, pense Ellen en un éclair. Je prends de la distance, elle peut le récupérer, avec moi elle n'aura plus de fil à retordre et c'est pour cela qu'elle me récompense. Quelle mauvaise pensée, comment m'est-elle venue à l'esprit ? Elle a pensé que je traversais une période difficile et elle veut me consoler, cela se peut, non ?

La vieille femme suit des yeux toute cette agitation fébrile en se tenant bien droite sur sa chaise. Peter est en train de brancher l'appareil, Paul lui lit rapidement la notice d'utilisation. Les yeux d'Alma brillent. Ellen lui sourit. Les deux sont vrais : qu'elle veuille me consoler, elle le sait, qu'elle me remercie de lui retourner son protégé, elle l'ignore encore. Les deux sont vrais. Ellen allume le sapin. C'est la fête.

Le lendemain, Peter et Paul vont patiner sous le soleil morne. Ellen reçoit son beau-frère qui, chaussé de ses caoutchoucs, monte l'escalier bruyamment, offrant une vue sur sa tête penchée en avant et recouverte d'une toque de cuir avec des oreillettes fourrées. Ses lunettes sont embuées, il se tient dans le vestibule – veste, cravate, gants, où les poser, comment tenir en même temps le paquet qu'il serre dans sa main et embrasser Ellen ? Elle le défrusque, jusqu'à sa chemise blanche impeccable et à son costume rutilant. Elle ne s'informe pas de ce qu'il a fait la veille mais le fait asseoir sur le canapé, en face des roses, à côté du nouvel appareil de musique.

— Il est beau, hein ? Je le savais, je suis allé l'acheter avec Alma. J'ai apporté des CD pour toi, où sont-ils ? Je les avais à la main en entrant, et maintenant ?

Ellen lui tend le sachet en plastique. Quelle tête d'oiseau égaré il a, quel cou maigre, quel regard aveugle, tourmenté. Ils boivent du thé et Oscar mange de bon appétit une portion de plum-pudding froid. Ses yeux sont en mauvais état, sans lunettes il voit de vagues taches et sa motricité est celle d'un aveugle muni d'une canne, tant il se fie peu à ses facultés visuelles. Sur le terrain de son infirmité, qui dans une famille de peintres a dû franchement constituer un handicap, il s'est surpassé et continue de lutter chaque jour. Il est devenu un observateur de l'art, quelqu'un qui travaille par la grâce du regard, mais c'est du deuxième choix, un choix imposé par son milieu d'origine.

Ellen regarde ses oreilles, des pavillons bien formés, encore un peu rougis par le froid. Les lobes sont détachés du cou et charnus juste ce qu'il faut. Cet enfant doté de bonnes oreilles avec des parents dotés de bons yeux, comment le vivait-il ?

— Il fallait toujours un certain temps avant que je comprenne ce qu'ils voulaient dire. Johan était bien plus rapide que moi, sur ce point, bien qu'il ait trois années de moins. Ils n'aimaient pas que je fasse du bruit. Je chantais dans mon lit, je créais des chansons pour moi seul avec différentes sonorités. Alors Johan se mettait à brailler, ça l'empêchait de dormir. Osser – il m'appelait Osser – ferme-la, il disait. Je le taquinais en racontant des histoires sinistres dans le noir, accompagnées d'airs macabres. Alors les pleurs suivaient, et Alma montait pour me mettre une raclée. J'étais l'aîné, je devais me montrer raisonnable. J'imitais le serpent qui était sous son lit, moi il ne me ferait rien parce que je savais jouer de la flûte et que je pouvais le charmer ; je sifflais de plus en plus fort, jusqu'à ce que Johan pisse au lit de peur. Non, ferme-la, Osser !

Oscar ricane. Ce souvenir lui est doux.

— Et la flûte ? demande Ellen. Tu as continué à en jouer ?

— Je voulais jouer du violon. Papa avait un violon alto et je ne connaissais rien de plus beau. Le soir quand il étudiait, j'écoutais, allongé dans mon lit. Plusieurs fois ils ont joué des quintettes de Mozart à deux altos. Magnifique, magnifique. Alma n'aimait pas, je crois que la plupart du temps ils s'exerçaient ailleurs. Alors, Charles partait, son violon sous le bras et je voulais aller avec lui. Je crois que j'étais un enfant doué pour la musique, je chantais ce qu'il jouait. Il m'avait donné une flûte à bec, je devais avoir quatre ans. J'ai découvert tout seul comment en jouer. Ce bois, ce bois huilé de la flûte, je le trouvais si beau et ça sentait si bon. Charles disait que j'étais trop petit pour un violon alto. Je devais recevoir un violon quand je saurais lire et écrire et que j'irais à la grande école. Mais à ce moment-là, il avait d'autres choses en tête.

— Et Alma alors, elle ne pouvait pas t'envoyer prendre des leçons de violon ?

En posant la question, Ellen pense déjà : Non. Alma était heureuse d'être débarrassée du son des instruments à cordes. Si Oscar lui avait demandé cela, c'eût été comme demander des nouvelles de son père disparu et il ne devait pas, il ne pouvait pas le faire. Mais Johan alors, lui aussi est resté fidèle à son père, avec son talent de dessinateur ?

— Oui, dit Oscar, le dessin, c'était possible quand même. Je me souviens encore de la façon qu'elle avait de regarder Johan quand il peignait. Elle épinglait ses dessins sur le mur et les montrait aux gens qui venaient en visite. Je me suis toujours senti étranger à la peinture, mais je voyais tout. J'étais là et je regardais. Et je réfléchissais : Pourquoi lui et pas moi ? Pourquoi est-ce que tout le monde s'extasiait et poussait des cris devant les dessins de Johan, Alma la première, alors que personne n'écoutait les airs que je jouais sur la flûte ? J'avais reçu un petit livre de tante Janna avec des accords et des notes. J'ai appris à jouer toutes sortes de mélodies, sans doute d'horribles airs populaires hollandais. A la fin du livre il y avait de la vraie musique, du moins, que moi je trouvais vraie. Une sarabande de Haendel, une courante de Chédeville, tellement mélancolique, tellement belle. Mais qui ne m'a pas valu de grands succès au salon.

Quelle pitié, pense Ellen. Il a fallu qu'elle soit une garce de mère, cette Alma, pour favoriser ainsi son cadet et le stimuler de toutes les manières alors qu'elle éteignait sans pitié les impulsions créatives de l'aîné. Du moins cela en a l'air, c'est ce qu'il semble, mais en est-il vraiment ainsi ? Les yeux des admirateurs n'étaient-ils pas dirigés par la force impérieuse du talent de Johan ? Et Oscar, quand il jouait à l'artiste du dimanche avec sa flûte, sans recueillir la moitié de son attention auprès des auditeurs, préoccupé par l'impression qu'il allait produire, incertain de ses capacités à les captiver ? A n'en pas douter, Johan avait été son propre admirateur dès sa plus tendre enfance ; il regardait l'image qu'il était en train de dessiner avec toute son énergie, il ne regardait pas le public de biais, tout au plus il regardait dans le miroir. Non, Oscar a certainement été abîmé et défavorisé mais il lui manque quelque chose que Johan a toujours eu. Il s'est laissé défavoriser.

— Charles est parti avant que je reçoive le violon. Un soir, il nous a emmenés en haut, il tenait Johan par la main, je marchais derrière. Dans la grande chambre à coucher, il nous a montré ses peintures, très étranges à vrai dire, pourquoi le faisait-il ? Johan se taisait, il regardait attentivement chaque toile, très longtemps. Je regardais papa. Je me sentais mal à l'aise, comme s'il allait se passer quelque chose de grave. Et c'était naturellement le cas. Je ne sais plus à quoi ressemblaient les peintures. Dommage. Je pense toujours qu'il y avait un violon, l'une des toiles représentait un violon, mais je ne sais plus.

Il n'a pas pu secouer le joug, pense Ellen. Il est resté sous l'emprise de la jalousie, il ne les a pas envoyés promener avec leurs peintures et n'a pas osé faire le choix de ses propres oreilles.

La manie de classer et de collectionner dont Oscar tire tellement d'avantages dans son métier constitue aussi la colonne vertébrale de son plus grand, de son unique dada. Oscar collectionne la musique sur les disques, sur les bandes sonores et depuis peu également sur les disques compacts. Il en a apporté quelques-uns pour Ellen, comme cadeau de Noël. Pour ce qui est du choix, il a pris longuement le temps de réfléchir. Il aurait voulu lui offrir les *Kindertotenlieder* de Mahler parce que cette musique, qui fut son thème, l'année écoulée, l'a aidé à donner forme au chagrin qu'il éprouvait à la perte de sa nièce. Il était bien conscient que pour Ellen, cela se situait à un autre niveau et qu'il lui rendrait un plus grand service avec de la musique dans laquelle les émotions étaient mieux dissimulées. Il a acheté les quintettes de Mozart. C'est à la limite. Les motets de Monteverdi, ils les écoutent un moment. Ellen est surprise par les mélodies dépouillées, pures, qui se croisent si joliment. Chaque phrase musicale est rattachée à la fin comme un ballot avec une corde. Silence. Maîtrise.

Maintenant, Oscar sort de son paquet-cadeau la pièce la plus audacieuse et la glisse dans la gueule de l'appareil.

— Assieds-toi, Ellen, et écoute. Ne dis rien.

Beng ! Des accents de hautbois. Un cor se met à chanter. Des voix de femmes, austères, dépouillées. Un chœur explose : *Exaudi, exaudi !* Ellen reste clouée sur le canapé, écrasée par la musique qui exprime précisément ce qu'elle ressent. Sévère, la tête droite, on chante ici un majestueux désespoir. La *Symphonie de psaumes* de Stravinski. Oscar lui pose le livret d'information sur les genoux et Ellen lit le texte avec lui tandis que la musique retentit dans la pièce au volume maximum : *Remitte mihi, remitte mihi prius quam habeam et amplius non ero !*

Fort, l'accord final reste dur, ce n'est pas une fermeture élégante mais un cri continu.

Les larmes courent sur les joues d'Ellen. Laissez-moi en paix, laissez-moi partir, que j'aie encore une vie avant que tout ne soit fini, avant que je ne sois plus là.

6

DES MAISONS VIDES

L'atelier de Johan était à l'origine un garage haut, construit par nostalgie sur le modèle d'un ancien chartil sur la partie gauche d'un gazon immense, qui monte progressivement depuis la grille donnant sur la rue jusqu'à une hauteur en forme de tertre où est implantée la villa dont dépend le tout. Vieillotte et vaste, la maison porte un toit de tuiles émaillées aux tons bleus, d'où le nom de *Maison Bleue* que lui ont donné Peter et Paul. Le propriétaire habite la villa avec son épouse. Sa voiture, une Rover bleu foncé, il la range dans un garage rajouté par la suite sur la droite de la maison, par lequel il peut entrer directement. C'est un haut fonctionnaire des postes âgé d'une soixantaine d'années, avec de gros moyens qu'il consacre à sa passion : la voile en mer. Ce pavillon de jardin, gigantesque, incommode, où Johan peint ses toiles, le navigateur en avait fait durant des années un chantier naval. Avec l'aide d'hommes au visage buriné, vêtus de pantalons de coutil, il y construisit un bateau qui, une fois achevé, fut transporté vers la mer sur un semi-remorque. La façade avant du pavillon dut pour cela être abattue, la grille donnant sur la rue démontée ; les voisins le félicitèrent par des vivats et le navigateur pensa : Maintenant, la vie commence. Le temple à bateaux, singulièrement vide, fut réparé et loué à Johan, non pas par nécessité financière, mais par souci de garder au pavillon, cet incubateur, la primeur des belles choses. M. Blauw, comme l'appellent les enfants, "Bob" pour Johan, connaissait le peintre de par sa fonction dans les postes, qui avaient un jour passé une commande à Johan pour un tableau destiné au bureau du directeur. Il y eut une modeste réception l'après-midi de la livraison, les commanditaires et le peintre se mirent à bavarder autour d'un très bon sherry, Ellen était charmante, les enfants adorables et Sally, l'épouse américaine de Bob, les invita tous à un barbecue chez eux, sur le gazon. Johan hait la mastication des morceaux de viande mal cuite ou brûlée, plongés dans une sauce grasse et accompagnés de salade acide ; il déteste le charivari des repas primitifs au cours desquels les ingrédients ne sont jamais prêts en même temps, mais chez Sally et Bob, cela prenait une tout autre allure. Il y avait une table très confortable, dressée avec des assiettes en faïence. Une nappe. Chacun recevait en même temps un bifteck grillé à point par Bob. Les adultes pouvaient parler assis, détendus, tandis que les enfants jouaient sur le gazon. Cela se passa ainsi.

Sally, une petite femme robuste, toujours vêtue de leggins et de blouses de soie, entra en considération dans le processus décisionnel de Johan pour ce qui concernait la location. La tête est vieille, il est vrai, mais toujours maquillée à la perfection. Le cou-de-pied et les chevilles sont franchement attirants. Que fait-elle quand Bob se tourne vers ses affaires postières ? Dépoter ses rhododendrons pour les mettre devant la fenêtre de Johan, les fesses en l'air ? S'étendre nue sur le gazon, s'introduire dans l'atelier avec du jus d'orange frais pressé ? Que fera-t-il si elle l'invite le matin dans sa cuisine pour prendre le café ? Ces affaires-là sont dangereuses, on a vite fait de se retrouver ensemble dans une embrasure de porte trop étroite, alors il ne vous reste plus qu'à embrasser ou à battre piteusement en retraite, à vénérer ou à humilier. S'il ne réagit pas quand elle pose sa main sur la sienne en lui donnant du feu, si elle reste trop longtemps penchée au-dessus de lui en lui servant le café, perdra-t-elle alors par mépris l'intérêt qu'elle lui porte ? Pas très gai. S'il l'éconduit elle va être froissée, fâchée, prête à la vengeance. Pis encore.

Je ne dois pas laisser les choses en arriver là, pense Johan, c'est la seule solution. Nous devrons d'emblée convenir tous deux que nous ne souhaiterions rien mieux que fricoter dans son boudoir de dame mais qu'une telle chose est absolument impossible. Elle doit continuer de se sentir convoitée et moi, je dois avoir le calme.

Sally le regarde avec un petit rire sympathique, ironique. Elle a un jardinier qui s'occupe des rhododendrons et une bonne qui sert le café. Les artistes, très peu pour elle.

— Que reste-t-il de la poste, aujourd'hui ?

Bob et Johan sont assis dans l'herbe, à l'ombre du marronnier, dans des chaises en rotin. Ils boivent de la bière. La chaude journée d'été touche à sa fin. Le bruit des balles de tennis molles mais retentissantes pourrait être acceptable, mais Bob est aussi peu attaché au tennis que Sally, toute sa passion, il la consacre à son bateau.

— Autrefois, c'était un événement quand on recevait un télégramme. Mais qui envoie encore des télégrammes ? Maintenant, on a des fax et des téléphones cellulaires. Un porteur spécial venait en uniforme, sur son vélo. Le télégramme se trouvait dans une sacoche en cuir ; il sonnait à la porte, les voisins regardaient par la fenêtre. Cela avait quelque chose de solennel. Souvent, le facteur attendait un moment pendant que le destinataire parcourait le message : bonnes nouvelles, mauvaises nouvelles ? Qui écrit encore des lettres aujourd'hui, seulement les hommes vieux, non ? C'est décevant, c'est tout.

Johan n'écoute qu'à demi. Il est en pensée près de la toile installée sur le chevalet, dans le pavillon, et fait son plan de travail pour demain. Ira-t-il y jeter un coup d'œil tout à l'heure ?

— Nous l'avons bien mis au point, maintenant ; il est bientôt temps de faire un grand voyage. Non, je pense vraiment à me retirer, je n'y ai plus de plaisir.

Johan pointe ses oreilles. Tandis que Bob continue de méditer tout haut sur l'influence pernicieuse de la multiplicité des modèles de téléphone, il s'imagine ce qui se passerait si Bob prenait une retraite anticipée. Va-t-il vendre la villa ? L'atelier sera-t-il vendu en même temps ? Un si bel atelier, il n'en aura jamais plus ! Lui demander ? Attendre ? Ça semble la meilleure stratégie. Il participe poliment à la conversation sur les postes et les télécommunications. Mais il se le tient pour dit.

Aussi Johan est-il peu surpris lorsqu'un jour, peu après Noël, Bob fait irruption dans l'atelier, déchaîné. Debout devant son armoire à matériel, il est occupé à ranger les acquisitions qu'il a faites à Paris. A la bouteille de whisky avec laquelle Bob lui fait des signes, il comprend qu'il va se passer quelque chose de grandiose. Des verres. De la glace. Santé !

— Dans le sillage de Cook !

Bob crie presque d'excitation.

— On traverse l'océan Atlantique, en fait je veux doubler le Cap au niveau de la Terre de Feu, si ça ne va pas nous prendrons le canal. L'île de Pâques. Tonga. Tahiti !

Bob et Sally vont faire le tour du monde dans le bateau qu'ils ont eux-mêmes construit. Une réception d'adieu aura lieu dans les locaux des plus hauts organes de la poste ; des meubles seront entreposés, des cartes maritimes achetées. Bob propose la maison à Johan.

— Tu n'as pas besoin d'acheter, je la garde volontiers dans la famille. Qui sait si elle ne tentera pas l'un des enfants plus tard ? Je suis content si vous venez y habiter, je fais dresser un contrat de location pour que tu sois protégé. Si entre-temps nous revenons dans le pays, nous serons à l'appartement ou chez l'un des enfants. Va regarder, tu peux faire des transformations si ça te chante, la cuisine est peut-être un peu étriquée pour une famille.

Quelques semaines plus tard, Lawrence et Johan se promènent à travers la maison vide. Des plans sont étalés sur une table de travail et ils laissent courir leur imagination sur la démolition de murs, la pose de nouvelles fenêtres et la construction d'une terrasse couverte.

— Une île de la cuisine, dit Johan, dont on peut faire le tour en marchant. Et toutes les machines encastrées. Je veux tirer une aile du séjour dans le hall, où il pourra y avoir la télévision, qu'on n'ait pas tout ce raffut au salon. Celui-là, c'est un mur porteur ? On peut l'abattre ?

— Que pense Ellen de tout cela, elle veut déménager ?

Tu le voudrais, toi, quitter la maison où ton enfant mort a grandi ? Lawrence se le demande. Pour Johan, ce n'est manifestement pas un problème. Est-ce que ce serait différent pour une femme ?

— Naturellement qu'elle le veut. C'est magnifique grand, pratique, un beau quartier, plus besoin de se coltiner l'escalier avec les courses. Que des avantages.

Son éloge dithyrambique de la maison écarte ainsi l'hésitation que sème son ami. Il n'a pas même encore parlé avec Ellen, elle ne sait pas que la villa est disponible. Quand il est revenu de Paris, la tête gonflée par l'alcool, elle était plus inabordable que jamais et elle lui remplit son assiette sans mot dire. Il était parti avec du flair et persuadé de sa mission, mais il se recroquevilla sur lui-même à la table familiale sous une canonnade de regards neutres. Ils faisaient comme si de rien n'était. Paul lui fit la démonstration du lecteur de disques compacts et Peter fit danser devant lui le sapin en plastique. Quand les garçons furent montés, Johan aurait voulu qu'elle l'interroge, qu'elle lui demande des comptes, qu'elle l'injurie et lui fasse des reproches – tout pour briser l'étrange tension.

Elle lui servit le café. Elle alla lire le journal.

— Comment va Alma ?
— Bien, je crois.
— Elle n'a pas demandé où j'étais ? Elle n'a pas trouvé bizarre que je sois parti ?
— Elle n'a rien dit, autant que je sache.
— Et Oscar, il a dit quelque chose, lui ?
— Non.
— Et toi, Ellen ? On devait parler à mon retour, non ? Tu as quelque chose à dire ?

Ellen lève les yeux de son journal. Elle a recommencé trois fois la lecture d'un article sur les techniques de mélange et de malaxage.

— Non, je n'ai rien à dire. Je n'y suis pas encore prête.

Trois phrases ! Hourra ! Pas encore prête, que veut-elle dire ? Johan nourrit le germe de la fureur. Le voilà en terrain connu, voilà de l'action, c'est plus sûr et c'est préférable au silence.

— Et à quoi faut-il que tu sois prête ? Qu'est-ce que c'est que cette blague ? Tu n'es même pas capable de montrer de l'intérêt pour moi, tu ne peux pas me demander comment ça s'est passé ?

Johan a bondi et il fait les cent pas dans la pièce. Sur la table, le sapin fait un brusque sursaut.

— Comment ça s'est passé pour toi, je n'en ai rien à faire, dit Ellen calmement.

Johan s'assoit à table à côté de Lawrence en poussant un soupir.

— Ellen n'est pas elle-même. Elle a tellement changé après, après ce qui s'est passé. Impossible de parler avec elle. Je voudrais qu'elle redevienne comme avant. Ça arrivera peut-être quand elle aura cette splendide nouvelle maison, ça se pourrait bien, non ? Elle se retire tellement en elle-même. Je n'ai plus de contact avec elle. Il n'y a plus de bons moments.

Lawrence le regarde, pensif. Tant de confidences, il n'en entend pas souvent de Johan.

— En fait, je ne sais pas comment réagir. Que peut-on faire pour que ça change ? J'en ai ma claque, aussi, il n'y a plus d'ambiance à la maison, on ne fait plus rien ensemble. Les gosses sont difficiles, ils n'en font qu'à leur tête. Elle ne les a pas du tout en main, ils font ce qu'ils veulent. Ça n'a pas de sens, elle doit se ressaisir, bordel !

— Elle ne trouve peut-être plus de sens à sa vie, dit Lawrence.

— Le sens de la vie ? Allons bon ! qu'est-ce que c'est que ça encore ? On a l'air d'une paire d'adolescents. Un peu de débats, la vie a-t-elle un sens ! Naturellement que la vie a un sens, on doit travailler dur et devenir célèbre, c'est ça le sens de la vie. Ose me dire que non ; toi tu vis pour quoi, alors ?

— Pour avoir un peu de bien-être, je crois. Des relations agréables avec les gens qui t'entourent, du calme pour pouvoir réaliser quelques constructions belles et utiles. Et les enfants, naturellement.

— Jésus, quelles douces conneries. Toi, tu ne dois pas rendre le monde meilleur ? Encore heureux que tu ne sois pas bigot. Tu courrais après tes idéaux éthiques sur ordre d'en haut.

— Ça n'a tout de même rien de bizarre.

— C'est lâche. C'est mollasse. Des enfants, du calme, de l'utilité, tout ça ne rapporte rien. On doit se battre, on doit piétiner tous les nuls, tous les bricolos, les écraser. Moi je vis pour mon œuvre. Je veux marquer le monde de mon empreinte !

Lawrence se tait. Il pense à Lisa, qui est d'avis que l'on existe parce qu'il n'y a rien d'autre. Il le faut, c'est tout, on n'a pas le choix. Mieux vaut laisser tomber. Ce que Johan est irascible ! Il se fait du souci pour Ellen, sûrement. Dommage qu'il l'exprime comme un enfoiré, ça n'en devient que pire. Je le comprends bien. Une femme dépressive à la maison est une catastrophe. La baise, pas question. On est impuissant. Mais qu'il aille aussitôt s'en enfiler une autre, ça, bien sûr, on ne lui en sait pas gré.

— Ellen veut peut-être seulement qu'on la console. Qu'on s'occupe d'elle. Tu trouves ça fou, toi ? Et tes folies à Paris avec ton élève, ça en rajoute peut-être un peu, non ? C'est bête, tu ne trouves pas ? Tu la blesses, de cette façon, ou je vois les choses de travers ?

— Je crois qu'Ellen se fiche pas mal de ce que je fabrique. Elle ne pense qu'à elle, à ses propres sentiments. Je ne la reconnais plus. Je veux la récupérer, Lawrence, je veux la récupérer !

La colère se déchaîne en lui, il bande les muscles de ses cuisses, il serre les poings. Il était dans cette humeur quand il a mis un coquard à Ellen au cours de leur conversation de Noël. Exaspéré au plus haut point par son inaccessibilité derrière le journal, il l'avait cognée au visage. Il l'avait traînée par terre depuis le canapé et secouée par les bras d'avant en arrière, lui avait hurlé de dire quelque chose, sur-le-champ, n'importe quoi !

Il l'avait relâchée si brutalement qu'elle avait perdu l'équilibre et qu'elle était tombée contre le mur. Il s'était blotti contre elle en pleurant, l'avait prise dans ses bras, lui chuchotant calme-toi, calme-toi. Mais Ellen avait été calme durant tout ce temps, c'était plus ou moins le problème. Elle était montée à l'étage et cette nuit-là, il avait dormi sur le canapé.

— Viens avec moi à l'atelier. Je voudrais te faire voir à quoi je suis occupé.

Johan précède Lawrence dans le jardin à grands pas élastiques.

C'est un enfant, un jeune garçon, pense Lawrence. Dès qu'il peut à nouveau bouger, à nouveau entreprendre, abattre ou bâtir, ça va. Marquer le monde de son empreinte, ouais ! Tout le monde saura qu'il a existé ! C'est comme ça aussi qu'il séduit ses femmes, il leur imprime sa marque : ici est passé Steenkamer. Il ne les cède pas incognito au concurrent. Alma doit presque quotidiennement rappeler à Oscar qu'elle porte la marque de Johan. Et ce garçon que fréquente Zina, le pauvre bougre, lui aussi, il en sait quelque chose. Se fixer des objectifs et gagner, même dans son travail. Avec chaque toile, il faut qu'il broie, qu'il s'empare de quelque chose. Et il faut que les autres s'extasient, sinon il n'a pas de vie.

Johan est entré dans le pavillon et a laissé la porte ouverte. Lawrence entre tranquillement à sa suite dans la haute salle gris clair. Elle est vide et bien rangée. A droite de la porte, sur la courte façade nord, il y a un évier sur lequel des verres lavés ont été mis à égoutter. Des pinceaux trempent dans des pots sur une étagère fixée au-dessus. Dans le coin, il y a la porte des W.-C. que Blauw avait fait installer pendant la construction du voilier. Quelques chaises basses et un lit sont séparés de l'espace de travail proprement dit par une bibliothèque contenant une pile de *Playboy*, une œuvre photographique sur le Pacifique sud, la littérature de voyage de Chatwin et un gros livre ayant pour titre *Research in Perception of Colors*. Sur la longue façade ouest de la salle ont été installés des étagères et des rayonnages où Johan entrepose son matériel dans un ordre parfait. Devant cette armoire se trouve une grande table de travail, à demi recouverte d'esquisses pour la fresque qui lui a été commandée. La façade est, face à la table, est toute en fenêtres. Les portes de garage ont été remplacées par du verre qui donne vue sur le gazon. Du sol au plafond, la salle est baignée de lumière. Contre l'étroite cloison de la façade sud, un système de rangement en lattes a été construit sur deux niveaux pour les toiles de Johan. On dirait un rayonnage pour disques gigantesques. Des étiquettes collées sur la tranche signalent le contenu du compartiment. Tout comme les grandes fenêtres, cette resserre peut être fermée par de longs rideaux gris clair.

De sa position près de la porte, Lawrence voit le dos d'un chevalet placé au centre de la salle. Johan hante les lieux comme un poisson dans son tonneau.

Je ne fais pas ce qu'il faut, pense Lawrence. Mon atelier ne fait pas le quart de celui-ci, et quand j'y entre, je ne grandis pas aussitôt de dix centimètres, comme Johan en ce moment. Lâche, mollasse, a-t-il dit. Mais il n'a pas d'yeux pour les perdants, il se détourne de ce qui est abîmé dès qu'il en a l'occasion. Une conception de la vie où éviter et réfréner l'agression est une préoccupation majeure n'est pas nécessaire à ses yeux parce qu'il ne voit pas les dégâts. Et lui, il ose combattre. Il osait aussi passer près des mendiants sans détourner le regard lorsque nous vivions à Londres, je le vois encore marcher d'un bon pas le long des abris en carton et en papier journal, le long de gens crasseux qui avaient froid et qui nous demandaient de l'argent, de la nourriture. Il ne les voyait même pas ! Et moi qui continuais à me tourmenter sur la responsabilité et le devoir.

Cette boue de compassion pour les échecs humains qui me colle aux pieds et alourdit mon pas, lui n'en est pas incommodé le moins du monde.

Tout en se livrant à ces méditations envieuses, Lawrence se promène, les mains dans les poches de son pantalon, vers le chevalet, autour, quelques mètres en arrière. Johan farfouille dans la cuisine.

Une gifle. Bon Dieu. Fermer les yeux. Les rouvrir. La toile fait cinquante centimètres de large sur un mètre de haut. Deux femmes sur un canapé. A droite, Lisa, assise. Dans son visage exsangue, ses yeux écarquillés regardent droit devant eux, le regardent, lui. Elle ne voit rien. Elle porte un jean aux genoux usés, délavés. Elle a le buste nu. Sur son giron repose la tête d'Ellen, qui s'est renversée de sa position assise à la gauche de Lisa. Le visage est tourné vers le spectateur, les yeux sont fermés, la bouche ouverte s'écrase sur les genoux de Lisa.

Trois petits torrents (larmes, morve et bave) s'écoulent parallèlement. Ellen a les jambes nues sous une jupe noire ; une jambe pend en diagonale vers l'angle inférieur gauche de la toile, l'autre est légèrement repliée de sorte que le genou pointe vers l'avant. La main droite d'Ellen pend mollement en oblique entre le genou et le mollet. Sa main gauche, Lisa la tient et – les nerfs du poignet sont tendus – l'écrase dans une position incommode et bizarre. De son autre bras, Lisa entoure le buste d'Ellen. L'ensemble donne une impression d'impuissance, la main repose sur le creux de l'estomac, doigts écartés. Ellen porte un petit pull à motifs, des petites fraises, contrastant étrangement avec l'intense désespoir qui émane de son visage. Les seins de Lisa sont petits, comme ceux d'une très jeune fille. Les tétons légèrement bombés donnent l'impression de n'avoir jamais été sucés. Pas de consolation à chercher de ce côté-là. A côté du visage déconcerté de Lisa, il y a une fenêtre dans l'angle supérieur gauche de la toile. Elle est ouverte, une douce brise pousse un peu le rideau sur le côté et un soleil pâle entre dans la pièce. A travers la fenêtre, on voit un bouleau solitaire, un jeune arbre au tronc droit, des taches d'un noir d'encre sur l'écorce blanche et une efflorescence vert clair d'un feuillage naissant autour des branches. Malgré la bouche grande ouverte de Lisa, il se dégage une impression de silence mortel. Elle crie sans bruit. Malgré son visage enflé, Ellen n'est pas repoussante. Elle se confond avec son chagrin.

Lawrence est déconcerté. Comment se peut-il que Johan saisisse aussi bien les états d'âme de la femme qui lui paraît tellement énigmatique dans le quotidien ? Comment peut-il donner forme aussi passionnément et aussi précisément à un chagrin qu'il nie ? Si Johan a conçu ce tableau, pourquoi alors ne comprend-il pas Ellen ? Et qui oserait aller à Paris avec sa maîtresse en sachant que sa femme en est arrivée à ce point ? Il se racle la gorge.

— Comment y es-tu arrivé ? lance-t-il.

— Je les ai vues une fois. C'est pas les vrais nénés de Lisa, tu sais, mais tu le vois bien toi-même. Ça vient de *Playboy*. Les têtes, je les ai prises sur une photo de vacances.

— Mais pourquoi…

Johan l'interrompt.

— Une pietà, non ? Ça m'a tout de suite frappé. J'ai déplacé cette traverse, tu vois, j'ai isolé la forme en croix de son contexte, et alors, une belle place s'est dégagée pour la fenêtre.

Il sautille sur ses pieds devant le cruel tableau, un rictus de satisfaction sur le visage.

— C'est bon, je trouve, tout ce gris. La couleur moyenne de la partie inférieure est beaucoup plus foncée que la moitié supérieure, je l'ai inversé, tu comprends, pour avoir un Jésus aussi blanc.

— Mais Johan, si ceci tu, je veux dire, est-ce qu'Ellen l'a vu ?

— Non, elle ne vient jamais ici, à vrai dire, surtout pas en ce moment.

— Mais tu ne peux pas lui en parler ?

— Oh, non, impossible d'échanger une parole sensée avec elle. Et en plus, j'en suis incapable. Ce genou est bien, hein ? La morve aussi, j'en suis content, c'était difficile. Sais-tu que j'y ai travaillé pendant six mois ? Tous ces cheveux, mon vieux, un sale boulot !

Non, pense Lawrence, ils ne sont pas sur la même longueur d'onde, c'est évident. La peinture contourne la pensée, mais ce n'est pas possible, il voit tout de même ce qu'il fait, c'est quand même lui qui l'imagine ? Il ne comprend même pas où je veux en venir, pourquoi je suis étonné.

Johan bourre son ami de coups de poing dans les flancs.

— Viens, on retourne là-bas. Je veux encore regarder ce mur. Après ça, on ira se boire une petite bière. Ou bien il faut que tu rentres chez toi ?

Une fois à l'intérieur, Lawrence retrouve son aplomb. Ils envisagent de déplacer le mur, parlent des prix du marbre, on est en pays de connaissance. Johan se laisse aider et conseiller, avec avidité, avec ardeur. Lawrence, qui ne peut se défaire de l'image des deux femmes hurlantes à vous glacer le sang, garde le sentiment que quelque chose cloche, qu'il devrait offrir son aide à son ami dans un autre domaine mais qu'il ne le peut pas. Johan l'écoute, il s'apprête à passer une heure avec lui dans un café, en toute camaraderie et en toute confiance, mais il lui sera totalement inaccessible.

J'agis mal, je ne peux pas faire ça, pense Lawrence qui se sent de plus en plus mal à l'aise. Johan serait-il devenu fou ? Il me fait sans cesse partir du mauvais pied avec ses inepties sur la répartition des couleurs et des surfaces. Je décampe, je n'ai plus envie d'être là. D'abord il me demande mon avis sur ce qu'il doit faire avec Ellen, et après il me montre ce truc ! J'en ai assez qu'il se foute de ma gueule. Qu'il se débrouille.

Bravade interne qui pâlit sitôt qu'ils se retrouvent ensemble dans la voiture. Des amis. Des hommes qui restent ensemble et, débarrassés des mots ou des concepts, vont se mettre debout côte à côte, sous la violence de la muette passion féminine à laquelle Johan a donné une aussi belle forme.

*

Ignorante de la situation dans laquelle Johan l'a peinte, Ellen grimpe les marches d'escalier chargée de ses sacs à provisions. Elle dépose le tout sur la table de la cuisine. Si elle s'assoit maintenant, elle ne réussira plus à se lever, elle reste donc sur ses jambes. Elle ôte sa veste, pose sa serviette dans le salon près de sa table de travail, déballe les denrées alimentaires, range les articles à la place qui leur est provisoirement destinée, fait des allées et venues entre la table et le frigidaire, la table et les toilettes, la table et la salle de bains.

L'atmosphère est confinée, l'appartement sent le renfermé, elle ouvre les fenêtres. Dans la cuisine, elle s'assied un moment sur le large rebord de la fenêtre, les jambes vers l'intérieur. Il fait froid, il fait encore froid mais il n'y a pas de vent. Quelque chose dans l'air qu'Ellen inspire involontairement trahit l'arrivée du printemps. Qu'est-ce que c'est ? Une clémence, une senteur d'eau portée au-delà d'une certaine température ? Ou des exhalaisons de terre en dégel ? Elle respire ces odeurs avec méfiance. L'inspection de la flore accroît son inquiétude : l'érable qui était durant des mois devant la fenêtre tel un pieu mort a des enflures sur ses branches nues. Quand elle fixe son regard sur le petit morceau de parc du bout de la rue, Ellen doit constater que le sol gris-jaune commence à verdir. Toute la récolte hivernale de crottes de chien est en train de dégeler, à la joie des crocus qui dans quelque temps vont pointer hors de terre leurs petites têtes stupides. Tout se réchauffe, se met à enfler et pousser, tout se réjouit dans la lumière et dans la chaleur. Nom d'une pipe, quelle vilaine activité. C'est ainsi que s'évanouit l'ordonnance claire de l'hiver, irrémédiablement. Tout ce qui est suscité par l'instinct de croissance se rend et ne désire rien tant que bourgeonner. Le monde aspire à la floraison, pense Ellen. Et moi ? J'étais contente de ne pas y être contrainte, de pouvoir être occupée à survivre dans le froid. Ne pas devoir soigner mon apparence. Mais voilà que je pense au passé, je suis déjà contaminée. Pas une fois de cette année, un homme ne m'a regardée mis à part Dissel, ce cher Dissel. Personne ne m'a sifflée dans la rue ou regardée trop longuement dans le tram. Je n'étais pas prête à la floraison, pas sensible à la vile lumière solaire des regards masculins. Et maintenant ? Je ne veux pas dégeler. C'est tout. Après ce constat, la fenêtre peut se refermer. Où sont les garçons, au fait ?

Ellen pointe sa tête dans le couloir. Pas de trépidations à l'étage, pas de manteaux à la patère. Six heures et demie. Elle se passe les quintettes de Mozart et rit soudain sans le vouloir parce que dans cette musique, c'est indéniablement le printemps.

Sur la table, il y a un billet : Maman, nous mangeons chez Max et ensuite c'est la fête de l'école. A demain ! Ellen s'étire, retire ses bottes et va s'allonger sur le canapé avec le journal du soir.

La semaine prochaine. La semaine prochaine, cela fera un an et je vis. J'ai un lecteur de disques compacts et un emploi et des opinions sur les saisons. Pourquoi est-ce que je le fais ? Pour les garçons ? Ce sont des étoiles qui tourbillonnent lentement en dehors de ma sphère d'influence, ils ont de moins en moins besoin de moi. Tel un arbre, qui vit parce que le soleil le dardera de nouveau de sa lumière : c'est pour cela qu'il endure l'hiver, c'est l'impression qu'il donne. Quand j'étais amoureuse, je vivais sous son regard. Pour lui j'aurais tout fait. Voilà pourquoi j'ai eu tant de peine quand j'ai compris qu'il se donnait la priorité, toujours. Voilà pourquoi je me suis consumée de chagrin quand il en a éclairé d'autres de sa lumière.

Ellen se renverse dans son siège. Mozart commence par l'adagio. Plus jamais ça. Jamais plus aussi dépendante d'un homme. Un autre ? Pourrais-je tomber amoureuse d'un autre, m'asseoir dans une barque en face d'un homme, voir s'éloigner les rives fleuries et ne pas penser que j'ai froid, concentrant toute mon attention sur le visage de l'homme, et ne rien vouloir que l'écouter ? Ne plus dormir ? Ça, je ne le peux qu'avec le printemps dans la tête et dans la chatte, cela se produit seulement dans un état de total dégel.

Soudain, Johan est là, debout en face d'elle. Le trio infernal a dissimulé son entrée. Il la regarde aimablement. Il a bonne mine, l'air satisfait.

— Tu es bien, là, Ellen ? Les garçons ne sont pas à la maison ?

Ellen réduit légèrement la musique et pose le journal. (Voici mon homme. Il rentre à la maison. Essaie, maintenant, allez.)

— Ils dînent chez un copain et ensuite ils ont quelque chose à l'école. Tu as mangé ?

— Madame ! Voudriez-vous que nous allions dîner ensemble en ville, à *La Carpe*, par exemple ?

(Il fait de son mieux. Il me sourit. Il veut être gentil. Il *est* gentil. C'est ton tour, allons. Tu as faim, n'est-ce pas ?)

— Je pourrais aussi préparer quelque chose ici ?

(Idiote. Je ne veux rien préparer du tout. Je ne veux pas rester ici avec lui. Idiote !)

— Non, nous ne resterons pas ici. J'ai quelque chose de chouette à raconter et il me faut un repas de fête. Nous sortons. Alors, c'est oui ?

— Oui. Je vais me passer quelque chose.

Johan tire le téléphone à lui pour appeler le restaurant. Le quintette à cordes joue un presto trépidant. Ellen monte à l'étage.

A *La Carpe Noyée*, toutes les tables sont recouvertes de lin véritable. Le cadre est vieillot, lambris foncé, tapis, argenterie lourde, mais la cuisine est au goût du jour, agréablement : beaucoup de poisson, peu de graisse, des portions raisonnables. Ce thème du fossé entre générations trouve son origine dans la structure de la direction de l'établissement. Le Père, le vieux, est un homme trapu dont la peau a viré au violet clair, qui farfouille parmi les vins à l'arrière du restaurant et qui happe l'air avec sa bouche perpétuellement ouverte, à la manière d'une carpe en effet. Le Fils gère la cuisine et accueille les clients. Le Père c'est la lourde argenterie, le Fils la carte joliment présentée.

Il semble véritablement se réjouir lorsque Johan et Ellen entrent, et il leur serre la main à tous deux.

— Quel plaisir. Cela faisait longtemps. Je crois que votre table habituelle est encore libre. Vous venez ?

Le Fils est considérablement plus grand que le Père. Ses sympathiques yeux marron dégagent quelque chose de faible et de mou. Voilà pourquoi le Père se promène toujours en ronchonnant entre les porte-bouteilles et pourquoi il suit les va-et-vient du Fils dans la maison avec des yeux d'Argus. Le Père à son tour tombe en plein dans le champ visuel des clients à peine entrés ; leur table est au fond, tout près des vins. Ellen est assise sur la banquette, contre le mur, et Johan à côté d'elle, de biais. Ils voient le Père qui revit quelque peu, et le ronchonnement s'accentue manifestement. Les bras faisant des moulinets, le vieux se dandine vers le Fils, à qui il siffle quelque chose à l'oreille en hochant la tête. Il ne fait aucun doute qu'il est question du placement des clients et que de préférence il voudrait près de la fenêtre un couple beau et mangeant de bon appétit. Le Fils supporte l'assaut et parle doucement à l'oreille du Père (des habitués, c'est mieux comme ça, y réfléchir la prochaine fois).

Johan commande du vin et s'entretient avec le Fils à propos du repas.

— Je peux vous conseiller le menu. Simple mais très bon. Une soupe claire de poisson, et ensuite des ailerons de raie dans une sauce safranée. Comme dessert, une création au chocolat.

— La notion des couleurs n'est pas votre fort, dit Johan. Cette soupe de poisson, je ne lui trouve rien d'excitant. N'auriez-vous pas un beau pâté pour commencer ?

— Un pâté pour monsieur, oui bien sûr. Et la raie, est-ce que cela vous va ? Nous avons un pâté de sébaste.

Johan opine. Ellen veut de tout, c'est simple. Et une bouteille d'eau. Le Fils va passer la commande pour eux et le Père le suit du regard jusqu'à la porte de la cuisine, en happant.

Il n'y a presque pas de clients. La musique du piano tinte très souvent à l'arrière-plan, sans grondement de batterie au-dessous, ce doit donc être du classique. Ellen essaie d'écouter mais ne parvient pas à savoir s'il s'agit de Satie ou de Scarlatti. Toutes les conditions sont réunies pour une bonne conversation. Les principaux protagonistes trinquent autour du chablis et se préparent mentalement.

(Ellen : ne pas tout gâcher tout de suite, attends un peu, il a de bonnes intentions ; sa façon de tempêter contre le Fils, je déteste ; je me suis maquillée et j'ai mis une jupe, je suis assise ici et je me tiens bien.

Johan : ça se passe bien ! A la raie, je passe aux explications. Une sauce safranée, comment font-ils ? Le vin est délicieux. Pour le moment, ne pas trop boire. Comme elle est belle dans cette blouse. Elle est vraiment devenue grise. Et toujours trop maigre.)

Le Fils vient apporter la soupe et le pâté. Il s'informe de l'opinion de ses hôtes sur le vin qui est absolument exquis. Johan fait un signe flatteur au Père qui lui renvoie un signe en branlant du chef.

— Tu ne trouves pas ça bizarre, dit Ellen, que nous soyons ici alors qu'il y a un an que Saar, Saar était tombée malade ? Que Saar est morte. Comme si nous le fêtions.

Dieu tout-puissant, pense Johan. Juste la remarque qu'il faut pour tout gâcher. Voilà ça y est. Elle est comme ça. Que j'essaie de l'égayer un tout petit peu, et elle étale aussitôt sa misère sur la table. Il boit une gorgée de vin, s'essuie la bouche avec la grande serviette et attend, préparant ses répliques. C'est qu'elle a raison, en plus, c'était il y a un an, je travaillais pour l'opéra à ce moment-là. Maintenant ripostons avec tact, en suivant sa ligne logique.

— Oui. Nous avons quand même franchi une année. Et tu commences à avoir meilleure mine, tu as recommencé à travailler, tu réussis à faire plus de choses.

Soudain Johan ne peut plus se contenir, il bouillonne sous la pulsion de tout laisser tomber, de recommencer en mettant une croix définitive sur tous les désagréments.

— Une belle date pour tout recommencer à zéro. Tu auras une pièce à toi où personne ne te dérangera, si tu veux je te construis des rayonnages pour installer tes appareils de musique. Et en haut, les garçons ont une sorte d'appartement avec douche et gogues, tu verras comme c'est formidable. En fait, moi aussi je serai toujours à la maison puisque je travaille dans le jardin, pour ainsi dire. A la cave, il y a largement la place pour un sauna, j'ai déjà regardé.

— Johan, de quoi parles-tu ?

Il la regarde, légèrement ahuri.

— La maison, Ellen, la maison ! Nous allons déménager !

L'histoire de Bob et Sally, les navigateurs autour du monde, l'inspection faite par Lawrence et une fois encore les qualités de la villa, Ellen s'entend maintenant débiter tout cela de façon systématique. Le Fils attend le moment de pouvoir retirer les assiettes de hors-d'œuvre et saisit l'occasion lorsque Johan a fini de parler et qu'Ellen le regarde interdite. Un moment bien choisi.

Dans son cerveau abasourdi, les pensées bouillonnent. Comment a-t-il pu se mettre en tête de louer cette maison sans m'en parler ? Sans me demander si je le voulais ? Quitter Saar, on ne peut pas faire ça. Un homme si gentil, Bob, tellement bon qu'il fait une proposition pareille à Johan. Des sols en marbre, une salle de bains noire. Tout recommencer. Lui, il recommence depuis longtemps et maintenant il veut enfin me traîner derrière lui, me faire bouger.

Le Fils brosse la nappe et replace les couverts pour la raie. Il remplit les verres une nouvelle fois et se retire.

Quand bien même Ellen essaie de se voir habitant la villa, possédant sa propre chambre, regardant au-dessus des arbres vers les lumières de l'atelier, tout cela appartient à l'imaginaire de Johan.

Je ne veux pas, c'est tout. Je ne veux pas être avec lui dans une maison, aussi grande, aussi couverte de marbre noir soit-elle. Est-ce mon cycle, faut-il attendre deux semaines pour reconsidérer la question ? Non non, je n'ai plus du tout de cycle cette dernière année. Mon avis doit bien être constant puisque tout est en sommeil. A cause du choc, à cause de la perte de poids. Ce serait agréable de saigner de nouveau comme avant. Je dois manger plus. Moins de stress. Ne pas déménager pour aller m'installer avec Johan dans un palais dont il fait les plans, dont il décide quel aspect il aura, où il est toujours présent.

En fait, j'aimerais bien, mais pas avec lui. Que c'est moche. Il veut tellement.

La raie est servie. Les ailes gisent sans défense dans une flaque jaune, visqueuse. Le Fils espère qu'ils vont vraiment manger de bon appétit.

— Alors ? Dis quelque chose ! Magnifique, hein ? Une de ces chances, pour nous !

— Johan, je ne te suivrai pas.

Parfait, pense-t-elle. Non pas "j'ai l'impression" ou "je crois", mais tout bonnement : non.

Maintenant, Johan est perplexe. Il ne s'avoue pas vaincu pour autant, il ne pense pas du tout à une défaite.

— Naturellement, il faut te faire à l'idée, c'est inattendu pour toi. Je le sais depuis bien plus longtemps. On recommence à zéro, Ellen, pense un peu à ça. Tous les moments sombres passés dans l'appartement, on les laisse derrière nous. Tu ne peux tout de même pas rester vivre dans un taudis pareil ? Maintenant que ça va si bien pour moi. Tu sais, j'y ai bien réfléchi. Si nous habitons là-bas, je vais changer mes habitudes. Je veux partager plus de choses avec toi, tu n'as plus besoin de craindre que je cavale comme ces derniers temps. C'est fini tout ça, si tu es de nouveau auprès de moi comme avant. Nous prenons un abonnement au théâtre. Nous allons manger dehors. Les garçons sont presque adultes, en fin de compte.

— Je ne veux pas, Johan. Je ne le ferai pas.

La raie est en train de se solidifier. Sans qu'on le lui demande, le Père apporte une nouvelle bouteille. Le Fils vient la lui donner sans mot dire, Johan approuve de la tête, le Fils sert, ils boivent.

Ellen prend une bouchée de poisson. Elle se sent calme. Dans son imagination, la villa devient de plus en plus petite jusqu'à ce qu'elle se fonde comme un point dans un paysage vert.

— Tu ne comprends pas, Ellen. Je te choisis, toi ! Plus d'histoires avec d'autres femmes ! Il n'est pas encore trop tard, tu as trente-cinq ans, nous pouvons encore avoir un enfant, pense à ça. Ce sera un vrai nouveau départ !

Un petit bébé. Un enfant du pardon, barbotant sur le gazon. Ouais. Ellen ne peut s'empêcher de penser à un spectacle qu'elle a vu un jour (*Macbeth* ? Un drame royal ? En tout cas du Shakespeare) dans lequel les personnages avaient tous le buste dénudé dès qu'ils avaient subi une perte. Ils pleuraient, gémissaient et étouffaient presque dans leurs lamentations. Deux minutes plus tard, ils mettaient tous leur camisole de cuir et leur cotte de mailles et se lançaient dans une nouvelle bataille. Pleins d'enthousiasme et de courage, jusqu'à ce que tombe une nouvelle victime. Elle se rappelle très bien le battement rythmique des sièges du théâtre ainsi que la fuite secrète vers les portes latérales des spectateurs saturés. La représentation était donnée en ancien catalan, par une troupe d'Australiens vivant au Canada. Le spectacle avait duré quatre heures. Sans entracte.

— Je ne dois pas y penser, Johan. Le problème n'est pas non plus de s'habituer. Je ne veux pas d'autre enfant. Je ne veux pas vivre avec toi dans une nouvelle maison. Je ne peux pas recommencer à zéro.

Le Père les regarde avec attention de derrière sa tranchée, au milieu des casiers à vin. Le Fils voit avec désolation que la raie restée intacte est en train de refroidir.

— Sais-tu à quoi je renonce pour toi ?

Johan élève la voix, soudain conscient qu'il n'aura aucune prise sur Ellen.

— Tu n'as pas à renoncer à quoi que ce soit pour moi, Johan. Je suis contente si tu déménages. Peut-être Zina voudra-t-elle un enfant de toi, ou quelqu'un d'autre. Toi, tu peux recommencer à zéro, non ?

— Je te propose une maison magnifique !

Johan rugit. Son visage s'est vidé de sa couleur.

— Une maison magnifique. Je veux que tu reviennes, je te serai fidèle, je veux un enfant avec toi et toi tu dis non ?! Que veux-tu donc, bordel ?

Du calme, pense Ellen. Je voudrais qu'on me laisse tranquille. Mais elle n'a pas besoin de répondre.

— Toute cette année j'ai subi tes dépressions, c'était insupportable. J'étais en manque, tu refusais tout le temps de baiser, tu faisais comme si j'étais de l'air. Moi qui ne te laisse pas crever, qui suis prêt à t'insuffler de l'énergie, qui m'escrime à bosser pour toi : et tu dis non ! Tu ne vas pas bien dans ta tête, tu le sais, ça, tu es une fêlée, une égoïste et une frigide. Une ingrate que tu es, sans aucune curiosité. C'est tout simplement impossible de vivre avec toi, tu es une glacière, un sac de pommes de terre, un poisson pourri.

Ellen s'est levée. Elle passe lentement son écharpe et son manteau. Les chaises du théâtre claquent.

— Oui, c'est ça, fiche le camp, fuis donc tes responsabilités ! Pas étonnant que j'aille chercher ailleurs !

Ellen fait un signe de tête à l'adresse du Fils, du Père, et se dirige vers la sortie, considérée avec intérêt par les derniers convives qui s'attardent dans la partie avant du restaurant.

Plein de tact comme à son habitude, le Fils a mis la musique un peu plus fort pendant la discussion. Maintenant il rebaisse le son. Johan boit du chablis à grandes lampées mais ne touche pas au contenu de son assiette. On voit à sa tête qu'il n'est pas homme à rester seul à une table. Sans public, il ne peut pas manger mais il est tellement choqué, tellement atterré, qu'il est tout aussi incapable de s'en aller. En fin de compte, le plus facile c'est encore de boire.

Le Fils fait des va-et-vient entre les clients qui règlent l'addition et les clients qui partent et jette des regards compatissants en direction de Johan, comme s'il voulait se glisser auprès de lui pour le nourrir maternellement de petites bouchées de raie au safran. Quand le restaurant est enfin vide et la bouteille presque terminée, il vient se poster près de la table de Johan.

— J'emporte la raie ? Ça ne rime plus à rien, je pense. Hélas. Nous laissons aussi de côté le dessert, pour cette fois ? Oui, sûrement.

Johan le regarde avec difficulté, un peu sonné d'avoir bu aussi vite.

— L'addition. Tout de suite. Ça ne presse pas.

Le Fils commence à desservir la table et remplit le verre avec le reste de vin. Des bribes de toux et un glissement annoncent l'approche du Père. Il se laisse tomber sur une chaise en face de Johan.

— Connasse, dit celui-ci.

Le Père regarde attentivement son fidèle client avec ses yeux de carpe quelque peu globuleux.

— Puis-je vous offrir un cognac ? (Il pointe deux doigts dans la direction du Fils.) Pour atténuer la déception de cette soirée. Un bon cognac.

Le Fils vient avec les grands verres et les dépose soigneusement.

— C'est le vin, monsieur Steenkamer, dit le Père. Un bon chablis libère les choses, chez les gens, c'est mon expérience. Alors parfois, c'est en bien, parfois c'est en mal. Avec un chablis, la vérité ressort au grand jour. C'est comme ça.

Le Père est en proie à une quinte de toux. Le Fils s'empresse de lui taper dans le dos et de l'emmener. Johan cherche son portefeuille. C'est fini. La vérité s'est fait jour.

Ce refus a ébranlé quelque chose au tréfonds d'Ellen. Certes, elle a eu peur, cette première nuit, et une fois Paul et Peter rentrés à la maison, elle est descendue pour mettre la chaîne de sécurité sur la porte, mais la peur n'a pas entamé sa décision. Une fois de plus, elle a vu en rêve la boule foudroyante qui venait sur elle inexorablement. La première nuit ; ensuite, plus jamais.

Dans ses conversations avec Johan elle campe sur sa position, si bien que pour le moment il est obligé de s'incliner devant son refus. Plus loin, il ne peut pas aller. Il refuse catégoriquement d'envisager un divorce. Ils vont vivre provisoirement à deux adresses, c'est tout. A vrai dire, c'était déjà le cas, car il passait plus de temps à l'atelier qu'à la maison. Tout au plus la situation actuelle est-elle plus confortable.

Il s'installe dans la maison en pensant qu'Ellen le suivra sitôt qu'elle aura recouvré toute sa raison.

Ellen ne l'incite pas à entamer une procédure juridique. Du moment qu'il sera parti, du moment qu'il va prendre conscience de la situation, l'administration suivra, pense-t-elle.

Ses tentatives pour en venir à une sorte de séparation de biens échouent. Johan ne veut rien emporter et surtout rien répartir. Qui répartit aide à la rupture ; quand on possède un demi-service de table, on est forcé d'admettre que l'on est divorcé.

— J'achèterai tout ce dont nous allons avoir besoin. Je voulais depuis longtemps un nouveau lit. Le frigidaire et la machine à laver, tu pourras les vendre au moment où vous me rejoindrez. Je vais commander un frigidaire à double porte, c'est plus pratique. Je veux de belles choses, qui soient assorties à la cuisine.

En fin de compte, Ellen obtient qu'il emporte au moins les bibliothèques et la chaise en cuir héritée d'Alma. Elle l'aide à emballer ses livres, auxquels elle ajoute secrètement les boîtes contenant la vaisselle et les couverts offerts par Alma. Les nappes. Ses vêtements. Une canne à pêche. Mais une aquarelle qui est accrochée au-dessus du lit conjugal (des oiseaux au-dessus d'un polder), il ne lui permet pas de l'ajouter au lot, non plus que les draps et les serviettes.

— Les gravures de l'entrée, Johan, tu les emportes, celles-là ?

— Tu n'en as jamais raffolé, je le sais bien. Ajoute-les donc.

La chaîne stéréo et tous les disques restent là, Johan peut se passer de raffut. Lawrence arrive avec une camionnette louée pour l'occasion, dans laquelle ils chargent tout. Les portes sont ouvertes, le vent souffle par la cage d'escalier, ils crient par la fenêtre et dans la pièce qui s'est éclaircie. Hormis la peur, Ellen éprouve un sentiment de soulagement inconnu. Elle hume ce vent de printemps, elle fait des au revoir à la camionnette par la fenêtre de la cuisine.

Les jumeaux réagissent par une singulière impassibilité au départ de leur père. La proposition que leur a faite Johan de déménager "déjà" avec lui, les garçons, chacun séparément, l'ont repoussée sans hésiter en alléguant que la villa est trop loin de leur école. La salle de bains personnelle et l'appartement séparé n'ont pas pesé dans la balance. Ellen essaie de parler avec eux, le déménagement de Johan un an après la mort de leur petite sœur doit bien signifier pour eux quelque chose, mais elle n'arrive pas à s'en faire une idée.

— Laisse-le donc partir, dit Peter. Il ne rentre jamais à l'heure pour manger. Il n'est jamais là. Il n'a qu'à ficher le camp.

— Il est empoisonnant et vous vous disputez tout le temps. Nous, on pourra aller le voir chez lui. C'est toujours notre père, il n'est pas mort.

Ellen commence à douter. Auraient-ils à ce point échappé à la famille qu'ils soient devenus indifférents ? Ils sont rarement à la maison, Peter a installé sa batterie dans le garage d'un copain et c'est là qu'ils passent leurs week-ends. Ils forment un groupe, ils font de la musique. Paul écrit les textes et chante. A l'école ça va bien, ils passeront facilement dans la classe supérieure, cette année.

L'appartement leur pose un problème. Maintenant que deux membres de la famille ont disparu, il est devenu trop vaste, trop grand, trop vide. Pour les personnes présentes, réduites en nombre, il est difficile de le remplir. Quand les garçons sont à la maison, ils s'assoient aux côtés d'Ellen sur le canapé. Ils mangent tous trois dans la petite cuisine. Ni Peter ni Paul ne réclament la pièce qui s'est vidée. L'appartement est fait désormais d'endroits désertés, d'où les gens s'absentent.

Lorsque le comptable de Dissel demande à Ellen si elle connaît quelqu'un qui voudrait reprendre son appartement au centre-ville, elle n'a pas long à réfléchir. Une petite salle de séjour, deux chambres à coucher, une grande cuisine et une terrasse sur le toit, le tout ensemble étant au moins deux fois plus petit que ce qu'ils ont actuellement. Pourtant les garçons se montrent d'emblée enthousiastes et Ellen s'y sent chez elle. Ils se décident. Sur la table, ils ont étalé une grande feuille de papier sur laquelle ils ont dessiné un plan de l'appartement et où ils déplacent des lits, des tables et des armoires découpés dans du carton. Quand il la découvre à l'occasion d'une de ses brusques visites, Johan est fou de rage. Qu'ils préfèrent une cage à lapins à sa riante propriété, c'est une honte, un affront pour lui.

Ellen le comprend fort bien. Elle accepte de déménager, mais pas avec lui ; les enfants recherchent sa présence à elle, pas la sienne. Il en est fâché, dépité. Des caisses en carton arrivent à la maison pour l'empaquetage de tout l'équipement ménager. Ce dont ils n'auront pas besoin dans leur nouveau logement, Lisa le gardera dans son immense grenier, pour plus tard, quand Peter et Paul iront vivre ailleurs ; afin de s'épargner la douleur de jeter.

Ellen démonte la chambre de Saar. Jouets. Vêtements. Le petit bureau d'enfant. Le lit étroit. Elle a l'intention d'emporter quelques objets (la panoplie de docteur, la jupe avec les rubans ?) mais finalement elle emballe tout ensemble pour les emporter chez Lisa. Un après-midi difficile.

Les garçons sélectionnent eux-mêmes leurs affaires. Quand le camion de déménagement s'en va vers la maison du bord de l'eau, ils restent là dans une pièce vide avec de petits îlots encore habitables. La grande table où ils mangeaient est partie chez Johan, pour finir il a aussi les nappes ; le lit conjugal ira dans la chambre des jumeaux et les lits des garçons iront aux grosses poubelles. Ellen s'achète un lit de cent vingt centimètres.

Quelle facilité. On empaquette ce que l'on veut emporter et on part dans une autre maison. C'est aussi simple que ça. L'endroit où l'on ne veut plus habiter, on le quitte. Dans la chambre à moitié vide, la musique résonne comme dans une église. Ellen est seule, elle écoute la *Symphonie de psaumes*. Deuxième partie. Le hautbois progresse sur un terrain accidenté au rythme paisible d'une marche. A grands pas. La flûte suit, puis une autre. Et encore un hautbois. Lorsque les cordes basses rejoignent les promeneurs, les voix de femmes entonnent la suite, puissantes et fortes. Les hommes s'y ajoutent, jusqu'à ce que le chœur soit complet. Un trombone, sur une ligne musicale pointée, les mène à l'apothéose. Ils chantent un terrain solide sous les pieds, un voyage hors du bourbier de la perdition et égrènent les nouveaux mots dont la bouche se remplit. Très doucement, avec l'accompagnement de trompettes en sourdine, les chanteurs avouent en finale qu'ils sont d'une humeur pleine d'espoir. Ellen lit le texte en écoutant et nie les allusions à l'Etre suprême. Ici, on chante un hymne qui lui est destiné. Avec cet air dans ses oreilles, elle peut partir vers une nouvelle maison.

Le manutentionnaire du négociant en bois a fait les peintures. L'appartement les accueille comme une forêt au printemps, avec des parfums frais et une lumière abondante. Les garçons sautent sur les lits et font retentir leur musique pop à travers les pièces. Ellen accroche les nouveaux rideaux et recouvre d'une nappe la nouvelle table de la cuisine. Tous les trois ensemble, perchés sur la terrasse, ils regardent par-dessus les toits. Au-dessus des maisons c'est un monde nouveau, inconnu, qui déploie ses constructions : tentes en plastique, plantes et arbres entiers dans des pots et des baignoires, chaises, bancs, pare-soleil et grilles.

— Ouaouh ! dit Peter. C'est super ici, m'man.

Paul aide à installer les étagères de livres et Ellen s'occupe de la vaisselle. Penchés sur leurs lasagnes du restaurant-traiteur, ils se regardent et s'esclaffent de contentement.

Dans son nouveau lit, Ellen a de la place. A côté d'elle, il n'y a pas de place vide. Un bureau étroit, à vrai dire une large planche découpée par le manutentionnaire, est installé le long du mur. Au-dessus, Ellen a accroché des photographies de ses enfants. Ils ont tous huit ans.

Au bout d'une semaine, ils se sentent chez eux et comme à leur habitude, Peter et Paul sortent les soirs. Ellen entend soudain avec d'autres oreilles la troisième partie de sa chère symphonie. De son canapé élimé, dans sa nouvelle salle de séjour, elle écoute l'hymne triomphal. Les rythmes lugubres du Laudate amené par les attaques en sourdine des trompettes du début la bouleversent. Agitation. Ceci n'est pas un chant de louange, c'est un chant pour lequel il faut fermer les yeux et faire comme si l'on n'avait pas peur. En plein milieu reviennent les pas solides de la deuxième partie, mais cette fois chancelants, traînant les pieds. Et les voix de rugir sur les cymbales retentissantes, les cordes et les trompettes. Le chœur se calme dans une incantation et bredouille des paroles illogiques en reprenant son souffle à contretemps, vers l'accord final feutré. Ellen éteint le lecteur de compacts et enfile son manteau. Dehors, il fait un vent froid qui secoue des arbres les gouttes de pluie. Elle rentre chez elle à bicyclette.

Allumer partout les ampoules nues. Puis aller dans la chambre de Saar. Là, s'asseoir sur les planches. C'est ici que dormait ma fille. Ici qu'elle jouait et que je lui faisais la lecture. Ici qu'elle a vécu alors qu'à partir du mois prochain, d'autres gens, qui ne l'ont jamais connue, vont remplir cette pièce d'une autre vie. Poser les mains sur le parquet en bois. Etre reconnaissante d'avoir traversé cette épreuve, de ne pas y être restée ? Sûr, quand je suis à table, là-bas, dans la cuisine, avec les garçons, pas de doute.

Mais pas ici. Pas maintenant, pas en ce moment.

J'ai laissé l'enfant seule. Je me suis éclipsée de la salle de bains, de la rangée de petites tombes. De cette maison. Je ne l'ai pas suivie, bien que je sache comment il faut faire. Pas en travers sur le pouls, mais dans la longueur des veines. D'abord la droite, puis, vite, la gauche. Ne pas se poster au bord du toit, ne pas regarder dans le vide mais s'allonger, fermer les yeux et rouler. Je ne l'ai pas fait. Je me suis détournée et je suis partie.

Le souvenir du corps vivant de Saar l'assaille avec une violence à laquelle elle n'est pas préparée. Les épaules de Saar entre ces pouls intacts où le sang a continué de circuler librement. Le corps de Saar entre ses cuisses, entre ses genoux qui maintenant se plient et se tendent en déballant les assiettes et les verres dans des placards de cuisine inconnus. Qui ne sont pas broyés. Qui ont continué à la porter. Trahison, trahison.

Ellen se met à parler à sa fille à travers ses larmes, lui disant qu'elle vit encore, qu'elle demande pardon pour son lâche goût de vivre. Elle entend sa propre voix, ce qu'elle dit est sincère, mais elle pense, comme en un obscur contrepoint, que cela est insensé. Qu'elle ne parle pas pour atteindre son enfant mais pour se consoler elle-même. Elle doit se pardonner à elle-même en criant ou en chuchotant.

Pour la dernière fois elle referme la porte de la petite chambre. Elle éteint la lumière.

En bas, le salon est devenu une gigantesque salle de bal. Ellen boit de l'eau du robinet dans une tasse oubliée là. Elle s'humecte les yeux et se lave le visage. Maintenant s'attarder un peu dans ce salon, longer les murs, s'étendre sur les planches.

La porte !

Des pas montent dans l'escalier. Ellen se relève d'un bond, surprise, elle devrait avoir peur, mais non. Voudrait-elle se laisser poignarder par un cambrioleur troublé ? Elle a une bonne ouïe et une mémoire musicale qui, bien que peu exercée, fonctionne parfaitement. Au moment où la porte du salon s'ouvre, elle se rend compte qu'elle a reconnu le rythme des pas.

— J'ai vu de la lumière partout. J'ai encore une clé. Je voulais passer voir.

Johan porte un anorak sur son vieux pull marin. Tout comme Ellen, il a mis un vieux jean et des bottes de cuir. Au-dessus de la surface de planches usées, ils se regardent l'un l'autre. Ellen lève les bras et tourne les paumes de ses mains vers le haut.

— Tu as déménagé. Tu l'as fait. J'ai fait un saut là-bas pour dire bonjour à Peter et Paul et voir leur chambre. C'est un appartement agréable. Vraiment. Vous l'avez joliment arrangé.

En entendant ces douces paroles inattendues, Ellen fond. Elle pleure parce que ce ne sont pas des remarques rancunières. Elle a suivi sa propre voie et elle n'est pas sanctionnée. Ils se retrouvent l'un en face de l'autre, désespérés, dans cette pièce vide. Tout prend une autre résonance. Johan redresse son dos et lui fait une courtoise révérence :

— Madame la comtesse veut-elle danser le menuet avec moi ?

Ellen sourit et oublie ses larmes. Elle s'incline avec sa robe à crinoline et se dirige à petits pas élégants vers le milieu de la salle.

— Ce m'est un plaisir, monsieur le comte.

Tandis qu'ils fredonnent ensemble le plus affreux des menuets qu'ils connaissent, avec sans cesse ces ternes répétitions, ce sinistre motif de percussions sur les temps faibles, ces fermetures qui sont des progressions – tandis qu'ils claquent en rythme leurs bottes contre le plancher et qu'ils conforment leur corps à la musique, ils marchent l'un vers l'autre. Ils se regardent l'un l'autre, ils se cramponnent l'un à l'autre dans ce jeu, avec leurs yeux, aussi quand ils s'effleurent l'un l'autre, quand sa main à elle se pose sur son épaule à lui, quand sa main à lui trouve son dos à elle.

Ils dansent solennellement, lentement, gravement.

— Permettez, madame, dit Johan, posant ses deux mains autour de sa taille, je veux vous enlacer dans cette maison vide.

— J'en suis bien aise, monsieur, je me rallie à votre souhait.

Les mouvements se font plus étroits, les pieds s'immobilisent presque. La musique s'est tue mais les corps continuent de danser et ses yeux à lui percent ses yeux à elle, et son regard à elle enserre son regard à lui.

Jusqu'à ce qu'il pose sa tête dans le creux de son cou, jusqu'à ce qu'il gémisse et pleure. Alors ils tombent maladroitement sur le sol qui soudain n'est plus une piste de danse vernie. Alors Johan presse sur son cœur sa femme perdue, alors tous deux éprouvent ce que veut dire adieu.

Ils pleurent sans reproche, cette fois. Il ne s'agit plus de convaincre l'autre ou de lui faire entendre raison. C'est seulement que sur ce sol ils ont vécu, que dans cette pièce ils ont fondé leur famille et que cela leur a échappé. Ce qu'ils croyaient avoir s'est distordu, évaporé, ce qu'ils avaient bâti est désormais une salle vide.

Joue humide contre joue humide. Susurrement chaud dans un pavillon d'oreille, tais-toi, tais-toi ; frôlements de nuques humides. Ils se cramponnent tels des naufragés dans une mer de bois.

Ellen est étendue par terre, son occiput contre le sol dur, et elle hurle à pleins poumons, sans calcul. Johan a posé sa tête sur sa poitrine et s'est couché contre elle en chien de fusil. De ses bras elle lui étreint le crâne, une coupe autour d'une autre coupe renfermant les souvenirs communs, appelés à blêmir et à disparaître.

Elle a les cheveux défaits et douloureusement tendus sous son coude à lui. Elle ne les sent pas.

Cette danse-là aussi prend fin. Le mouvement se fait plus doux, moins vif. Ils sont secoués de pleurs, de sanglots, ils reniflent leur morve et leurs larmes tandis qu'ils restent allongés côte à côte, fourbus. Johan retire son anorak et l'étale sous leurs têtes en guise de coussin. Il glisse son bras sous son cou, elle niche sa tête contre son épaule. Il a de la morve sur son pull. Il hume sa sueur. La reconnaît. C'est bon.

Sa main effleure la poitrine et se referme autour du sein. Elle entend sa respiration se modifier, se faire plus profonde. Ils n'échangent pas un mot. Il se redresse et se penche au-dessus d'elle, envahit sa bouche ouverte de sa langue. Amer. Salé. Evidemment.

Elle se déchausse d'un coup de pied. Il arrache sa blouse de son jean, la lui remonte sur le visage et frotte sa tête entre ses seins, fort et vite.

Ellen se relève et tord la blouse au-dessus de ses bras. La soie grise patauge comme une bécassine. Johan a retiré son chandail, elle lui arrache sa chemise par des mouvements violents. Les boutons ricochent et crépitent sur le plancher. Elle le renverse et s'arc-boute au-dessus de lui avec ses cheveux lâches. Lèche ses tétons, son nombril, plante les ongles de ses mains dans son pantalon. Hop, bas le pantalon, les bottes : tout enlever. L'homme nu lui arrache le pantalon des fesses. Que sommes-nous en train de faire ? pense Ellen. Pourquoi cette affreuse commisération en moi, pourquoi vouloir tout faire pour arrêter ses pleurs ? Est-ce que je veux ce qui arrive en ce moment, le veux-je vraiment ?

Le cou d'Ellen, pense Johan. Ma femme. Une fureur d'acier monte en lui pour ce qu'il a perdu, pour ce qu'il va abandonner. Il lui pince les seins tellement fort qu'elle ahane de douleur, il lui caresse le corps en de longues secousses de la tête aux pieds. Ceci est le corps d'Ellen. Ceci est la dernière fois. De sa bouche il suit la ligne du cou jusque sous son oreille et mord. Il lui aspire sa marque sanguine dans la peau, lui grimpe sur les genoux et mord et dévore, les seins, le ventre ; le nez dans ses poils saumâtres, la manger, l'absorber, la posséder. Il lui écarte les cuisses et mord dans ses lèvres, plie sa langue chaude, charnue dans sa vulve et la lèche jusque dans ses plis les plus lointains. Furieux, il sent qu'elle jouit. Pouvoir. Un bouton sur lequel il appuie. Ma femme que je connais comme papa son violon. O Ellen, tu m'abandonnes.

— Je t'abandonne. C'est la dernière fois.

Sa voix est teintée de désespoir. Mais le désespoir ne l'empêchera pas de se rappeler. Cette rencontre imprévue restera un monument dans sa mémoire. Elle sent toutes les odeurs, goûte à toutes les saveurs qu'elle a connues. Les aisselles. L'intérieur du coude, une oasis de tendreté même chez l'homme le plus rude. Le phallus, ce sommet du monde, qui l'emplissait à craquer, se déchargeait en elle, se nichait en elle. Tendrement elle prend congé, sa bouche susurre le long de la verge érigée, la paume de sa main se referme autour de ses bourses, tendre, tendre. Jusqu'à saturation, jusqu'à ce qu'en elle à son tour s'embrase la colère de la perte. Elle se laisse tomber sur lui à califourchon, elle s'assoit sur le pic merveilleux et le reçoit dans son sexe. La tête renversée, elle est un cavalier dans le vent et ses seins se balancent hors de sa portée. Elle s'écorche les genoux sur le parquet. Elle ne le sent pas. Lui, tel un cheval furieux, la désarçonne et la retourne sur le dos.

Maintenant. Ils se regardent l'un l'autre tandis qu'il entre en elle. Maintenant. Maintenant ses genoux à lui frappent les planches et des échardes lui laboureront les fesses. Elle lui plante ses ongles dans le dos et y grave de profonds sillons. Il lui vrille ses dents dans les épaules, ils s'entre-dévorent et mordent encore pour s'apposer leur sceau une dernière fois.

Plaies et bleus seront les marques dont ils se sauront gravés l'un par l'autre. Ils s'offrent l'un à l'autre, avides du fer rouge. Avec ces stigmates, je te laisse partir. Avec cette morsure, je te dis adieu.

Le sang, ils le goûtent dans le baiser. Du sang sur les mains. Ellen l'enlace de ses jambes et de ses bras comme s'ils allaient prendre ensemble un dernier envol. Eclair et étoiles filantes pour lui, vagues dévorantes à l'écume jaillissante pour elle.

Elle mord dans la main qui repose sur son visage, dans la main salée, forte, au goût de fer. Elle lèche entre les doigts et suce l'auriculaire, le duvet lui chatouille la langue. Fini. Echoué sur la plage. Perdu. Largué. Il prend son visage entre ses mains, il lui ferme les yeux de sa langue et boit ses larmes. C'est le passé. Adieu.

Johan se rhabille sans un mot. La chemise déchirée reste là. Ellen entend tinter le métal de la clé contre l'évier de granit, les bottes tambouriner au bas de l'escalier, la porte grincer puis se refermer en claquant. Des pas s'évanouissent sur les dalles de la rue. Le silence de la nuit. Le murmure vertigineux que l'on entend lorsqu'on est allongé seul sur le parquet d'une maison vide. Le bruit de sa solitude nouvelle.

TROISIÈME PARTIE

Don Giovanni : *"Più del pan che mangio, più dell'aria che spiro."*

7

LA FEMME AUX POISSONS

Dans la nuit du samedi au dimanche, Lisa dort mal. La fenêtre de la chambre à coucher claque sous les rafales de vent imprévisibles, il fait trop froid, elle tire une couverture supplémentaire sur elle, il fait trop chaud, elle rêve. Elle est tirée de son rêve par la peur, sans se souvenir. Elle sait seulement que c'était affreux. Elle va boire un verre d'eau ; l'appartement est silencieux et les portes qui mènent aux chambres des enfants sont ouvertes. Comme ils ne sont pas là, une lueur grisâtre court sur les parquets, car le vent chasse les nuages devant la lune et les rideaux ne sont pas fermés.

De retour dans son lit, elle retombe dans le même rêve, ce qu'elle craignait.

Cela doit arriver. A l'approche du matin, le vent s'apaise et le sommeil de Lisa s'approfondit, si bien qu'elle se réveille assez tard, avec de gros cernes sous ses yeux gris et un sentiment d'inquiétude. Elle glisse le coussin derrière son dos et s'assied droite, les genoux repliés. A travers la fenêtre, elle voit les houppiers chargés de pommes presque mûres ; derrière, l'eau tourmentée de la rivière. Le ciel est de plomb.

Le rêve. Elle n'a pas du tout envie de trop s'en imprégner et pourtant, sans doute influencée par son métier, elle a un grand respect pour les messages émanant de son monde intérieur. Elle attend, le menton sur les genoux et les bras autour des jambes. Elle avait reçu un appel, une invitation pressante pour être à une certaine heure sur une certaine place de parking à partir de laquelle devait être organisée sa chute. Il n'y avait aucune échappatoire possible, elle devait s'y rendre. Elle mit un imperméable et fit de son mieux pour arriver à temps là où elle ne voulait pas être. Répugnante, cette obéissance servile. Pourquoi ne pas avoir déchiré l'invitation, conduit la voiture dans une autre direction ?

Lisa secoue les épaules. Pour quelle occasion, déjà, avait-elle reçu récemment un appel ? Pour cet après-midi, pour l'ouverture de l'exposition. Est-ce si terrible ? C'est une violation de son jour de congé, ça oui. Elle doit se maquiller, mettre un soutien-gorge, se montrer attentive et prévenante comme pour un jour ouvré normal. Elle s'irrite aussi de la tension et de la confusion croissantes qui règnent dans la famille de Johan et appréhende un peu d'avoir à se confronter à tous ces gens excités. A vrai dire, elle est en même temps curieuse, cela compense. Et pour elle, qu'y a-t-il donc de menaçant ? Pourquoi devrait-elle se faire assassiner ? Il restait un fragment, une bribe de rêve chaud, un rêve orange qu'elle ne parvient plus à atteindre.

Elle repousse couette et couverture et se lève. Tout en préparant du café, elle réfléchit à la tenue qu'elle portera aujourd'hui. La chaleur de l'été a été balayée par un vent acide et pluvieux. Cela veut dire en tout cas qu'elle mettra des bas parce que rien n'est aussi désagréable que d'avoir les jambes froides. Elle mettra la robe noire, mi-longue, avec une veste couleur paille. Et des chaussures noires à hauts talons ; aujourd'hui elle ne se sent pas assez sûre d'elle, pas assez équilibrée, pour porter des souliers plats.

Jaune et noir, est-ce que ça passe ? Ce sont les couleurs secrètes des catastrophes : la guêpe qui vous pique à la gorge, la tête de mort sur le drapeau des pirates. La malédiction dans les contes est représentée par la méchante belle-mère en robe noire gansée d'or. Une tenue sinistre.

Elle sort, sa tasse de café à la main. A la porte de la cuisine il n'y a pas un brin de vent, elle s'assied sur le perron et observe les poissons dans leur tonneau, son peignoir noué serré autour de la taille. Ses jambes sont comme des baguettes de bois. Pas assez marché. Une fois, elle avait marché avec Ellen une semaine durant sur un sentier côtier, tout en haut des récifs. A chaque ruisseau, au moindre cours d'eau, elles devaient descendre cent mètres de dénivelé à pic et remonter la même pente escarpée. De retour à la maison, elles avaient des mollets comme des colonnes grecques.

L'eau du tonneau est noire. Au fond, la grande lambine fait de lentes circonvolutions. Un escargot mange les algues qui tapissent la cloison.

Le téléphone. Lisa s'est vite levée, sans réfléchir, comme si elle s'attendait à une perturbation.

— Hannaston ?

Ce sont les enfants, c'est Lawrence, des nouvelles d'outre-Manche. Il lui faut un temps pour s'adapter. Les enfants caquettent en alternance :

— On est allés chez Whitby hier. J'ai gagné de l'argent ! On a acheté plein de bonbons dans la rue.

— Le capitaine Cook était là. Il y avait un musée dans sa maison mais c'était une maison normale. Il a navigué là-bas.

— On est montés tout en haut d'un grand escalier, et alors de là-haut, tu voyais tout. Il y avait une église qui était complètement en ruine. Là, on a mangé nos bonbons. Papa était fâché mais il a trouvé que le musée était chouette.

— J'ai reçu un pull de Granny et on a joué au golf tous les jours.

Maintenant Lawrence se joint à eux et donne sa version de l'excursion. Sa colère contre la décadence architecturale de son pays, le maintien d'un musée Cook peint en rose cucul à côté de la création d'un entrepôt pour caravanes planté en haut du récif près des magnifiques ruines d'une abbaye. Les plans sont presque prêts pour agrandir l'hôtel, son père est content et sa mère heureuse de leur visite.

— Et toi, comment tu vas ? J'ai appelé Johan ce matin pour lui souhaiter bon courage, il avait l'air gai. Mais d'après lui, ils ont tous perdu la tête.

Lisa lui raconte le trouble qui assaille Alma et la venue présumée de Charles.

— Et Oscar est furieux, il ne veut pas venir manger avec nous. Ellen se fait du mouron pour lui, et pour Alma. Zina sera là aussi, et elle n'est pas très enchantée. Tout le monde est tendu, dérouté, mais Johan, lui, très tranquille au milieu de tout ça, se prépare à passer à la télé. Dommage que tu ne sois pas là.

— Je trouve aussi. J'aurais bien voulu rentrer plus tôt mais ça ne marche pas. Tu t'en sortiras, toute seule ?

— Oui oui, je vais y aller et je verrai bien. Il pourrait venir, tu crois ?

— Charles ? Ça m'étonnerait. Je ne crois pas, il n'a jamais manifesté d'intérêt pour ses enfants, non ? Je ne sais pas non plus si Johan en serait tellement ravi, c'est son jour, aujourd'hui. Il n'aurait plus toute l'attention pour lui, un jour de retrouvailles avec son père. Tu es déjà habillée ?

— Non, je viens de me réveiller. Ça a soufflé, cette nuit. Les pommes tombent des arbres, je vais aller faire un tour au verger.

— Les fenêtres sont bien fermées dans la mansarde ?
Le toit a résisté ?

Les voilà revenus à leurs préoccupations domestiques.
La tempête, on doit s'y préparer, pour prendre les
mesures nécessaires – ce n'est pas un danger dans lequel
la chute et l'exaltation jouent leur rôle. Je m'appuie sur
sa fiabilité, pense Lisa. Il s'inquiète pour les tuiles et
cela me donne l'espace pour me jeter dans le vent. Ils se
quittent.

Une autre cigarette près des poissons, et un nouveau
café. Lisa verse sur l'eau des copeaux colorés puisés
dans un pot en plastique. Ça sent le poisson. Les poissons se nourrissent de congénères moulus et séchés. Du
fond du tonneau, ils foncent à la surface et exécutent un
virage serré, comme pour une vraie chasse. L'eau gicle
sous le battement de la queue.

Les remous calmés et la première faim apaisée, Lisa
voit soudain un tout petit poisson noir qui grignote prudemment dans une tache de nourriture. Et en voilà un
autre.

Jésus, des enfants. Ça a marché. Ils n'ont pas été
dévorés. Ils ont su se cacher dans l'enchevêtrement des
élodées jusqu'à ce qu'ils ne soient plus considérés
comme des proies. Des survivants. Des vainqueurs !

Lisa envisage de rappeler l'Angleterre et de leur
annoncer la nouvelle mais elle reste figée sur le perron
froid. Le souvenir de son rêve reprend possession d'elle.
Elle est paralysée parce qu'elle ne sait pas pourquoi elle
éprouve une si terrible appréhension pour cet après-
midi.

Lisa rougit. Elle a honte : la voilà jalouse de Johan à cause de ses peintures. Lui, il crée. Et tout le monde vient voir et chacun de pousser des oh ! et des ah ! Journaux, radio, télévision, affiches dans la ville. Il imagine quelque chose qui n'existait pas encore et le prend tellement au sérieux qu'il y travaille toute une année, qu'il en demande beaucoup d'argent si un autre veut l'acquérir et lui donne un nom qui sera connu.

Et moi, qu'est-ce que je fabrique ? Des enfants, de la confiture, des patients retapés. Des années de travail, pas de public, pas d'applaudissements, rien de nouveau. Pourtant, je voudrais bien monter sur un podium, attendre que le silence se fasse dans la salle, jusqu'à ce que, retenant leur souffle, les gens se mettent à écouter quelque chose qui soit entièrement de moi. Pas de connaissances de l'université retransmises, pas d'attentions aux autres au bénéfice d'un objectif plus élevé, pas de serviabilité : la gloire.

Il lui manque quelque chose que Johan possède. Cet élément manquant n'est pas le pénis, pas la virilité, mais quelque chose d'indiciblement vague, à savoir la force de créer. Disons : la force. Elle est restée une esclave de la serviabilité, elle préfère être agréable plutôt que se battre. Non pas parce qu'elle est une femme, mais parce qu'elle est lâche.

Elle ricane. Cela soulage. Que la confiture flamboie sur la paillasse, elle trouve cela comique à présent. La masse violacée bouge lentement lorsqu'elle incline un pot. Encore tiède et déjà épaisse. Elle sera réussie.

Est-ce que je m'assieds avec amertume à la table de la cuisine, est-ce que je m'occupe de mes enfants à contrecœur ? Parfois. Sûrement. Irritée parce qu'ils se nourrissent de ma substance, qu'ils me vident et m'épuisent. La grande lambine ne sait plus que ces petits êtres si résolus sont des poissons venus d'elle, c'est le dernier de ses soucis qu'ils aient de quoi se nourrir, elle les chasse quand ils grappillent la nourriture sur laquelle elle a jeté son dévolu. Les enfants sont une prolifération des cellules qui n'obéissent plus au projet originel mais qui vont leur propre chemin et deviennent de plus en plus grandes, ingouvernables ; des processus mangeurs d'espace, voilà ce qu'ils sont. En fin de compte, le temps pratique l'opération et retire les excroissances. Affaibli, le patient reste à la traîne, libération et perte dansent ensemble sur la scène intérieure : il y avait quelque chose qui faisait partie de moi, qui ne faisait qu'un avec moi et j'étais heureuse ; cette chose a pris possession de moi et m'a poussé au-dessus de la tête. Le chirurgien l'a coupée et flanquée dans une chambre d'étudiant, dans une discothèque, dans une prairie où un festival pop fait rage.

Et je dois être heureuse que ça se soit aussi bien terminé. Je vais rendre visite à mes tumeurs avec satisfaction et je suis fière qu'elles se maintiennent, qu'elles puissent éprouver du plaisir et du chagrin. Pouah, que c'est malsain.

Dans son bain, Lisa continue de se tourmenter sur le fait que dans son rêve, elle a dû se faire punir de sa jalousie envers Johan. Vexant. On doit au moins pouvoir être jaloux, sinon on n'a pas de vie.

Elle s'étire dans l'eau brûlante. Il y a une fenêtre à la salle de bains, et devant cette fenêtre des plantes, des plantes faciles, gentilles, qui ne fleurissent jamais mais qui fabriquent toujours des feuilles : saxifrage, citronnelle, canne d'aveugle et ficus de benjamin. Derrière la vitre, les nuages se pourchassent. Elle laisse glisser sa tête contre la cloison de la baignoire et rougit de nouveau, parce que la chaude étreinte de l'eau lui rend soudain le fragment de rêve qu'elle avait perdu. C'était le rêve du cirque, le sable orange, l'impression d'un sauvetage. Mais l'homme noir n'était pas assis à côté d'elle, un bras paternel autour de ses épaules – non, il se trouvait derrière elle, et elle, assise entre ses grandes jambes noires, elle s'appuyait contre sa poitrine et sentait l'étreinte de ses bras autour d'elle. Il lui mordillait le cou, avec la bouche douce et chaude de Johan. Il la serrait tendrement et fermement à la fois, elle sentait encore tout juste la délimitation de sa propre peau mais aurait pu à tout moment se fondre en lui. Les cheveux noirs de l'homme contre sa joue, son souffle chaud dans son oreille. Ainsi, donc. Ainsi.

Avant de se maquiller et de mettre une tenue habillée, elle s'échine avec un panier et un seau entre les pommiers ravagés pour ramasser les fruits tombés au cours de la nuit, sous les assauts de la tempête. Elle dépose sa récolte à l'extérieur, croque une pomme ; elle a un goût d'automne.

Quand elle a repris pied dans la vie normale qui drape de son voile le monde des chimères, Lisa prend son téléphone.

— La confiture est très bonne. Et toi, comment ça va ?

— Mal dormi. Toi ?

— Pareil. Avec ce vent ! Les enfants ont appelé ce matin.

— Ils s'amusent bien ?

— Oui. Je voudrais qu'ils soient déjà revenus. Ç'aurait été sympathique que Lawrence y soit aussi, cet après-midi.

— Je pars chercher Alma. Elle a déjà téléphoné trois fois, elle était toute tourneboulée. Je vais y aller un peu plus tôt, pour l'aider à se parer. Tu viendras tôt, juste à l'heure ? Nous pourrons parler un peu.

— J'y serai à quatre heures, au plus tard.

— Ellen, c'est toi ?

La voix d'Alma trahit son impatience. Ellen est debout, le combiné coincé entre la tête et l'épaule, ses mains empêtrées dans un collant fin, un pied nu sur le canapé.

Quand je veux avoir le calme, je ne dois pas prendre le téléphone, pense-t-elle. C'est ma faute. Elle laisse ses bas et va s'asseoir.

— Qu'est-ce qu'il y a, Alma ?

— Ça va bien mais il y a un problème. J'ai enfilé mes bas, les résistants, tu sais, ceux qui ont un aspect tellement lisse, mais maintenant je voudrais les fixer et je me rends compte qu'il manque un bouton à ma jarretelle. Derrière, à la jambe gauche. Et avec un seul, ce n'est pas sûr.

— Tu en as d'autres ?

— Non, ils sont sales et aussi un peu trop serrés. Pas confortable pour une si longue journée.

— Mais alors, comment faisais-tu autrefois, quand il t'arrivait ce genre de chose ? Tu prenais une épingle de nourrice ?

— Non, mon petit, ça déchire le bas. On prenait un cent, il était juste à la taille. Mais ça n'existe plus, les cents.

La boîte à boutons ! Avec laquelle les garçons jouaient interminablement sur la grande table, répartissant les boutons en équipes de football bigarrées, en grands monstres et petites victimes, en classes d'écoles, en courses d'automobiles, en jardins zoologiques. Regarde dans la boîte à boutons ! Un objet aussi maniable doit aussi pouvoir faire fonction de jarretelle.

— Tu dois en prendre un qui soit recouvert de tissu, c'est un peu rugueux, ça empêchera le bas de glisser.

Ellen promet de venir tout de suite et s'attarde un moment, le téléphone en main. Elle se rappelle une pluie de boutons, des boutons qui crépitaient et rebondissaient en tous sens.

Elle compose le numéro d'Oscar mais personne ne répond. Alors elle met son collant et enfile ses pieds dans des chaussures bordeaux. Ses vêtements d'aujourd'hui auront la couleur du sang usé, vidé de son oxygène : une robe rouge profond qui libère ses jambes et ses magnifiques épaules.

Oscar se tient debout près du fourneau et farfouille dans une petite poêle extrêmement sale. Il se prépare une crème à la farine, au lait et au sucre. La paillasse est reluisante de propreté, toutes les surfaces de la cuisine sont régulièrement lustrées avec une lavette sale, sentant le rance. Il porte une chemise neuve, impeccable, et son complet gris sort tout droit du pressing. La veste est suspendue sur la chaise de la cuisine et le gilet, il le porte sur lui. Ses chaussures brillent près de la porte, elles viennent d'être astiquées mais ses chaussettes et son slip entament leur troisième jour. Oscar est un homme aux contrastes dissimulés.

Il entend le téléphone, mais n'est pas en état de le décrocher. Les événements d'hier soir l'ont déstabilisé et il lui faut toute son énergie pour rétablir son équilibre. Il ne supporterait rien de plus et doit à tout prix éviter une confrontation prématurée avec Alma.

Autrefois cela s'appelait une bouillie. Ça vous glisse à travers la gorge et va se loger en douceur dans l'estomac. C'est la nourriture des enfants malades et effrayés. A la pensée de quignons de pain dur, friable, il a la nausée. La compote de pommes et la crème à la vanille sont épuisées.

Après la découverte du grenier du musée, Oscar s'est débarrassé de l'amicale sollicitude de Keetje Bellefroid parce qu'il savait qu'il voulait être seul.

— Venez donc avec moi, monsieur Steenkamer, j'habite tout près d'ici, je vais vous préparer une tasse de thé ; après le choc que vous avez eu, vous êtes tout tremblant, vous ne pouvez pas sortir dans la rue comme ça, vous savez !

— Non non, je dois rentrer à la maison, j'ai encore du travail.

— Mais je ne peux tout de même pas vous laisser partir dans cet état ? Voulez-vous que je vous apporte à manger, demain ? Que je vienne voir si ça va ?

— Non, c'est très aimable à vous. Ce n'est pas nécessaire. Je, euh, je ne reçois pas, à vrai dire, je n'en ai pas l'habitude, non, non.

Kee le regarde, piquée au vif. Ils sont debout sous la pluie, devant le portail du musée qui s'est assombri. Oscar fouille dans la poche de son pantalon et en tire une invitation trempée de sueur pour le vernissage.

— Vous savez quoi, madame Bellefroid, venez demain à l'ouverture, là nous pourrons nous voir. Je vous suis vraiment très reconnaissant de votre aide. Mais je dois vraiment partir. Au revoir. A bientôt. Vraiment.

Oscar est déjà en route quand il lui tend le papier. Il s'enfuit chez lui en hâte. Allume toutes les lumières. Passe des vêtements secs. S'assied dans la chaise familière. Musique. Manger lui est difficile, il se force à faire passer l'œuf mollet et la banane à travers son gosier rétréci. Le fait de s'asseoir ne lui procure aucun calme, au contraire, il prend douloureusement conscience de son souffle précipité. Ses jambes le démangent. Le troisième concerto pour piano de Rachmaninov, qu'il vient de choisir parce que la musique s'accordait avec le vent et qu'il y avait une grande respiration dans ce morceau, accroît son agitation. Effrayé, il se surprend à sangloter dès le premier thème.

Debout, éteindre la musique, sortir en manteau de pluie.

Oscar n'a pas de vie sociale en dehors de ses contacts avec Alma et Ellen et de la fréquentation structurée de ses collègues au travail. Toutefois, il a bien une vie à l'extérieur : il passe dehors une grande partie de son temps libre. Il parcourt les rues de la ville à regarder autour de lui, des soirées, des nuits entières ; c'est ainsi qu'il se sent un homme parmi les hommes, sans la détresse des rendez-vous et des conversations forcées. Les seuls rendez-vous qu'il supporte sont, depuis quelques années, les représentations de l'Opéra sur abonnement, auxquelles il se rend avec son ex-belle-sœur. Après sa séparation, Ellen a un jour tenté d'entraîner Oscar à un concert. Ce ne fut pas une soirée réussie, malgré leur amour à tous deux pour la musique. Oscar, crispé, essayait de ne toucher personne, se recroquevillait sur lui-même en entendant le bruissement des programmes de ses voisins et maudissait la lumière dans cette salle truffée de dangers. L'année suivante, ils se mirent à fréquenter l'Opéra. L'obscurité, les fauteuils spacieux, la scène qui détourne l'attention : tout cela fit qu'il s'y sentit considérablement plus à l'aise. Oscar sélectionne l'abonnement, Ellen passe la commande, ils se rencontrent dans le hall et après le spectacle, ils prennent un verre de vin dans un café avoisinant.

Ce samedi soir, il parcourt la ville d'un bon pas.

J'ai vu les peintures de Charles. Et après ? Il ne s'agit pas de sa personne, non ? Il a peint quatre tableaux. Qui existent encore. Il n'y a rien là qui doive me bouleverser. Pas de problème.

Mais tout comme la marche ne doit pas forcément conduire à des conversations et à des contacts humains, le fait d'avoir un père ne doit pas forcément aboutir à des preuves concrètes de son existence. Le gâteau de la Maison Davina était une pierre jetée contre la vitre, les peintures dans la mansarde du musée une invasion ennemie.

Oscar se heurte à des groupes joyeux, il marche vite, parce qu'il veut se remplir d'impressions. Le tram, son grincement sur les rails d'acier, les conversations animées et les gens en vêtements bigarrés. En marchant à la suite d'un groupe de Noirs, Oscar a échoué dans une station de métro. Ça lui est égal, pourvu qu'il y ait du mouvement. Il saute dans une voiture prête à partir. Un homme grand, coiffé d'un chapeau de cow-boy, fait un discours aux voyageurs.

— La poste devra se relever toute seule si elle ne sait pas établir un meilleur équilibre. Une poste négative ! Regardez donc dans votre boîte aux lettres, des nouvelles purement négatives ! Exigeons tous une poste positive, sous peine d'une suppression de ce service !

Sur un coin de la banquette, au fond du wagon, Oscar vient de s'asseoir. Il porte son imperméable, ses chaussures sont mouillées et ses lunettes légèrement embuées. Bien que paraissant totalement prostré, il regarde et écoute avec une grande intensité. A chaque halte, un certain nombre de passagers blancs descendent du train et des Noirs viennent s'y ajouter. Le temps écoulé entre deux stations s'allonge et Oscar voit de grands immeubles à travers les vitres arrosées de pluie. Même les voyageurs noirs quittent le train, à l'exception de trois d'entre eux, des types robustes, qui s'appuient sur les barres de l'allée. Tous trois regardent droit dans la direction d'Oscar, mais au-dessus, autour de lui et à travers lui. Deux d'entre eux sont chaussés de sandales. Les ongles de leurs orteils sont plus clairs que leur peau. Ils portent des vestes en jean aux manches retroussées. Ils ont des lèvres incroyablement grandes et épaisses qu'ils remuent lentement avec leurs mâchoires qui mastiquent du chewing-gum.

Oscar ne peut s'empêcher de s'imaginer ces bouches surabondantes touchant sa peau gris terne ; de doux, de chauds bourrelets de chair contre sa peau affamée – il a les joues en feu, il halète, il doit s'en aller, tout de suite !

Quand le train s'arrête, il bondit, dépasse les Noirs nonchalants et s'élance au-dehors comme s'ils le talonnaient. Ils ne lèvent pas les yeux. Les portes du wagon se referment en sifflant, le train poursuit sa course sinueuse tel un serpent lumineux.

Le quai est venteux et désert. Epuisé, Oscar traîne les pieds sur le sol de granit, jusqu'à un banc dans un abri peint en orange. Il se renverse en arrière et ferme les yeux. Lentement, sa respiration s'apaise. Il hume l'odeur de pierre mouillée et appuie les paumes de ses mains sur l'assise en bois. Lorsqu'il ouvre les yeux, il voit un homme noir qui se rapproche de lui ; il porte des chaussures de sport garnies de bandes fluorescentes.

Oscar est paralysé, il n'a même plus la force d'avoir peur, il ne peut que regarder. L'homme se poste juste devant lui. Il porte un étrange pantalon de coton qui flotte autour de ses jambes. Alors qu'Oscar le regarde, il tire de sa main gauche l'élastique du pantalon vers le bas. La main droite en sort un sexe noir-gris qu'elle présente à

Oscar. Oscar est assis sur ses mains. L'homme fait un pas sur le côté et arrose le mur. L'urine passe devant les tennis luminescentes et se dirige vers les pieds d'Oscar. Oscar regarde le liquide chaud briller autour de ses chaussures ; une légère vapeur s'en dégage. Il inspire profondément l'odeur de pisse fraîche.

Dieu merci, il fait jour de nouveau. Oscar met son tablier de cuisine avant d'entrer au salon avec sa bouillie. Ne pas faire de taches, ne pas se barbouiller, vider son assiette tandis que la *Sérénade* de Dvořák continue de murmurer. Hier soir, quand il est rentré à la maison, il s'est soigneusement lavé les mains sous le robinet de la cuisine, durant un bon quart d'heure. Ses chaussures mouillées, il s'est contenté de les déposer sous le porte-manteau.

Maintenant, ne pas penser à la vie nocturne et sociale. Tout à l'heure, se rendre au musée concurrent, à l'exposition du frère, à l'enchevêtrement bigarré de robes longues et de toiles. Il n'y a rien. Il y a seulement une mère sans père, il y a un frère et encore un frère, il y a beaucoup de femmes sans homme, tout est comme toujours. Les doigts sentent le savon acide adouci d'un soupçon de lait. Oscar astique ses lunettes avec un pan du tablier. Le téléphone retentit, il laisse sonner.

*

Sur la façade du Musée municipal est tendue une grande banderole blanche sur laquelle figure en majuscules serrées : EXPOSITION D'AUTOMNE : STEENKAMER. Les portes de verre menant au hall d'entrée sont grandes ouvertes pour laisser place aux gens qui s'affairent en ce début de dimanche après-midi. Sur le perron attendent deux camions d'une entreprise de restauration. Des plats et des boîtes sont transportés à l'intérieur du bâtiment par des hommes en blanc.

Un bus de la télévision stationne sur le trottoir ; de gros câbles noirs en sortent et entrent dans le musée par les escaliers.

Johan gare sa voiture à côté de la BMW du directeur, sur l'aire de stationnement privée. Il n'attache jamais sa ceinture de sécurité parce qu'il déteste se sentir coincé dans un harnais. Il saute hors de sa voiture sur ses belles chaussures italiennes. Le costume noir n'est ni trop ajusté ni trop ample ; au-dessous, il porte une chemise gris clair de coton très fin et une cravate rouge, unie. Chaussettes : gris clair. Slip : un boxer-short en soie vert eau, cadeau d'anniversaire de Zina. Couleur de la peau : sainement hâlée. Disposition d'esprit : volubilité légèrement tendue.

Dans le hall exposé aux courants d'air, le directeur, qui porte un veston malpropre aux manches retroussées, empoigne de ses deux mains celle de Johan et attend une fraction de seconde de trop avant de la lâcher. Né avant 1950. Je dois l'avoir et je l'aurai, quoi qu'il s'imagine, cette tête de lard du Musée national, pense-t-il.

— Bienvenue, bienvenue. Tu es prêt. Kerstens vient à deux heures et demie, il se réjouit de cette interview. Il était encore ici cette nuit pour voir la disposition des salles. Tu le connais ? Toujours pressé, pressé !

— Je l'ai rencontré un jour, oui. Et j'ai vu son émission une paire de fois.

Johan éprouve des sentiments mêlés. Ce corpulent expert en œuvres d'art lui inspire une légère répulsion, comme celle qu'il nourrit envers tous les hommes gros et tous les critiques qui veulent en remontrer. La position de pontife de l'art qu'occupe Kerstens, de personnage qui donne le ton et exerce une influence directe sur le statut social de Johan et sur sa situation financière, lui inspire en même temps un certain respect. Kerstens a beau être un rustre présomptueux qui ne sait pas tenir un pinceau entre ses doigts, il n'en est pas moins haut placé et écouté de tous.

— Tu ne vois pas d'inconvénient à ce que je te laisse seul ? Je suis un peu à la bourre, je voudrais accompagner ces messieurs de la télé et superviser l'aménagement du buffet et du bar. Entre et fais-toi plaisir à regarder ton œuvre ! Nous avons vraiment fait de notre mieux.

Johan suit les câbles noirs qui le conduisent à l'étage. Il essaie de monter avec la conscience dégagée, détendue, de celui qui descend ordinairement un escalier : les bras pendant le long des flancs sous leur propre poids, les pieds effleurant les marches et la tête fièrement relevée.

Il atteint l'étage supérieur en haletant légèrement, et tombe en arrêt devant l'entrée de ses salles. De chaque côté a été disposé un grand panneau : à gauche, l'annonce de l'exposition, en lettres grasses au-dessus d'un fragment de toile prodigieusement agrandi – aucune image n'y est reconnaissable, seulement des taches de couleur –, à droite sa tête de profil, regardant au loin, sous son nom inscrit en lettres rouges.

Johan entre dans la première salle où des aquarelles et des dessins sont accrochés dans des cadres bleu foncé tous identiques. Divers ciels au-dessus du canal le long duquel le mènent ses courses matinales. Sur la paroi du fond de cette petite salle, deux ouvertures mènent à la salle qui contient les plus grandes toiles. Des tables juxtaposées embouquent ces passages. Deux jeunes filles en noir et blanc sont occupées à recouvrir les tables de nappes ; un garçon affublé d'un tablier noir conduit un chariot de verres. Tous trois sont en train de se concerter sur les objets à disposer et comment les placer. Toutes les victuailles vont être servies dans la première salle de façon qu'ensuite, les gens puissent marcher avec précaution, un verre à la main, dans la salle principale.

— Il faut laisser pendre ces nappes sur un bon bout, dit Johan aux filles, autrement on va voir toutes ces bouteilles et toutes ces boîtes sous la table. Ça fera moche.

Les jeunes filles arrangent les nappes et suivent des yeux Johan qui s'engage dans le passage de gauche. Lorsqu'un homme de la génération au pouvoir donne un ordre bref et direct avant de poursuivre son chemin, ce n'est pas une extra qui lui tiendra tête.

La grande salle est plus haute que la précédente, avec un plafond de verre (des fenêtres aériennes, comme disaient les enfants autrefois), et des toiles de coton blanc tendues au-dessous ; elle est claire comme l'intérieur d'un frigidaire, comme une église en plein air, comme un espace pur. Au centre de la salle, un banc entièrement circulaire permet de regarder des peintures toujours différentes. Sur le mur où sont ménagées les ouvertures pour les passages figure la pietà devant laquelle se tient en ce moment Johan, approuvant de la tête. Depuis une paroi latérale, *Le Facteur* verse sur la salle son regard pénétrant. Johan pivote lentement sur ses talons. Malgré toutes les images captivantes exposées tout autour, l'attention est captée vers la grande paroi du fond, vers la pièce maîtresse de l'exposition, le chef-d'œuvre.

Il est accroché un peu plus haut que les autres œuvres et il est d'un plus grand format : un mètre et demi de large sur plus de deux mètres de haut. Johan va s'asseoir sur le banc circulaire, juste en face. Il regarde.

C'est une peinture sombre dont le sujet ressort. Sur un fond d'un noir de velours, on voit une femme aux cheveux marron à reflets d'or. Dans un visage blême, les yeux bruns regardent droit vers le spectateur. Des épaules nues, aux arêtes vives. La peau a un teint d'hiver. Contre son sein droit repose la tête d'un grand saumon mâle adulte : l'œil du poisson et le téton brun-rose se disputent la vedette. La femme a replié son bras droit sous le poisson, elle le tient comme on tiendrait un bébé, enserrant le dos argent. La queue se déploie vers l'avant, par-dessus le bras gauche replié pour soutenir le droit. Le ventre pâle du poisson s'appuie contre son buste nu ; les écailles brillantes et les taches noires qui les ornent ont été peintes sur le dos avec un soin infini. Devant la femme il y a une table en bois brut, disposée de biais, un peu en retrait sur la toile. Sur cette table un deuxième poisson, aussi gros que le premier. Sa tête est penchée sur le côté gauche, il a le dos tourné vers la femme. Le ventre a été incisé. Des viscères s'en échappent. La queue repose mollement sur la table. La peau du poisson a été partiellement dépiautée si bien que la chair nue apparaît ici et là. Le saumon est effectivement couleur saumon. Devant le poisson qui gît sur la table, il y a un couteau finement aiguisé. Sur la lame on peut voir des traces de sang.

Si on laisse courir son regard sur la toile de bas en haut, on voit : le couteau sur la table de bois, les viscères, le poisson torturé, le ventre de la femme nue contre le rebord de la table, le poisson choyé entre les bras blêmes, pressé contre les seins ronds, le cou de la femme, le visage, les cheveux brun doré.

Un tableau cher, pense Johan. Deux fois il a fallu acheter un poisson entier qui pourrissait sur la table, à presque deux cents florins pièce. Zina, qui a mis ses seins et ses bras à disposition, pestait ; elle était là, l'air écœurée, à serrer le poisson contre elle. Après ces séances de pose, elle passait des heures dans le bain à se laver les cheveux avec du baume parfumé. Par réaction, ils mangèrent durant des semaines des côtelettes d'agneau et des biftecks. Les épaules et la tête de Zina, étant donné l'extrême épicurisme de celle-ci, étaient inutilisables. Pour ces éléments, Johan a pris un autre modèle, une femme qui de loin lui faisait penser à Ellen et qui, contre monnaie sonnante, s'assit en face de lui, les épaules dénudées, silencieuse.

Maintenant des gens entrent dans la salle. Le directeur se dirige vers Johan avec dans son sillage un petit homme, courbant sous le poids de sacs d'appareils photos, d'un support et d'un pied de lampe.

— Pour la *Gazette du soir*, une petite photo avant que l'équipe de télévision commence, ça ne vous dérange pas, n'est-ce pas ?

Le petit homme déballe son attirail. Au-dessus de la lampe, il déploie un parapluie blanc. Il regarde Johan, le tableau, non pas pour faire connaissance : il se livre à des méditations concernant la composition. Devant la femme aux poissons, on a installé un podium peu élevé, avec une table et deux chaises pour l'entretien qui doit avoir lieu tout à l'heure.

— Si vous vous placez là, dit le photographe, je vous prendrai par en dessous.

Il plonge derrière son appareil, marmonnant à part soi. Johan regarde devant lui d'un air sérieux et garde ses lèvres plaquées l'une sur l'autre.

— Regardez dans l'objectif, s'il vous plaît, comme ça oui, c'est beau, magnifique. Maintenant debout, je vous prie, devant la toile, relâchez un peu vos mains, pas si raide. Et regardez dans l'objectif.

Johan trouve que ce n'est pas honnête. Il doit regarder quelqu'un qui ne lui rend pas son regard de façon visible puisque les yeux du photographe se cachent derrière son dispositif. A travers la photo, il regarde des milliers de gens droit dans les yeux, mais qui, et où, et que diront-ils ?

Maintenant qu'il se tient debout, il a vue sur toute la salle. Une caméra de télévision est amenée sur des roulettes, des lampes vives fusent et les techniciens s'interpellent. Le directeur marche lentement le long des toiles, il s'entretient avec un gros homme qui porte un pantalon de velours côtelé retenu par de larges bretelles sur une chemise de coton brut. Comme ils se rapprochent, Johan voit que le dernier bouton, au bas de sa chemise, est défait. Un morceau de chair poilue déborde de son pantalon au-dessus de la ceinture. Le visage de l'homme a la même consistance dodue et les yeux petits, clairs, s'y enfoncent entre les rides. L'homme tend à Johan sa main bouffie.

— Kerstens !

La voix est étonnamment profonde et sonore, les petits yeux regardent à travers Johan vers le dispositif de la caméra.

— J'ai fait le tour des œuvres avec Kees, tout y est. Le commentaire aussi. Maintenant un petit entretien sur le podium, ça ne sera pas bien long. Ce soir je monte la marchandise, mardi ça passe à l'émission. Un quart d'heure, en dernière partie vraisemblablement.

Johan sent monter son irritation. Il se laisse utiliser pour la production d'un autre et ce n'était pas le but. Il ne souhaite pas qu'on regarde à travers lui et qu'on ne l'écoute qu'à moitié parce que la place de la caméra est plus importante. Il ne souhaite pas que le directeur fournisse un commentaire sur son œuvre sans qu'il soit là. La régie lui a échappé pendant qu'il jouait les mannequins pour le photographe. Attention, maintenant !

Ils prennent place sur le podium. Kerstens dépose sur la table un bloc-notes où figurent quelques inscriptions, quelques mots disposés les uns au-dessous des autres, que Johan essaie de lire à l'envers. Saumon ? S'agit-il de son chef-d'œuvre ? Radio affamée, qu'est-ce que c'est que ça ? Salami hongrois ! Sacré bon Dieu, une liste de courses ! Ce sac à viande a noté ses aliments préférés en guise de préparation pour l'entrevue avec le maître. "Têtes-de-nègre ou bombes" suivi d'un point d'interrogation. "Gâteau au chocolat" barré d'un trait. "Filet de sole" suivi d'un point d'exclamation.

L'estomac de Johan se contracte de colère. Kerstens ne paraît pas être intimidé par la faroucherie apparue sur le visage de Johan mais justement, cela le met en verve.

— Monsieur Steenkamer ! Cette saison, l'exposition d'ouverture vous est consacrée dans un musée de renom. Comment le vivez-vous ?

Quand Johan ouvre la bouche pour entamer son discours, le journaliste l'interrompt d'un geste bref. Il pointe son menton gras d'un air interrogateur à l'adresse du caméraman.

— C'est bon comme ça ?

Le technicien de la prise de vues opine du chef. Kerstens se tourne une nouvelle fois vers son interlocuteur.

— Monsieur Steenkamer, ne trouvez-vous pas étrange que l'exposition d'ouverture de ce musée précisément soit consacrée à votre œuvre ?

— Comment ça, marmonne Johan, aussitôt sur la défensive, c'est un excellent musée, non ? Que voulez-vous dire au juste ?

— Cadrez-vous avec cette collection ?

— Pourquoi pas ?

— Ma foi, je voudrais arriver à vous faire parler. Comprenez-vous les gens qui considèrent votre œuvre figurative comme rétro ?

Bon Dieu, l'article d'Oscar. Qu'est-ce qu'il me gonfle, ce type, à quoi ça sert, tout ça ?

— Je ne me préoccupe pas de l'opinion des autres sur mon œuvre, monsieur Kerstens. Je travaille. Autrefois c'était d'une manière qu'on pouvait qualifier d'abstraite et maintenant c'est essentiellement sous forme d'objets et d'images reconnaissables. Je ne considère pas l'un comme plus élevé ou meilleur que l'autre.

— Vous vous êtes mis à gagner plus d'argent depuis ce changement, n'est-ce pas ?

Ça ne se passe pas bien. Johan, qui s'emporte tellement facilement dans la vie courante pour jeter son opinion à la tête d'un autre, se sent freiné et rivé sur sa chaise à cause de la caméra et aussi parce qu'il a conscience de participer à l'élaboration d'une émission de télévision. Son visage rougit et il plante solidement ses pieds sur le sol.

— Parlons de mon œuvre et non de ma situation financière.

— Est-ce un sujet si sensible ? Comme vous voulez. Votre œuvre donc. Personnellement, en tant que critique d'art, j'aimerais vous dire que je trouve cela dommage. Vos productions anciennes, je les trouvais plus passionnantes – les taches de couleur imbriquées les unes dans les autres, la continuité de cette enchevauchure du cadre à la toile, les fausses diagonales –, cela traduisait une attitude investigatrice, c'était osé. Vous avez assez soudainement abandonné ce style pour peindre des illustrations. Vous devez bien avoir une raison à cela ?

Des illustrations ! Johan est tellement furieux qu'il ne peut plus prononcer un mot. La caméra le fixe droit dans les yeux.

A peine ouvre-t-il la bouche, prenant une inspiration, que Kerstens pétarade :

— Prenons un exemple concret, alors. Le tableau sous lequel nous sommes assis est votre production la plus récente. Vous le considérez comme votre chef-d'œuvre, dites-vous.

Kerstens pointe un doigt charnu en direction de la toile et regarde le caméraman qui, docile, se met à sonder la femme aux poissons de son aspirateur visuel.

— Oui, j'en suis très satisfait. Une belle peinture. Je trouve.

— Que voilà un bien pauvre commentaire. Beau, qu'est-ce que c'est, au juste ? Avec cette œuvre, vous exprimez indéniablement quelque chose, vous vous situez dans la tradition, vous avez un message à transmettre ?

— Une femme avec deux poissons, dit Johan.

— Oui, c'est certain. Mais pourquoi ? Une image allégorique ? Evoque-t-elle la débauche ? S'agit-il d'une thématique transcendante, peut-être religieuse ?

— C'est une femme nue qui tient un poisson.

— Monsieur Steenkamer, vous comprenez pourtant où je veux en venir : qui peint une illustration met littéralement quelque chose en lumière. Il y a une histoire qui s'y rapporte, vous racontez quelque chose, à travers cette toile. Est-ce la froideur frustrante de l'amour maternel ? Ou peut-être la funeste concurrence qui existe entre deux enfants ? Est-ce l'ultime fratricide qui est signifié ici ? Dites-le-nous donc avec vos propres mots !

Kerstens plisse davantage encore ses petits yeux tout en ricanant au nez de Johan. La caméra ronfle, pleine d'impatience.

— Ecoutez-moi bien, monsieur Kerstboom, je n'aime pas ce genre d'interrogatoires. Si j'avais voulu raconter une histoire, dans mes propres mots comme vous dites d'une manière tellement prégnante, je serais devenu écrivain, vous saisissez ? Mais je suis un peintre, je conçois une idée, et je place celle-ci du mieux possible sur une toile. Voilà toute l'histoire, Kerstkrans, et si tu en sais plus que les autres, tu n'as qu'à le dire toi-même avec tes propres mots ! Et maintenant tire-toi, j'en ai ma claque !

Johan se lève et saute à bas du podium. Entretemps, alerté par le ton de voix, le directeur est accouru pour formuler des incantations, lisser les aspérités. Kerstens, qui s'est levé lui aussi, hausse ses épaules rondes.

— Dommage, c'était un assez bon projet. Je vais regarder si on peut encore en faire quelque chose. Quelquefois ça marche, quelquefois non. Tant pis.

— Tu n'as pas été très aimable, je dois dire. Et Steenkamer n'y était pas préparé, pour ainsi dire. Sinon, il sait vraiment bien parler de son œuvre.

— Ma foi, Kees, ce sont les règles du jeu. Il doit bien être capable d'entrer dans un débat avec la critique – s'il ne fait pas ce choix, moi je n'y peux rien non plus. Tu as déjà quelque chose à boire pour moi ? Tu n'offres sûrement pas le whisky, aujourd'hui ?

Johan est parti à grands pas et le directeur se sent libre d'emmener le critique d'art faire un tour du côté des bureaux de la direction. Là il y a encore de la réserve de vin ou d'alcools, là, les jambes étalées sur le bureau, ils peuvent tranquillement établir un projet pour la politique culturelle du prochain quart de siècle.

Entre-temps, des armoires frigorifiques argentées, chargées de vin et de bière, ont été amenées dans la première salle derrière les tables blanches. Johan se prend un premier verre de vin blanc et jette à la ronde un regard satisfait. Un profond sentiment de bien-être s'empare de lui, comme toujours après une percée de colère.

Les câbles sont enroulés, l'équipe de télévision lève le camp. On approche des quatre heures de l'après-midi et les premiers convives montent à l'étage. Que voulait-il dire, ce tas de viande, avec son amour maternel, son fratricide ? Quelle vicieuse façon de penser, quelle merdouille snobinarde avec leurs mots et leurs concepts. Il suffit d'avoir de bons pinceaux. Et de visualiser ce qu'on veut faire, dans les moindres détails. Quand on ne peut pas continuer, c'est là qu'est le frein. Là, il faut se concentrer et réfléchir jusqu'à ce qu'on voie la forme apparaître. Une fois qu'on en a une idée précise, ça repart. Ce genre d'individus n'ont pas idée de ce que c'est. Ils emballent le tout dans une nuée de paroles et les choses n'ont de valeur qu'à partir du moment où elles réfèrent à d'autres. Si je me plongeais là-dedans, je ne peindrais plus jamais rien, c'est sûr. La vérité c'est qu'il ne faut pas être mesquin avec son matériel. Et il faut avoir de l'ordre dans son atelier. Ranger chaque soir. La technique, c'est ça le secret. Tout comme pour un acrobate ou un musicien. Des bouffeurs d'art, voilà ce qu'ils sont, ces journalistes, oh ! tellement ils ont peur de se gâter l'estomac. Ou d'apprécier par malheur une vulgaire croquette de viande. Berk.

Un garçon maigre hisse un violoncelle au haut de l'escalier. Malgré sa jeunesse il a le crâne lisse, chauve. Suivent une fille aux cheveux longs avec un alto et un type costaud, frisé, un violon dans son sac à dos. La fille a en main des partitions qu'elle fait voir au violoniste. Il approuve de la tête, mais d'abord il faut déballer les instruments.

Ils s'installent dans la grande salle, à côté du podium. La fille déplie des pupitres argentés : ils trônent dans cet espace comme une troupe de flamants. Le frisé ramène des chaises et les place en triangle. Le violoncelliste, assis au milieu, plante la pointe aiguë de son instrument dans une planchette reliée par une corde à un pied de sa chaise. La caisse noire du violoncelle est appuyée contre le mur à côté d'une peinture représentant un autre trio : près d'une fenêtre ouverte, une mère et son fils tiennent un deuxième enfant, un garçon exsangue, évanoui, terrassé par la panique. Les rideaux flottent vers l'intérieur, gonflés par le vent. Sur une chaise vide, il y a un poisson immobile.

Le violoniste reprend une note d'un diapason qu'il a tiré de sa poche intérieure puis le donne aux autres. Sitôt qu'ils tiennent la note, chacun d'eux tend ses cordes dans un méli-mélo cacophonique. Le violoncelliste tend l'oreille vers les chevilles pour écouter son instrument. De loin, Johan entend les quintes des cordes à vide et se sent devenir nerveux, inexplicablement. Qui a commandé un trio à cordes ici ? Il ne veut pas de cela, il ne veut pas être surpris par une mélancolie incomprise et une tension vide de sens. En outre, tout ce raffut ne fait que détourner l'attention de ce qui est à regarder, de ce dont il est question ici.

— C'est ton idée ? demande-t-il au directeur, qui a réapparu entre-temps pour être présent à l'arrivée de ses invités.

— Joli, hein ? Ils jouent bien. De la bonne musique. Et pas incommodante. Du classique. Des étudiants du conservatoire qui se font un peu d'argent de poche. La fille est une copine à moi, ils jouent souvent ici.

Mais moi je ne les veux pas, voudrait lui dire Johan, je ne supporte pas, ça me rend inquiet, fais-les partir.

Ils ont commencé par le lent préambule d'un trio de Beethoven ; les trilles bas du violoncelle dans la première salle étaient d'une implacable intensité.

Dissel ! Comme un marin se précipitant vers la bouée de sauvetage, Johan fonce sur le négociant en bois. De sa svelte silhouette émanent à la fois une sérénité et une curiosité circonspecte. Il tend à Johan sa main robuste, sa rame, son fétu de paille.

— Eh bien, mon garçon, tu es content ? Tu peux l'être, je pense, peu importe le commentaire. Tu es un peu pâlichon. On boit un verre à ce bon début ?

Dissel passe son bras autour des épaules de Johan et le conduit vers la table réservée aux consommations. Depuis l'entrée d'Ellen dans le secteur du bois, Dissel a toujours subventionné son époux d'alors. Il a continué à le faire après leur divorce parce qu'il ne le faisait pas par amitié pour Ellen mais par admiration pour le professionnalisme sans compromis de Johan. Dissel partage volontiers son luxe avec les autres et garde de préférence un contact personnel. Cet artiste a croisé sa route et Dissel lui reste fidèle. Sur une commande qu'il lui a faite, Johan a peint le cerisier du jardin de Dissel. Il allait de soi que Dissel allait soutenir cette exposition par une somme importante.

— Comment va Ellen ? Elle vient aussi ? Bien entendu, n'est-ce pas ? Et vos enfants, les garçons. Dis-moi un peu, est-ce que ceux-là se sont déjà fait connaître pour quelque chose ? L'amour des dames, ou bien des hommes, seuls ou ensemble, des études ou un métier ou surtout pas, justement ? Ils ont vingt années bien sonnées, maintenant, non ? A la vôtre, les garçons, je t'assaille de questions mais allons, buvons : à ton professionnalisme !

Les gens grimpent à présent l'escalier par trois ou quatre. Ils ont laissé leurs manteaux au vestiaire du rez-de-chaussée et ils déambulent dans la salle comme d'élégantes taches de couleur, se regardant les uns les autres, jetant un œil sur les toiles en passant, s'interpellant jusqu'à ce qu'ils s'immobilisent devant la table garnie de verres pour se faire servir quelque chose par les jeunes filles.

Derrière le large dos de Dissel, Johan aperçoit les jambes fermes de Sally. Il s'excuse auprès d'un sponsor pour aller saluer.

— C'est aimable à vous d'être venus ! Juste entre deux voyages autour du monde, à tous les coups ?

Bob a le visage tanné des gens de mer et il porte des habits de marin : un pull en tricot de laine brute, un pantalon bleu marine et des espadrilles.

— Il aurait pu garder sa casquette de capitaine sur la tête, dit Johan à Sally. Qu'en pensez-vous, presque tout a été créé sur votre propriété.

— C'est beau, Johan, tu le sais déjà. Je suis bien content que les postes aient continué à fournir des fonds. Tu fais encore deux ou trois choses pour eux, si je suis bien informé ?

— Tu te plais dans la maison, Johan ?

Sally a l'air détendue et satisfaite de son sort. Incroyable, quand on doit passer son temps jour après jour sur un bateau. Johan s'attendait à la retrouver raidie, de mauvaise humeur, ayant manqué de tout. Et pensait qu'en raison de ces manques, elle se tournerait quand même vers lui ? Difficile de digérer qu'elle n'ait jamais donné suite à la moindre avance discrète de sa part. Maintenant il n'en voudrait même plus, avec ce cou plein de tendons et de nerfs, cette tête enduite de peinture. Les jambes mises à part.

Le directeur du National entre et regarde la table réservée aux boissons et les cendriers placés çà et là. Fumer dans un musée, il n'y a que ce genre de moderniste mielleux, attrape-tout, pour le permettre ; ce genre d'oiseau n'y entend rien à la conservation des œuvres. Il n'y a plus qu'à aller féliciter ce m'as-tu-vu pour sa magnifique exposition, c'est un devoir collégial.

Les conservateurs déambulent le long des toiles, posant les pieds avec précaution autour du trio à cordes, avec des mines sérieuses.

Ça devrait revenir au National, ce morveux me l'a extorqué en sous-main, avec ses intrigues et ses relations, pense l'un.

Si ce pisse-vinaigre en faisait une bonne crise cardiaque de jalousie, on pourrait vraiment avancer, pense l'autre.

Ils se parlent à peine ; un mutisme qui d'ailleurs pourrait être lié à la contemplation des peintures.

— Mes compliments, cher collègue. Un beau montage, un travail admirable. Veuillez m'excuser, je vois quelqu'un à qui je dois serrer la main.

Laisser en plan, interloqué, l'homme plus jeune, est pour le plus âgé un plaisir minime qu'il ne voudrait pas laisser échapper.

— Oh, monsieur le directeur, vous êtes là aussi ! Naturellement, hein ? C'est votre travail !

Kee Bellefroid s'est dûment apprêtée. Elle porte une jupe plissée sur ses larges hanches et elle a couvert ses épaules d'une pèlerine à carreaux écossais qui lui donne un air méridional. Elle serre dans ses mains l'invitation chiffonnée qu'Oscar, dans sa détresse, lui a remise hier au soir.

— M. Steenkamer m'a invitée, notre M. Steenkamer je veux dire. Est-ce que vous l'avez vu ?

— Pas encore, Keetje, mais il va venir. Je peux aller te chercher quelque chose à boire, tu m'accompagnes ?

Le directeur est sensible à la franche cordialité de sa secrétaire accoutrée de manière imposante. Il est content qu'une personne de son camp soit là. A vrai dire, il est content aussi que ce soit elle.

Ils attendent à la table des consommations lorsque Zina fait son entrée, ses cheveux roux formant une grosse auréole autour du visage, tout son corps comprimé dans un costume d'acrobate d'un vert éclatant et par-dessus, une veste courte bordée d'un galon doré soulignant l'énorme fessier. Elle porte un large collier doré et jette la tête en arrière quand elle rit tout haut à une remarque du directeur. Elle glisse son bras sous celui du directeur et l'entraîne vers Johan.

— Ma petite concurrente est arrivée, Steenkamer. Je devrais dire : Sers-lui quelque chose. Dieu, ils vont devoir attendre pour les amuse-gueules jusqu'à ce que j'aie fini mon discours ! Il faut que j'active un peu les choses, pardon, pardon.

Il repousse fermement les serveurs dans le couloir avec leurs plateaux de crevettes frites.

Lisa hausse les sourcils. Derrière les assiettes présentées à l'entrée de la salle, les hommes vont s'asseoir à la table étroite, les jambes ballantes. Ils attendent en piquant de temps à autre une crevette sur le plateau frais préparé. Elle entre, jette un regard autour d'elle, ne voit ni Alma ni Ellen, mais un grand nombre d'autres personnes. Où est Johan ? Alors elle va dans la grande salle et se retrouve face à face avec le chef-d'œuvre. Dieu du ciel. Lisa reste perplexe. Quelle horreur ! C'est à vous glacer le sang. Négligence. Cruauté. Elle tremble sans le vouloir.

Un corps chaud se colle contre son dos. Johan passe ses bras autour de sa veste jaune paille et l'embrasse dans le cou. Whisky ? De l'alcool en tout cas. Lisa s'appuie contre lui, un peu trop longuement, trop brièvement à vrai dire pour distinguer toutes les parties de son corps, mais trop longuement, trop longuement.

Elle se dégage en rougissant.

— Johan. C'est magnifique. Comment est-ce que tu peux !

Le directeur a escaladé le podium, le trio range ses instruments et se faufile à contre-courant, en direction du buffet des vins. Le silence se fait dans la salle, des bribes de discours sont distinctement audibles : triomphe sur le prétendu schisme, non-figuratif et figuratif, bon espoir d'une résolution fructueuse de cette question qui traîne, la collection, la fierté, un génie artistique solide et passionné, merci aux sponsors, unir les efforts, se faire fort, ouverture d'une saison féconde !

On porte un toast en l'honneur de Johan. Les applaudissements éclatent. Maintenant les garçons dansent à l'intérieur de la salle : croquettes au fromage, rouleaux de saumon, pointes d'asperges. Les mains pleines, on termine les plats en grappillant de-ci de-là avant de retourner dans la salle des consommations.

Johan parcourt lentement les deux salles avec Lisa, ils traversent la porte d'entrée, se dirigent vers l'escalier. Au-dessous, près de la cascade en marbre blanc, se tiennent trois silhouettes. L'homme gris aux lunettes est flanqué à sa droite de la femme bleue à la canne et à sa gauche de la femme en robe rouge sang. Tous trois se mettent à gravir l'escalier solennellement. Portent-ils des masques ? Non, ils ne portent pas de masques.

— Maintenant ça va commencer, chuchote Lisa à l'oreille de Johan.

*

Johan embrasse sa mère. Les jointures de la main avec laquelle elle tient sa canne sont blanches. Elle tremble sous l'effort.

— Tu n'aurais pas pu venir un peu plus tôt, le speech est déjà fini. Prête un peu attention au rythme des uns et des autres : est-ce trop te demander ?

— C'était pas mal d'organisation, intervient Ellen, nous avons mis du temps à nous mettre en route, c'est ma faute, Alma était prête mais moi j'étais en retard.

— Cesse de t'excuser comme ça, dit Lisa à son amie. Toutes les personnes intéressées devraient se réjouir que tu sois là. Ta robe est ravissante !

Oscar a blêmi en se retrouvant en face de son frère. Johan lui a serré la main avec désinvolture, comme s'il ne s'était rien passé. Alma, qui se cramponnait lourdement à son bras en montant l'escalier, a maintenant oublié son existence. Il se prend le ventre et se recroqueville.

— Je dois redescendre un moment, je crois, pardonnez-moi, je vous vois tout à l'heure, dit Oscar à personne.

Ils n'entendent pas. Il s'élance vers le rez-de-chaussée. Il pousse un soupir et se laisse choir sur les W.-C. qu'il verrouille solidement : il a choisi la dernière loge de la rangée, où personne ne pourra l'incommoder.

Johan a pris Alma sous le bras et marche avec elle le long des murs.

— Tu as fière allure, tu sais, avec cette coiffure. Et ce bleu te va bien. Que tu es tendue, je te sens trembler ! Tu as mal ?

Alma ne veut pas avoir mal. Elle regarde à peine les toiles exposées, elle examine intensément les gens qui déambulent. Le directeur vient vers eux. Il pose la main sur la manche bleue d'Alma.

— La maman du peintre ! Une mère fière, je suppose. Et à juste titre, à juste titre.

Ils flânent le long du buffet de la grande salle, où est accroché *Le Facteur*. C'est la seule toile devant laquelle Alma s'immobilise. L'homme voit ce qu'il reconnaît, et ce qu'il souhaite voir, pense Ellen qui les a suivis à courte distance.

— Ne puis-je pas prendre place quelque part, de façon que je puisse voir tout le monde ? Là-bas, sur ce banc !

Alma pointe sa canne en direction d'une série de chaises, tout près du podium. Obéissant, Johan l'y conduit. La canne sous la chaise, le sac à main à ses pieds, et la grande observation peut commencer.

— Ici, il y a des peintures de moi que tu n'as encore jamais vues, tu le sais ?

— Chaque chose en son temps, Johan. Laisse-moi me remettre un peu du voyage. Et regarder d'abord autour de moi. C'était le directeur ? Il a bien vite disparu, es-tu assez important à toi seul ? Va-t'en maintenant, tu n'as pas besoin de rester ici. Je suis bien, ici. Va me chercher une tasse de thé s'ils en ont.

Ellen, elle, a regardé la femme aux poissons. Son regard oscille entre Alma et la toile, comme si elle sentait que Johan, à travers cette exposition, a voulu émettre un jugement important sur sa mère. Sa pensée stagne, s'embourbe dans le dédale divertissant des gens, des odeurs et des bruits, qui se rend maître de ses sens. Un profond éclat de rire la fait regarder autour d'elle, vers Zina, il se trouve.

L'amie de son mari converse bruyamment avec Kerstens et le directeur. Lorsque Johan passe à leur hauteur, elle lui pose la main sur le cou. Il sourit et les dépasse.

Nom de nom, pense Ellen. C'est donc ainsi. Elle a le droit de toucher son corps ?

Naturellement. Pourquoi pas ? C'est avec elle qu'il couche. Moi, je paie pour ma liberté. Mais ce n'est pas tout rose.

Soudain, Johan est debout à côté d'elle.

— Veux-tu donner cela à Alma ?

Il lui met un verre de jus d'orange dans les mains.

— Va t'asseoir près d'elle un moment, elle est seule. Moi, je ne peux pas, encore plein de gens à voir.

Moi aussi, Johan. Alors occupe-toi seul de ta maman, ne me fais pas porter le chapeau, je n'ai rien à voir dans tout ça. Pourquoi ne le lui dis-je pas ? Pourquoi ne suis-je pas venue ici pour avoir des conversations agréables, pour faire de nouvelles connaissances passionnantes, pour mon propre plaisir ?

Parce que je me tords de pitié pour les poissons maltraités dans les bras de la dure femme, de compassion pour cette femme aux poissons raide de peur, parce qu'ils sont restés ma famille, parce que je ne *suis* pas là pour mon plaisir, mais pour lui, pour elle.

— Oui, donne, je vais la rejoindre. Tu vois comme elle guette ? Je crois qu'elle s'obstine à espérer que ton père viendra. Tu as entendu quelque chose ?

— Non, il ne viendra pas. A aucun moment je n'y ai cru. Je voulais surtout lui avoir envoyé cette invitation. Des résultats, je n'en attends pas.

— Ce gâteau, c'était un sale coup, soit dit en passant ! Comment as-tu pu faire ça ? Tu étais furieux, naturellement, tu n'as pas pensé aux conséquences.

— Juste un peu.

Ils rient. Puis Johan enlève Zina à ces messieurs et Ellen va s'asseoir auprès d'Alma. Comme il y a partout des cendriers sur pied, elle allume une cigarette et se cale dans son siège. Le trio à cordes joue une adaptation d'opéra, un menuet majestueux sur une mélodie innocente mais une rythmique lugubre. Zina presse sa hanche contre Johan, il passe son bras autour d'elle. Ils sont bercés par la houle humaine, ensemble. (Madame, pense Ellen, ce menuet ? Voulez-vous me faire l'honneur ?) Cesse donc, assez, sois simple. Sois heureuse d'être déchargée.

— Charles était un personnage svelte, dit soudain Alma.

— Je ne pense pas qu'il viendra, Alma. Tu devrais essayer de t'amuser un peu.

— M'amuser ? Au milieu de cette racaille ? Avec ces douleurs ? Pour qui me prends-tu ? Je n'ai que faire de ces gens. Des malpolis. Je suis mieux chez moi. Tout ce baroufle. Où est Oscar, au fait ? Et pourquoi cette amie de Johan ne vient-elle pas se présenter, je l'ai invitée au dîner, figure-toi !

Digression, un autre sujet. C'est bien.

— Je vais la chercher ?

Ellen bondit et va vers Zina. Elle en a vu d'autres. Elle serre aimablement la main de sa continuatrice, lui montre Alma, l'entraîne avec elle.

Alma laisse glisser ses yeux sur la verte apparition : le pendentif doré, le décolleté, les hanches larges et de nouveau le visage sans rides dans la couronne de cheveux.

— Quel bijou magnifique vous portez, dit-elle.

Zina va s'asseoir à côté d'elle et lui parle de Mats, de la forge et de sa boutique d'art fonctionnel. Ellen, qui assiste à cette innocente causerie, pense que Zina n'y comprend rien parce qu'elle est dans son monde, avec ce collier de chien à son cou et la mauvaise humeur de Johan. Zina prend les choses telles qu'elles sont, elle ne fantasme pas. Elle est incapable de s'imaginer ce qui n'est pas, voilà pourquoi elle se trouve bien avec Alma en ce moment. Cette femme ne peut être blessée, elle a tout au plus de la malchance.

Ellen se dirige vers la première salle pour prendre un verre de vin et voit de loin ses fils qui arrivent par l'escalier. Bien qu'ils ne vivent plus à la maison depuis des années, la vue de ses enfants lui procure toujours un sentiment de complétude et de paix, comme s'il était normal qu'ils soient là. Maintenant ça va. Leurs visages reflètent son sentiment.

— Mam ! Que c'est chouette !

— Quelle belle robe !

— Il te faut du vin rouge pour l'assortir ! Je vais t'en chercher ?

Paul s'élance. Ceci est ma contribution à la famille, pense Ellen. Ceci est la preuve de ce que je partage avec Johan et là entre, personne ne peut s'immiscer. Elle se sent soudain moins boniche, moins esclave, mieux à sa place. Dans son splendide costume bleu sombre, Peter ressemble davantage à son père, surtout quand il la regarde de biais sous ses cheveux noirs.

— Ça a encore cassé, dit-il, faisant allusion à l'amie qu'il lui avait présentée dernièrement d'une façon plutôt solennelle.

— Ah, chéri, comment se fait-il ?

— Avec personne je ne m'entends aussi bien qu'avec Paul. Quand je suis amoureux ce n'est pas un problème, mais ensuite, quand il faut le vivre, je retourne vers Paul. Elle s'est fâchée, elle se sentait exclue. C'était vrai. Ça ne me disait plus rien, à moi non plus, de retourner vers elle, de peur qu'elle rompe. J'ai préféré aller à la pêche avec Paul. C'est affreux, c'est toujours comme ça.

Paul les rejoint avec un plateau : du vin, de la bière et une assiette avec diverses sortes de poissons. Ils sont incapables d'avoir des liaisons amoureuses, pas plus qu'un emploi normal, pense Ellen. Pourtant je ne m'inquiète pas pour eux, pas vraiment. Vivront-ils toujours ensemble à l'âge de soixante ans ? Occupés à leurs projets saugrenus ? Mais ce sont des garçons si gentils, ils sont tellement attentionnés, tellement affectueux, et quand ils entreprennent quelque chose, c'est toujours avec de l'habileté et du plaisir. Ai-je le regard aveugle d'une mère ? Sûrement. Sont-ils incapables d'étudier parce que Johan a fait pression sur eux du fait de son succès ? Leur carrière universitaire a été un échec d'un point de vue académique. Ils changeaient tous les ans d'orientation sans jamais trouver leur voie. Anthropologie, langues slaves, architecture navale, tout ça n'a jamais rien donné. En fait, c'est dans la voie économique que les jumeaux se sont réalisés. Une activité entreprise sur le mode d'une blague estudiantine (l'organisation d'excursions en galiote et en *botter* pour les week-ends de leur club d'étudiants) s'est développée au fil des années jusqu'à la création d'une agence de voyages halieutiques, avec un bureau et un partage des responsabilités. Paul dispense des conseils pour la pêche et livre le matériel. Au magasin, son rayon est rempli de cannes à pêche, de cuissardes et d'une série d'hameçons étonnants, disposés sur du velours, tels des bijoux. Peter est le spécialiste des voyages, il fournit des expéditions de pêche à la demande et sur mesure : harponner le poisson plat sur une plage exondée, une fête enfantine (diplôme de natation obligatoire) avec capture de perches, chasse à la truite de rivière en montagne, pêche au cabillaud avec des lignes de trente mètres de long à bord d'un canot qui tangue furieusement et vacances de pêche au saumon en Suède.

Ils sont inscrits à la Chambre de commerce. Ce sont des hommes d'affaires, des entrepreneurs – mais ils ont l'air de jeunes étudiants pleins de fantaisie. Paul porte un chandail en coton aux tons rouges :

Peter et Paul
Pêche créative

est-il inscrit au dos. Leur dernier projet concerne la capture du poisson au filet en mer de Galilée, pour les vrais amateurs.

Johan les considère comme des ratés et n'essaie jamais de savoir d'où vient l'argent qu'ils gagnent. Quant à eux, ils n'ont aucun mal à lui cacher leur succès, parce qu'il ne veut pas le voir.

Observer c'est survivre. Lisa se promène et regarde. Elle lie brièvement conversation avec des gens qu'elle connaît ou dont elle fait la connaissance et en même temps, elle regarde par-dessus leur épaule vers les acteurs du drame qui se dénoue aujourd'hui. Des poissons rouges en bonne santé recherchent la compagnie de leurs semblables. Se souvient-elle de sa lecture du *Manuel du poisson rouge* ? C'est vrai. Alma est crispée sur sa chaise et repousse tous ceux qui s'approchent d'elle. Autour de Peter et Paul s'est formé un joyeux cercle. Et Johan ? Elle le voit faire des signes à l'adresse d'un gros homme debout devant la femme aux poissons ;

un peu plus tard il marche vers le directeur. Des négociations, sans doute. Quand ils échouent sur le territoire d'Alma, quelqu'un pique dans le dos du directeur :

— Vous venez vous asseoir un moment près de moi ?

Lisa se glisse à portée de voix.

— En tant qu'expert, quelle est votre opinion sur l'œuvre de mon fils, pouvez-vous me l'expliquer ?

Le directeur, un peu gris et déjà agacé par les discussions d'affaires prématurées qui ont lieu à sa réception :

— Madame ! Le lieu d'exposition est ce qu'on néglige le plus dans le domaine de l'art ! En tant qu'homme de musée, j'en sais quelque chose. Votre fils est un excellent peintre. S'il se trouvait en face, au Musée national, il le resterait, sans plus. Mais…

Il se lève, fait une révérence en pliant les genoux et souffle à l'oreille d'Alma :

— S'il reste dans mon écurie, avec toute son œuvre, alors, madame, alors votre fils sera un *grand* peintre.

Son abstinence de ces derniers jours a rendu Johan plus sensible aux effets du vin. Son visage est enflammé et le laps de temps écoulé entre penser et agir a sensiblement diminué. Il se retrouve en face de Lisa. Tous deux ont un verre à la main, ils trinquent ensemble.

— Pourquoi est-ce qu'il est parti, ton père ?

— Parce que j'avais gagné, dit Johan sans hésitation. J'avais plus de talent et Alma m'aimait plus. Il était battu, c'est comme ça.

Il regarde autour de lui et voit son œuvre sur tous les murs. La lumière du jour a disparu et on a allumé les lumières, le soir est tombé et des gens flânent toujours le long des tableaux qu'il a peints. Sur le grand banc du milieu de la salle, Kerstens bavarde avec Zina. Il a posé son bras grassouillet sur ses épaules et lève la tête, troublé, à l'approche de Johan.

— Maintenant écoute-moi bien, Kerstbal :

> *Qui écrit se raidit*
> *Mais qui peindra mourra*
> *En liberté !*

Il a empoigné par le col le journaliste stupéfait et lui a débité ces rimes lentement et distinctement tout près du visage.

— Liberté, Kerstbal, liberté !

Vainqueur, Johan fait demi-tour et s'en va. Il remue les épaules avec désinvolture sous son veston. Je t'ai bien eu, mon coco.

Plus d'une heure s'est déjà écoulée depuis qu'Oscar s'est retranché dans sa petite cellule. Heureusement, c'est une vraie cellule, avec des murs qui descendent jusqu'au sol et avec une porte qui se ferme au verrou – et non une cabine cachée derrière un panneau d'isorel avec des ouvertures au-dessus et au-dessous, où, par exemple, quelqu'un pourrait passer sa tête soudainement. Dans ces sortes de W.-C., Oscar se sent tellement menacé et épié que ses sphincters sont en proie à des crampes continues. Cette cabine est une véritable pièce, hélas sans fontaine privée à laquelle il pourrait boire un peu d'eau, mais avec un gros rouleau de papier hygiénique et une recharge coincée entre le tuyau et le mur. Ici, il tiendra le coup. Il a retiré son veston et l'a suspendu au crochet fixé sur la porte, recouvrant ainsi le *"I've had it, man !"* inscrit au feutre. Ce doit être un messsage récent parce que les W.-C. ont été soigneusement nettoyés.

Pendant son séjour dans la cabine, des gens sont venus de temps à autre dans les toilettes. Les bruits lui parviennent assourdis. Parfois, il y avait deux ou trois hommes qui pissaient en même temps et Oscar espérait qu'ils allaient parler des toiles. ("Une vraie petite bohémienne, tu ne trouves pas ?") Ça ne se produisait pas, on parlait, pour autant qu'il réussisse à comprendre, de l'inconvénient qu'une réception comme celle-ci ait lieu un dimanche après-midi ("Qu'est-ce qu'on peut faire après, je dis toujours, plus envie de manger, et déjà trop d'alcool dans l'estomac") ou bien ils se plaignent du mauvais temps. Une fois, seulement, quelqu'un a secoué la poignée de sa porte. Oscar, pris de frayeur en voyant les brusques secousses, voulut crier : "Occupé ! Occupé !" Mais il avait la gorge trop sèche pour émettre un seul son.

Le pantalon, il l'a laissé tomber par terre après inspection du sol ; le slip est autour de ses genoux. Oscar a mal au ventre mais ce n'est qu'après un quart d'heure dans cette position qu'il se sent suffisamment tranquille pour déféquer. Il ne prend pas plaisir à vider ses intestins, toute sa vie il a vécu cela comme une débâcle. Il se sait sans défense au moment où il va à la selle et il a toujours conscience qu'il ne pourrait ni s'enfuir ni faire face. Le couloir qui mène aux W.-C. est lié dans son esprit à la notion d'obéissance, comme si, après force plaintes et protestations, il faisait enfin ce qu'ils attendent de lui. Son triomphe réside dans le refus. Lui, ils ne le voient pas sur un chiotte, il serre les fesses et continue à se promener avec ses crottes jusqu'à ce que, dures et noires comme des pois gris, elles ricochent sur la porcelaine. Quand il le décide.

Maintenant il a la diarrhée. D'où vient-elle ? La compote de pommes, la banane, l'œuf ? Quand il est sûr d'être seul, il lâche un pet bruyant, il laisse la merde lui couler entre les fesses, liquide comme la pisse. Soudain s'élève une puanteur sure. Oscar a peur. Il ne peut pas se laver le derrière ici, et pour ses mains, il faut d'abord qu'il ouvre la porte. Des coudes et des genoux, il soutient sa tête avant de pousser un soupir. Il inspire l'air vicié. C'est la débâcle.

Il tire la chasse d'eau assis, sent l'eau lui gicler sur les fesses. De quoi faut-il avoir peur ? Tout à l'heure, il montera à l'étage pour regarder l'exposition. Il y aura des gens qui le connaissent, il est un expert respecté, après tout. Récemment, il a encore publié un article au *Journal du matin* qui a fait sensation. Sa vieille mère sera là, mal en point sur ses jambes. Avec elle, il a eu une petite brouille, qui ne nécessite guère d'explications supplémentaires ou de réconciliation, qui sait, peut-être les choses serontelles redevenues comme avant. Son frère, son petit frère sera là. Lui, il est devenu célèbre, et peut-être est-il furieux à cause de l'article. Mais non, il n'y pense même plus, Johan n'y attache aucune importance, Oscar peut écrire ce qu'il veut, il peut se briser les poings sur la tête du petit garçon, se briser les doigts sur son clavier sans que Johan bronche. Il se bat contre du vent.

Maintenant, le corps réclame à nouveau de l'attention. Oscar se nettoie soigneusement et remet de l'ordre dans sa tenue. Quand la voie est libre, il se glisse dehors pour se laver longuement les mains avec le savon caustique qui sort du distributeur en plastique. Durant tout ce temps, il laisse son veston accroché à la porte. Dans le miroir, il voit un vieil homme en manches de chemise très affairé, il a les épaules voûtées et un regard soucieux. Oscar ne se regarde pas. D'un pan de sa chemise, il astique ses lunettes.

En haut de l'escalier, il croise Lisa, qu'il a toujours trouvée un peu angoissante. Une psychiatre, que sait-elle, que pense-t-elle, lui voit-elle au travers avec ces yeux gris ? Et voit-elle des choses qu'il ignore ? Furtivement, il porte ses doigts à son nez : un soupçon d'odeur de merde y est encore perceptible, il est marqué par la capitulation. Il tend cette main à Lisa.

— Oscar, nous nous demandions tous où tu étais !

Il marmonne quelque chose – une question, une imprécation, une excuse généralement valable ?

— Pourquoi ton père est-il parti quand vous étiez petits ?

Oscar est si surpris par cette question qu'il se met à y réfléchir, candidement. Il regarde cette femme sinistre et voit des yeux sincèrement curieux. Elle veut tout simplement savoir. Elle estime que c'est important !

— Il est parti, je pense, parce qu'il ne trouvait plus sa vie intéressante. A vrai dire, je crains de l'avoir déçu. Je n'étais peut-être pas un enfant tellement agréable, je n'étais pas un fils aîné dont un homme comme lui pouvait être fier. C'était quelque chose comme ça, ça devait l'être, je l'ai toujours pensé. Oui.

Derrière Lisa surgit une silhouette familière : ronde, robuste, avec une démarche de canard et couverte de carreaux écossais.

— Oh, monsieur Steenkamer, enfin ! Ce que je vous ai cherché !

— Keetje, tu es là aussi ! Connais-tu le docteur Hannaston ?

Il présente les deux femmes l'une à l'autre. Lisa n'a pas beaucoup à dire, elle est troublée par la réponse d'Oscar à sa question indiscrète. Kee passe son bras sous celui d'Oscar.

— Nous allons prendre quelque chose à boire, ça vous fera du bien.

Un verre d'eau. Le vin acide, ce n'est pas bon. Kee ferait tout pour lui. Dans la première salle, pendant qu'elle prend les verres, lui voit les aquarelles et les eaux-fortes et les reconnaît. Joliment exposé, bien fait, professionnel. Ils boivent.

— Vous savez, il y avait la télévision ! Les peintures sont accrochées là, dans la grande salle. On va voir ? Vous les connaissez peut-être toutes ? Pour moi c'était une assez grande surprise, si je puis dire. Angoissant, parfois, à vous donner le frisson. Mais je bavarde, vous vous y connaissez, moi je regarde seulement ce que je vois.

Ne pas répondre, ne pas avoir besoin de répondre et tout de même continuer à entendre cette voix murmurante à côté de lui. Se glisser dans la grande salle, que de gens, de la musique ! oh, le *divertimento* de Mozart, ils osent, c'est beau. Cette horrible pietà, cette douleur qu'Ellen avait, comment peut-il peindre cela ainsi ? *Le Facteur*, Dieu, là, Alma est assise sur une chaise, seule, comme elle a le regard fixe. Où est sa canne ? Oh, par terre, à côté du podium. Des chaises vides là-dessus, que c'est désordonné. Regarder vers le haut. Voir le couteau. Et ce que le couteau a causé. Regarder dans les yeux de la femme qui presse l'un des deux poissons sur son sein. Savoir que celui-là est le chef-d'œuvre auquel le frère a travaillé une année, qu'il considère comme la preuve ultime de son génie artistique.

Ne plus être capable de mettre un pied devant l'autre. Avoir totalement oublié la scène des W.-C. Etre à nouveau debout à côté de Keetje Bellefroid, entendre la pluie et voir la femme.

Oscar fait demi-tour et dévale l'escalier.

8

LE MENUET GRINÇANT

Quelque chose ronge la hanche d'Alma. Le col du fémur érafle la cavité pelvienne usée, dans laquelle les cartilages ont disparu depuis longtemps, et d'où les terminaisons nerveuses irritées transmettent continuellement au cerveau leurs signaux de détresse.

— Fais-toi donc inscrire sur la liste d'attente, dit Ellen. Tant de gens se promènent avec une nouvelle hanche, aujourd'hui c'est possible, on te met une articulation en plastique non douloureuse sur laquelle tu peux encore marcher pendant quinze ans, vraiment marcher, marcher toute seule – fais-le donc, Alma, offre-le-toi !

Un instant, Alma se laisse aller à son imagination : se réveiller, poser les jambes à côté du lit et ne pas sentir, ne plus sentir la douleur monter dans l'os. Marcher vers les W.-C. sans canne. Peut-être balancer les hanches. Comment cela doit-il être ? Danser, peut-être ! Le chirurgien scie le col du fémur, le brandit entre le pouce et l'index, les assistants rient, le fragment d'os remercié tombe dans la vasque en inox qui est avancée, toc ; l'infirmière de service le récupère et sort, l'os disparaît dans le seau destiné aux débris humains, est carbonisé dans l'incinérateur, retombe en cendre grasse sur les voitures en stationnement des visiteurs de l'hôpital.

Et elle, comment est-elle ? Sans connaissance, un tuyau dans la gorge et un anesthésiste pakistanais derrière la tête. Nue et rasée sous les draps verts, les muscles ouverts avec des pinces, l'intime de sa chair offert aux regards curieux dirigés sur son bassin. Reddition.

Jamais, pense-t-elle, jamais je ne me laisserai maltraiter au point de devoir rester durant des semaines immobile et dépendante. Peut-être bien trop faible pour manger, peut-être ne pourrai-je pas m'asseoir, ou ne me le permettra-t-on pas, il faudra qu'on me nourrisse de bouillies, à la paille. Baver sur l'oreiller, ne pas avaler à temps, laisser s'écouler la bouillie par le coin des lèvres. Et voir le mépris dans leurs yeux.

Comment une si jeune infirmière sortira-t-elle de la chambre avec un bassin hygiénique plein de ma pisse ? Et comment pourrai-je jamais uriner couchée ?

Attendre en espérant que quelqu'un vienne me rendre visite. Et si quelqu'un vient, l'inconfort. On ne peut pas se défendre, pas quitter la pièce un moment, mais pas non plus se fâcher parce que alors personne ne viendrait plus.

Le flot de ses pensées l'accapare à tel point que son visage paraît encore plus fermé que d'habitude. Des personnes jettent un regard en passant sur la vieille dame assise droite, dans sa robe bleue satinée ; la bouche douloureusement pincée, un signe égal allongé, les fait vite détourner la tête.

Alma regarde la canne posée par terre, son arme, la clé de sa mobilité. Parfois elle ressent une telle douleur que la canne ne lui suffit plus. Et pour faire ses courses, c'est difficile, elle refuse de marcher avec un sac à dos.

L'étape suivante, c'est le déambulateur. Et ensuite, la chaise roulante. Qui va la pousser ? Ma propre maison deviendra aussi une prison, où de temps à autre des gardiens viendront m'aérer.

Alma imagine un instant une charrette d'invalide motorisée avec laquelle, n'épargnant personne, elle roule à pleins gaz sur les pavés : la terreur du quartier. Les enfants, à la maison ! Alma arrive ! Elle se trouve prise entre les atteintes quotidiennes à son autonomie et la peur de s'abandonner totalement aux narcotiques. Entre ces écueils, elle voudrait s'enfuir à toute vitesse dans sa chaise magique.

Zina vient vers elle en balançant les hanches, sur des escarpins verts à talons hauts.

— Voulez-vous une croquette au fromage ? Elles sont vraiment très bonnes !

Alma fait non de la tête et regarde la femme droite, sans rides, aux formes pleines, qui arrondit ses lèvres autour de la croquette, et mâche, et avale.

— Je vais vous chercher quelque chose à boire ? Ou voulez-vous parler à quelqu'un ? Johan est-il venu s'asseoir auprès de vous ?

— Je n'ai besoin de voir personne, mon enfant, et Johan, je lui parlerai plus tard. As-tu déjà rencontré ses enfants ?

Intriguer et manipuler sans gêne est une jouissance cachée de la vieillesse dont Alma fait volontiers et souvent usage. Ce serait une leçon pour Johan si son amie tombait amoureuse de son fils, il prendrait conscience de son âge.

Mais non, c'est moi qui prendrais conscience de ses années. Lui en deviendrait furieux, insupportable. Il se déchaînerait contre Zina, la chasserait à coups de pied. Oui, elle doit partir avec son plat en argent plein de croquettes au fromage, qu'elle foute le camp, hors de ma vue ! Je ne veux pas voir ces cuisses et ces jambes saines.

— Ils sont là, près du passage, vois-tu ? Ils ressemblent tous deux à leur père. Tu devrais aller faire connaissance.

Etre seul est aussi un plaisir de la vieillesse. Ne plus se laisser déranger par la bêtise. Mais rien ne contrebalance la perte amère d'une maîtrise physique absolue. Rien n'aide à raccourcir les longues nuits, rien n'adoucit la terrible question : quand ? Et comment ?

Maintenant que la salle se vide, il est presque dix-sept heures trente, Alma peut voir les musiciens, qui ont mis Mozart sur leur pupitre. Elle voit les mouvements du poignet, l'archet qui caresse, masse les cordes. Les doigts des mains gauches se posent sur les cordes en tremblant. Les têtes s'inclinent tendrement vers l'instrument. Berk. La pratique concentrée de la musique lui apparaît comme affectée, écœurante. De la fille aux cheveux longs, elle ne s'attendait pas à mieux, mais venant des garçons, c'est insupportable. Charles et son violon alto ! Il perdait toute virilité, on eût dit une infirmière sentimentale en train de choyer un bébé trop gros, l'image même de la mollesse et de l'abrutissement. Il aimait ça. Il le faisait souvent, trop. Quand il jouait, son regard était tourné vers l'intérieur et il ne la voyait plus. Il ne l'entendait plus parler, avec le boucan qu'ils faisaient. Bramelaar, Leo les frisettes, était assis à côté de lui, avec un alto identique. Tous deux avaient la tête de travers et leurs mains vibraient. Sans la musique, on les aurait pris pour une paire de malades mentaux chroniques, éteints, enfermés dans un hôpital psychiatrique. Les parties génitales reposaient sans défense sur la chaise de cuisine, cachées derrière la braguette gris anthracite fermée par des boutons. Les jambes écartées.

Parfois, Charles et Bramelaar se regardaient, quand ils jouaient ensemble un passage mélodieux. Ensuite ils souriaient comme de douces jeunes filles.

Alma montait à l'étage en trépignant et éteignait la lumière chez les garçons, intransigeante.

A cette époque, je pouvais encore trépigner. Sortir de la maison, marcher jusqu'en ville. Sans calculer la distance que je pourrais parcourir sans avoir mal.

Où se cache Oscar, au fait, il est resté dans la petite salle ? Quelle cloche, celui-là, il n'est jamais là quand on a besoin de lui. Ce n'est pas qu'elle ait besoin de lui juste maintenant. Peut-être même serait-elle gênée de l'avoir à ses côtés, tassé sur ce banc des invalides. Mais elle voudrait voir comment il s'imprègne des peintures de Johan, titubant entre chef-d'œuvre et toiles de maître, sentant monter en lui la honte d'avoir écrit son article rancunier, décontenancé, mal à l'aise. Ensuite la confrontation avec le frère, les cris, la querelle, jusqu'à ce qu'elle brandisse sa canne pour les rappeler à l'ordre. Et après ça, un repas bourré de fureur contenue. C'est ça, la vie.

Soudain, Kerstens, le journaliste et expert en art, s'affale à côté d'elle, déjà pompette.

— Votre autre fils, madame, l'historien de l'art, aurons-nous le plaisir de l'accueillir, aujourd'hui ?

— Je ne crois pas que nous ayons déjà fait connaissance ?

— Je peux espérer que vous connaissez vos fils, tonne Kerstens. Ne m'en veuillez pas, je plaisantais. Kerstens, de TPT, du moins aujourd'hui.

Il lui tend une main chaude.

— Un article très perspicace, j'aimerais bien en parler avec lui, peut-être une interview ? Bon, de toute façon, je lui téléphonerai.

Il se redresse avec peine, s'incline devant elle et se dirige droit vers le bar.

Le voilà. Enfin. Avec lui et ma canne, je vais pouvoir aller regarder les toiles. M'avoir fait attendre aussi long-temps ! Qu'est-ce que c'est que cette femme à côté de lui ? Quelle tarte ! Des carreaux écossais et une jupe plissée ! Est-ce qu'Oscar et elle ? Une vieille femme fagotée à la belge : je vois juste, non ?

Alma regarde son fils aîné avec de grands yeux. Elle voit son accompagnatrice lui adresser des sourires qu'il lui retourne. Ils se promènent le long des tableaux, Oscar montre quelque chose, la femme approuve et écoute. Ils sont devant *Le Facteur*. Alors, Oscar fait demi-tour, son regard glisse au-dessus d'elle, vers le joyau. Il fait quelques pas vers le milieu de la salle, pour avoir une meilleure vue. Il regarde pendant une demi-minute, immobile. On dirait qu'il ne respire plus, il est de cire, une statue. Etonnée, la mère voit le dos voûté de son fils se redresser, elle le voit écarter d'un geste brusque la femme corpulente et, décidé, prendre ses jambes à son cou. Que va-t-il se passer ?

Lancé dans l'escalier, il tâte le trousseau de clés dans sa poche. Tu ne dois pas tout prendre, dit Alma, ton cos-tume s'avachit sous le poids ; mais il est content, main-tenant, d'avoir continué à le faire. Le manteau au vestiaire ? Non, il y aurait l'attente, une erreur de ticket, l'argent, une vieille fille qui fait des commentaires. Mieux vaut sortir directement, ce n'est pas loin.

A l'extrémité du boulevard il voit le Musée national, un bloc de pierre massif, foncé, qui se dessine encore tout juste sur le ciel assombri. Le soir tombe mais le vent ne mollit pas, il semble même s'amplifier quand Oscar est sorti de l'enceinte abritée du Musée municipal. Les vieux arbres craquent, la tempête tire leurs branches en tous sens et brosse les feuilles sèches. La rue est presque vide, les gens sont à table et ils ont fermé les rideaux. Personne ne voit l'homme maigre à lunettes qui fend le feuillage en sautillant, soulève plusieurs fois à grands coups de pied une pluie de feuilles, et se met à parler.

Ne donne pas des coups de pied dans les feuilles, Oscar ! Tu vas salir tes vêtements et tes chaussures. Il y a de la crotte de chien dans la rue et toi, tu tapes dedans. Réfléchis donc un peu ! Oui, oui, je réfléchis, maman. Et comment ! Ma tête n'est pas présentable mais j'ai un cerveau, et une mémoire !

Du vent dans le dos. L'impression de voler, d'être porté. Oscar étend les bras et fait des cercles, comme les roues d'un moulin, à travers les rafales de vent.

L'émerveillement ! Jamais assez d'émerveillement pour ce petit trésor, pour ce petit garçon doué avec ses dessins originaux. Oh, et aah, et magnifique, crient-ils tous, sans réfléchir et sans se documenter. Quel artiste original ! Quel bon choix dans le sujet : si nouveau, si audacieux ! Ha ! Du blabla à la mode, tout ça ! Il sait peindre, oui. Et j'aime aussi regarder un tableau qui représente quelque chose. Dans ce qu'il faisait autrefois, il m'arrivait de trouver très belle une chose ou l'autre. Dans mon tiroir secret, j'ai gardé un dessin de bateau à vapeur. Il ne devait pas le savoir. Alma l'a trouvé. La chasse aux souris, ça s'appelle. Alors je me suis emporté, tu n'as rien à faire dans mon tiroir, ai-je crié. J'ai pissé dans mon froc de peur, je crois, de confusion. Elle n'a pas vu. Ça m'a coulé le long des jambes, dans les chaussures. Le pantalon, je l'ai fait sécher à la fenêtre pendant la nuit. J'avais peur qu'elle tombe sur mes chansons et qu'elle se moque. Elle les a trouvées aussi, mais elle n'a pas compris ce que c'était, elle ne savait pas lire les notes. Le dessin de Johan, il lui a sauté aux yeux, elle en était tout attendrie. Comme c'est gentil, Osje, de l'avoir gardé ! Je l'ai déchiré sous ses yeux, une erreur, oh, il était encore là ? Ça devait dater : je n'y suis pas du tout attaché. Ouste, débarrassé. Elle m'a flanqué une taloche, envoyé dans ma chambre. Odeurs de pisse. Mais s'il est capable de dessiner, moi je suis capable de penser. Mon article ne restera pas lettre morte. Faire taire l'émerveillement, c'est ça que je veux. En mettre une sur la gueule à ces dames et à ces messieurs du circuit glaireux. Faire chanter mon frère un ton au-dessous. Il ne sait même pas chanter ! Il ne sait pas, il ne sait pas, il ne sait pas !

Galoper dans les feuilles frémissantes, flotter dans la tempête, au-dessus du bâtiment noir. Le gardien de nuit va et vient dans sa cuisine, il fait un café quand Oscar entre, pointant sa tête dans l'embrasure de la porte, marmonnant un bonjour.

— Eh ben, vous n'avez pas beaucoup d'vot' week-end, m'sieur Steenkamer, on dirait ! Ça ne pouvait pas attend' demain ?

— Non, je vais rendre visite à l'un et à l'autre, cette affaire ne saurait souffrir aucun retard. Il faut que tu débranches l'alarme juste un petit moment parce que je vais au grenier.

Oscar est étonné de l'évidence avec laquelle il va son chemin. Pas d'excuses maladroites et malvenues, pas d'explication superflue, pas d'hésitation. Les ailes de la témérité ! Il se retrouve soudain dans l'ascenseur. Le dernier bouton. Le monte-charge se met en branle en sursautant, c'est une pièce carrée aux parois d'acier, cabossées. On pourrait y habiter, c'est suffisamment grand.

Que suis-je en train de faire ? Je vais au grenier. Dans mon musée. La porte ne s'ouvre pas, elle est bloquée. La poignée ; de l'autre côté. C'est bien, tu vois ! Lumières, toutes les lumières. Maintenant suivre le chemin de Keetje, là-derrière, dans le coin, ça doit être là.

D'un pas de somnambule, Oscar progresse entre les casiers. Il plisse les paupières et la silhouette pleine de la secrétaire surgit devant lui comme une ombre. Elle le conduit vers l'endroit où il doit être. Il ne sait pas peindre, mais sa perception de l'espace n'est pas déficiente. La tête penchée, il déchiffre les étiquettes collées sur la tranche des casiers : Schröder, Silberman, Steenkamer. Il tire sur le casier, qui ne cède pas. Des deux mains, il soulève le châssis, le libère de sa butée, et les toiles roulent vers lui. Oscar ne réfléchit pas. Il dégage précautionneusement le portrait d'Alma de la grille et le dépose dans le couloir. Il glisse à nouveau le casier dans son châssis et soulève le portrait de ses bras tendus. Il respire tout contre le visage de sa mère jeune.

Johan est accroupi devant la vieille femme. Elle respire l'odeur de l'alcool et de son souffle et sent le faible courant atmosphérique contre ses joues.

— Tu viens aussi, je t'aide ? Il faut que tu fasses le tour au moins une fois. Tu restes tout le temps assise ici !

De petites veines rouges dans le blanc de ses yeux. La peau grasse à son front. Des perles de sueur.

— Il ne vient pas, hein ? Il n'a jamais reçu ta lettre. Le gâteau était une erreur. Il ne viendra pas.

— Jésus, tu es sur le qui-vive ! Ici, c'est de moi qu'il s'agit, tu ne l'oublies pas ? Ceci n'est pas un institut pour retrouvailles familiales mais un musée où moi, je suis exposé. Qu'il vienne ou non et ce que cette lettre est devenue, j'en ai rien à faire. Pour moi, il est mort, disparu, abattu, que sais-je. C'est de moi qu'il est question ici, et de personne d'autre !

Par-dessus les épaules de Johan, Alma voit les musiciens remballer leurs instruments. L'altiste astique son violon avec un chiffon. Le violoncelliste rentre la pointe de son instrument. Ils détendent leur archet et referment leurs caisses avec un claquement. Il est six heures.

Johan se lève pour les remercier. Il regarde autour de lui, à la recherche du directeur qui sans nul doute a dans sa poche de poitrine une enveloppe qu'il remettra paternellement aux étudiants. Dans la grande salle carrée, il voit quatre femmes, quatre couleurs. La bleue est pétrifiée sur sa chaise, la jaune et la rouge partent ensemble dans la grande salle, la verte fait la causette avec le directeur. Par là-bas, donc.

— On fait une pause aux toilettes ? demande Ellen.

Lisa opine du chef. Elles descendent ensemble l'escalier.

— Allons nous asseoir là-derrière, dans le couloir, à l'écart des passages.

Lisa a retiré ses chaussures, elle replie ses jambes et passe les bras autour de ses genoux.

— Comme fait Johan, dit-elle, nous on ne sait pas faire. Moi je ne me bats pas. Pour mes enfants, pour mon couple, d'accord, mais pour moi-même ? Quand il s'agit de moi, je m'adapte aux circonstances, et j'y trouve mon compte. Quand il n'y a vraiment pas le choix, je laisse un autre se battre à ma place. A la clinique, Daniel a obtenu les salles de consultation les plus récentes, moi je suis restée dans mon placard aménagé. Toi, tu t'es battue, avec le divorce.

Ellen, qui observait dans la fenêtre le reflet symétrique, aux contours estompés, de leurs corps, lève la tête et regarde Lisa.

— Une femme qui a de la force, on ne la trouve pas gentille. Et il est clair que nous sommes prêtes à renoncer, à nous en remettre à eux, pourvu qu'ils nous trouvent gentilles. Les pères et les mères, les hommes, eux. Difficile à digérer, ça. "Ton vœu le plus cher ? Qu'ils me trouvent charmante." Berk.

— Une femme comme Alma, qui est toujours allée son chemin, elle non plus n'est pas gentille. Je ne connais personne qui l'apprécie, et toi ?

— Non, mais je suis attachée à elle. Rien à voir avec la gentillesse. Comment se peut-il que maintenant elle détermine sa vie en fonction d'un homme ? Tu devrais voir comment elle se tient, là-haut : elle est dans l'expectative, elle a peur de froisser sa robe, elle a honte de sa canne.

— Ah ! les pères, dit Lisa, car c'est bien des pères qu'il s'agit, ici. Je pense. Je devrais le savoir, c'est ma spécialité. Rechercher l'approbation du père. On croit l'avoir surmonté, mais sitôt qu'on relâche l'attention, le désir d'avoir la faveur de son père ressurgit. Moi je n'avais pas de père mais j'étais l'élève favorite de tous mes professeurs. Une fille ne peut pas dépasser son père.

Son rêve, l'évidente sensation de bonheur et soudain, la honte : elle ne veut pas confier à Ellen les désirs de son rêve. Emue, Lisa ne dit plus rien, sentant que quelque chose s'est immiscé entre elle et son amie.

Les deux femmes se taisent, assises l'une en face de l'autre, et remplissent la fenêtre de fumée.

Comment transporte-t-on un tableau d'un mètre de large et plus, sur deux mètres de haut, aussi grand, donc, qu'une porte de cuisine hors normes ou un lit à deux places ? Si on le tient dans la largeur les bras tendus, on se retrouve à se frotter contre le corps de sa mère, si c'est elle qui figure sur la toile. On peut le retourner, ou ne pas le faire, car cela supposerait de se heurter et de se cogner encore, avec le risque que la pièce en question, ou celui qui la porte, tombe ; il est préférable d'en faire le tour précautionneusement, la tenant d'une main en équilibre, jusqu'à se retrouver face à face avec la toile brute. Si on sort dans la rue, les gens verront la tête de la mère. Et comment avancer, au fait, dans ces conditions ? Il faut tourner la tête, l'oreille plaquée contre la toile, et se glisser dans le couloir en adoptant une posture égyptienne. Après dix mètres, les dessous des bras vous brûlent déjà. Une branche de vos lunettes glisse de plus en plus vers le haut, les lunettes sont de guingois sur votre nez et menacent de se briser, de rouler entre les casiers sombres et de devenir introuvables. Il faut étirer le cou vers le côté pour éviter le contact avec la toile. Au bout de vingt mètres, laisser le tableau par terre et se décontracter un instant les bras.

Elle va s'abîmer si je la pose de cette façon contre les rails de fer, pense Oscar. En moins de rien elle pourrait être marquée au visage ou un fragment de peinture pourrait être raclé. Je dois la retourner.

Il se glisse entre le tableau et le mur, il empoigne de nouveau la femme en velours mais maintenant il fait glisser la toile sans la soulever. Ça va un peu plus vite, mais à chaque fois que les pieds s'accrochent dans le cadre, le choc se répercute dans les bras tendus et le tableau menace de lui échapper des mains.

Oscar transpire. Il dénoue sa cravate et ouvre sa chemise quand il a atteint la porte. Dans un geste téméraire, il fait basculer l'œuvre, qui s'écrase sur le sol, boum. Il doit encore éteindre la lumière, ouvrir la porte de l'ascenseur. Un chariot, comme à l'aéroport, voilà ce qu'il lui faudrait. Quoiqu'il ait dû plus d'une fois heurter les rayons du supermarché avec le Caddie rempli à ras bord, par pure incapacité à diriger la chose. Il pousse l'objet dans l'ascenseur, de ses mains nues, avec le pied. S'accorde une petite pause en s'asseyant sur le sol dans le local exigu pour réfléchir à ce qu'il faudra faire ensuite. Pour Enée, ça n'avait pas été facile non plus en ce temps-là, avec ce père paralytique sur les épaules. Et lui, il a quand même parcouru un bon bout de chemin. Ou avait-il dû entre-temps jeter Anchise ?

Il se lève et actionne l'ascenseur. Le doux balancement s'arrête avec un choc quand l'ascenseur s'immobilise. Oscar ouvre les deux portes et trimballe sa toile derrière lui. Le portier s'approche avec curiosité.

— Aide-moi un peu, Bolkestein !

De la voix d'Oscar émane une autorité inattendue, devant laquelle le portier s'incline. Ils portent ensemble l'objet d'art dans les marches d'escalier qui mènent à la porte principale. Arrivé devant la loge du portier, Bolkestein se souvient de son devoir et lui met des bâtons dans les roues.

— Les pièces ne peuvent pas sortir de la maison sans autorisation. Il faut une attestation de délivrance. Signée.

Oscar ouvre les deux battants de la porte d'entrée et les immobilise avec les goujons qu'il plante dans le sol, comme si on était dimanche et que le public allait se ruer à l'intérieur.

— Et qui doit accorder cette attestation, Bolkestein ?

— Le chef de la restauration et de la conservation, monsieur.

La toile est appuyée contre les jambes d'Oscar, posée par terre sur la tranche, dans le sens de la longueur. Elle lui arrive au-dessus de la ceinture. Il se redresse autant que possible et essaie de maintenir la tête en arrière.

— Et qui est-ce ?

— M. Steenkamer, monsieur. Vous-même, en fait.

— Bon, donne-moi un de ces formulaires. Je vais le signer.

— Je ne l'ai pas ici, je ne m'occupe pas de ça, c'est en haut, vous savez.

— Bon, alors ne me scie pas les côtes ! Bonsoir !

Par les portes ouvertes entre un violent courant d'air qui fait ralinguer les jambes du pantalon d'Oscar. De lourds nuages planent sur le boulevard au-dessus des platanes. Au loin brillent les fenêtres éclairées du Musée municipal. Oscar, tendu à l'extrême, soulève la toile et commence à la traîner derrière lui.

— Tu fermeras, Bolkestein !

Le portier a le souffle coupé ; stupéfait, il regarde partir cet homme sec avec son curieux fardeau. Il retire les goujons du sol et ferme la porte.

En haut, Johan se tient debout près de l'escalier de marbre blanc. On dirait un général qui regarde se replier ses troupes. La fête est finie, les gens rentrent chez eux. Ils cherchent leurs manteaux, leurs clés de voiture et mentalement, ils ont déjà franchi la porte. Johan leur a serré la main, a entendu leurs mots de remerciement et leurs compliments ; maintenant il prête l'oreille à ses propres pensées. Quelque chose cloche : malgré les éloges, la disposition parfaite de son œuvre, la présence d'agents étrangers si ardemment souhaitée et la cote montante de ses toiles, ce n'est pas un triomphe. Johan enregistre et met une croix sur les vœux de sa liste : il a tout eu, il a remporté son succès. Pourquoi reste-t-il un fond d'inquiétude, pourquoi y a-t-il un sentiment de désir inassouvi quand tous les désirs ont été satisfaits, toutes les attentes comblées ? En voilà trop, trop, trop ; mais pas assez. Il est retenu par le gros dindon écossais qu'il a vu zigzaguer tout l'après-midi au milieu du monde.

— Excusez-moi de vous aborder ainsi, monsieur Steenkamer, je suis d'en face, du National, la secrétaire de M. Steenkamer, votre frère donc, qui porte le même nom, c'est si étrange, mais je voulais donc vous demander, il n'est toujours pas là, il est de nouveau reparti – où il est, donc, le savez-vous ?

Keetje a les lèvres qui tremblent. A vrai dire elle a un gentil minois, pense Johan. Belle peau blanche, yeux bien placés. Des lunettes papillon par-dessus. Ainsi donc, c'est elle qui tape à la machine les notes secrètes que tout le monde voudrait lire. Elle a l'air incorruptible. Johan lui tend la main.

— Enchanté de faire connaissance, madame. Vous feriez mieux de rentrer chez vous, je pense. Mon frère est assez imprévisible. Maintenant, s'il est parti, il ne reviendra sûrement pas. C'est presque fini, vous le voyez vous-même.

— Oui, je suis un peu inquiète. Il a été si bizarre. Il a brusquement disparu.

— Très gentil de votre part, mais vous travaillez pour lui, n'est-ce pas ? Vous devriez donc savoir qu'il se comporte parfois d'une manière étrange ! Allez chercher votre manteau, tout ira bien.

Kee descend l'escalier en secouant la tête.

Trop, mais pas assez ; tout le succès du monde, mais pas de père pour l'en écraser. Ou pour le lui montrer, pour qu'il soit fier de son fils.

Trop bu, c'est ça. Mais pas assez ! Johan fait demi-tour, pour aller chercher encore quelque chose à boire. Ce soir, ils trinqueront aussi longtemps qu'il voudra.

— Alors mon garçon, tu es content ?

Klaas Dissel pose sa main sur le bras de Johan et le pince amicalement. Johan lève les yeux vers le visage ovale.

Je n'ai qu'à penser à un père et il en apparaît un. Je veux faire son portrait, debout, nu. Pas en chair, mais en bois. Du bois non verni, poli, dont on verrait les ner-vures. Vivant mais échappant à la putréfaction. Le sexe en bois de racine, brillant. Il ne voudra jamais. Ou si ? Ça ne le gênerait pas. Ne pas demander maintenant. C'est trop.

— Sais-tu, Johan, que tu as laissé partir cette femme adorable, c'est tellement dommage. J'étais toujours tel-lement attaché à elle. Mais je ne dois pas en parler main-tenant, c'est ton jour. Tu vas vendre beaucoup, ils se battaient pour t'avoir. Fais bien attention, ne fais pas de promesses stupides.

Attaché à elle. Oui. Oui. Elle n'aurait jamais dû mettre les pieds dans ce bureau farfelu, elle serait encore dans mon lit à l'heure qu'il est. A l'arrière-plan, hors de son champ de vision, je mets une scie et une hache. Et dans le ciel un éclair, ou ce serait un peu trop ? Plutôt un ciel d'été bleu, c'est beau avec la couleur bois. Une ancienne scie de bûcheron aux dents étincelantes.

— Je m'informerai, tu peux en être sûr. Maintenant je vais voir si Kees a un whisky pour moi.

— Fais-le, mon garçon, il faut que tu boives un bon coup, un soir comme celui-là.

Dissel voit une mèche de cheveux au-dessus du visage aux yeux fermés, une jupe qui traîne par terre. C'était il y a longtemps. Je n'aurais pas dû lui parler de ce mariage. Ellen sait ce qu'elle fait. De quoi je me mêle ? Je sors, ça me fera du bien de marcher dans le vent.

Oscar est à peine dehors que le tableau lui est arraché par le vent et se gonfle comme une voile sur le trottoir. Oscar court à sa poursuite, effrayé, et tente de le soulever. Vent contraire. Gouttes de pluie. Maintenant il s'agit de traverser la rue, c'est ce qui prime. Ensuite, le boulevard : sous les arbres, c'est calme et moyennement sombre.

Ici, des gens marchent et des automobiles passent en trombe. La posture verticale n'est pas indiquée pour la traversée, le vent aurait plus de prise sur la toile. Oscar perd l'équilibre et chancelle juste devant une voiture qui passe, klaxonnante. Au milieu de la chaussée, il prend la toile contre lui, avec le risque que la circulation qui déferle en arrache la moitié au passage.

Un cycliste se pointe le doigt sur le front.

Un taxi, pense Oscar, mais ça ne va pas, l'objet est trop grand. Si ce vent tombait, au moins. Je dois réfléchir aux techniques de navigation à voile. Tirer des bords. Avec un vent de front, on ne peut que naviguer en arrière, ça ne m'avance à rien. Mieux vaut la porter en l'air, comme dans le grenier, c'est ce qui allait encore le mieux. Je ne tiendrai pas longtemps : mal aux bras. Idiot, de peindre de si grandes pièces. Ça mène à rien. Bon Dieu, mieux vaut ne pas croiser des gens maintenant. Un portrait de dame avec des pieds d'homme qui bougent dessous, les chiens vont se jeter sur elle, sur ce la police va accourir, ça va crier.

Il se glisse entre les feuilles mortes, ses lunettes sont embuées ; il ne voit presque rien. Le vent secoue la toile. Elle faseye, la rafale n'a presque plus de prise, des branches arrachées sont tombées sur la chaussée. Prendre la toile de front, dans la largeur, en oblique devant son ventre ? Il entoure le cadre de ses bras et le tient en l'air. A chaque rafale de vent, un craquement énorme se fait entendre aux deux extrémités. Danger de brisure. Pas bon. Peux pas non plus bouger les jambes, comme ça. Qu'ai-je entrepris ? C'est bien plus loin qu'il n'y a un instant. Les femmes africaines portent bien des barils d'eau sur leur tête ! Il dépose la toile par terre, à la verticale, et place sa tête contre la toile, juste au milieu. Puis il se relève, portant avec effort la toile au-dessus de lui, bras tendus. Comme une chauve-souris géante.

Le vent fait culbuter la toile, celle-ci frappe Oscar tellement fort dans le pli des jarrets qu'il en tombe presque. Avec un grincement, elle se gonfle au vent, traverse le pavement, se soulève puis s'abat sur l'herbe du bord de la chaussée. Oscar va s'asseoir à côté. Une table de ping-pong. Il pleut.

C'est désespéré. Hisser la toile de nouveau : sur l'herbe ce sera peut-être plus facile. La traîner, s'il le faut en ratissant les crottes de chien. Elle s'accroche dans les branches et les saloperies qui traînent entre les arbres. Mieux vaut recommencer à soulever, alors ? Je n'en peux plus, mes bras n'y arrivent plus. Pas de conneries, tu n'as qu'à soulever. Pas trop vite, bien se cramponner. Jésus, ce vent !

Bousculé par une tornade, Oscar traverse la toile. Pendant sa chute, il ressent une douleur lancinante dans le bas de la jambe. Il atterrit sur la toile, retire sa jambe : il a perdu sa chaussure. Le pantalon est déchiré du genou à la cheville, le sang jaillit de la peau pâle. Il ne sent plus rien. Il cherche la chaussure sous la toile et la tire vers lui. Il tremble. Des larmes lui courent le long du nez. A côté de la tête d'Alma il y a un grand trou dans la toile. Il est trop haut pour qu'Oscar puisse regarder à travers pendant la marche. Sur le tableau il y a des taches noires et verdâtres. Des feuilles y adhèrent. Un tableau automnal.

— Je peux t'aider ?

Un homme rigolard marche en direction d'Oscar. S'en aller, continuer son chemin, mais comment ? Oscar essaie de trotter et s'écrase contre un platane. Les lunettes lui tombent du nez, il les entend cliqueter sur les pierres. Il cherche à quatre pattes, Alma est stationnée contre l'arbre, l'affreux bonhomme se serait-il lancé à sa poursuite, va-t-il lui donner des coups de pied et le renverser ? Mieux vaut continuer, sans lunettes. Il traîne la toile comme une remorque derrière lui, bringuebalante sur les pavés de la chaussée. Sa tête fait une trouée dans le vent et il respire en hurlant et en vitupérant. Il pleure mais il ne le sait pas.

Contre la façade latérale du Musée municipal, il peut déposer son fardeau pour en ôter le feuillage resté accroché. Le visage d'Alma s'assombrit vaguement dans son champ de vision défectueux. Il passe la manche de son veston par-dessus.

— Je le fais pour toi. Je dois le faire. Pensais-tu que je trouvais agréable de glisser sous tes yeux des pièces à conviction de ce prétendu père ? Hein ? Pensais-tu que j'y prenais plaisir ? Que c'est pour m'amuser que je prends le risque que tu ne regardes plus que lui ? Vois-tu, je préférerais flanquer tout le saint-frusquin dans le canal, tu m'entends ! Mais je dois le faire. Je le dois.

Il est accroupi devant le tableau et parle de plus en plus vite.

— Je le fais pour toi ! Je n'ai jamais ouvert la bouche : Johan par-ci et Johan par-là. Et où était Oscar ? Dans le salon, derrière, à la traîne, oublié. Il faut seulement que tu voies qu'il ne sait pas tout faire, qu'il n'est pas le peintre le plus original depuis Michel-Ange, ton enfant prodige. Moi aussi, je suis là.

Il sanglote en parlant à sa mère. La pluie lui ruisselle dans le cou en même temps que sur le vernis bosselé derrière lequel elle est emprisonnée.

Si les relations entre adultes ne veulent pas démarrer ou échouent dans un silence revêche, ce sont les enfants et les chiens qui amènent la distraction. Ils renversent les verres et ce faisant, ils réunissent les femmes autour de l'éponge et de la bassine, les bruits qu'ils font engagent les hommes à se regarder en riant.

De tels briseurs de glace n'existent plus dans la famille d'Alma, mais ses petits-fils sont entraînés à cette fonction et connaissent leur devoir. Ils rassemblent les chaises disponibles dans la grande salle et encouragent ceux qui sont restés à prendre place. Paul dispose les amuse-gueules restants sur un plateau et les présente à la ronde. Peter s'est penché sur la réserve d'alcools avec le directeur et sert du whisky, du genièvre ou du vin au choix.

C'est terminé. Il est temps de prendre une profonde inspiration et d'étendre ses jambes. Temps de regarder tranquillement autour de soi pour voir qui est encore là, qui n'y est plus.

Zina n'est pas venue s'asseoir dans le cercle, elle est adossée au mur et parle avec Kerstens. Elle essaie de l'intéresser aux objets exposés dans sa galerie, lui montre son tour de cou. Il laisse glisser son regard au-dessous, vers les seins bordés de vert. Il contient un rot et avec son verre à whisky, il adresse à Paul un geste interrogateur.

— Tu es à la rédaction des émissions artistiques, n'est-ce pas ? demande Zina. C'est très bon, tu sais, tout ce que j'ai. Tu ne veux pas venir voir, une fois ?

— Que je vienne voir ta marchandise, oui, tu veux ?

— Oui, c'est chouette. Et si ça te plaît, tu pourras peut-être l'y mettre.

— Oui, oui, la nénette de cette nuit me l'a dit aussi ! pouffe Kerstens à travers un nuage de fines gouttelettes de whisky. Excuse-moi, ma fille, je n'ai pas pu me retenir.

Zina, qui avec sa manie de la publicité s'est laissé entraîner trop loin, change de cap.

— Tu sais quoi, tu me donnes ta carte et je te téléphone la semaine prochaine, c'est d'accord ?

— Je peux te tatouer ?

Kerstens prend un feutre dans la poche de son pantalon et écrit un numéro dans son décolleté. Ça chatouille, Zina glousse, elle sent sa proie à nouveau solidement attachée au bout de la ligne. Gagné.

Si la femme aux poissons pouvait regarder, elle verrait le groupe des personnes assises à ses pieds en fer à cheval. D'un côté, Johan, qui ne réussit pas à se détendre et reste immobile avec un reste de vigilance, sur le bord de sa chaise, comme si ce n'était pas encore terminé, comme s'il attendait encore quelque chose. Le directeur, assis à côté de lui, a posé la bouteille sous sa chaise. Il est repu et comblé.

Au milieu, Lisa est flanquée de Peter et de Paul. Elle recule un peu sa chaise, son humeur introvertie ne l'a pas quittée et elle s'adonne à une observation apaisée. Elle voit le regard d'Ellen s'égarer sans cesse vers le coin de la salle où Zina est en train de rire avec le journaliste. A droite de son amie est assise Alma, qui n'a pas bougé de sa place de tout l'après-midi. Elle aussi regarde par-dessus le cercle vers l'entrée de la salle, elle attend mais ne voit rien venir.

— Nous devrions avoir un feu de camp, dit Paul.

— Eh, les copains, pensez à ma prime d'assurance !

Le directeur sort la bouteille et remplit le verre de Johan.

— Raconter des histoires, chacun son tour doit raconter un morceau de l'histoire, je trouvais toujours ça tellement captivant, autrefois. C'est à Oma de commencer !

Ellen sourit à son fils. Derrière lui, elle voit une fille de presque vingt ans maintenant, une jeune femme au cou gracile et aux traits purs. Ses longues jambes de pouliche ont encore une motricité infantile, comme si elle marchait pour la première fois sur des talons hauts. Il n'y a pas de chaise pour elle et elle disparaît.

— Chers amis, restez un moment ici, pour ma part cela peut durer toute la nuit, le portier pourra vous ouvrir à tout moment. Je vous souhaite un agréable repas et un bon appétit !

— Viens donc aussi, mec, marmonne Johan, pourquoi dois-tu partir, en fait ?

— Une réunion ennuyeuse demain, je veux encore vérifier des trucs ; non, je suis ravi de cette invitation mais je ne peux hélas pas l'accepter. Madame, ce fut un plaisir !

Alma a droit à sa main, les jeunes dames à une bise, les garçons à une tape sur l'épaule. Johan l'accompagne jusqu'au passage. Le directeur l'enlace et lui passe solennellement la bouteille de whisky à moitié vide. Ses pas rapides s'évanouissent à travers la première salle. Viens t'asseoir près de nous, dit Johan à Zina, avec tiédeur. On s'en prend encore un avant de partir ? Kerstbal, je peux remplir ton verre ?

Donk, *donk*, donk, *donk*, entend Lisa. Elle parcourt le cercle des yeux. Johan est allé se rasseoir. Personne ne semble rien entendre. *Donk, donk, donk, donk !* Est-ce le battement de son propre cœur ? Elle essaie de laisser tomber ses épaules. De se caler au fond de son siège. Calme maintenant, se détendre, il n'y a rien. Les coups sourds sont suivis d'un bruit languissant, grinçant. A la tête que fait Alma, Lisa voit qu'il se passe quelque chose de sérieux. Elle fait un demi-tour sur sa chaise et voit Oscar entrer dans la salle, presque entièrement dissimulé derrière une palissade grisâtre.

Alma respire vite, elle veut dire quelque chose mais rien ne vient. La compagnie regarde, médusée, ce qui est en train de se passer.

Il y a quelque chose de grave, pense Ellen, il a perdu ses lunettes et son pantalon est déchiré. Il saigne.

Oscar ne regarde personne. Son regard est tourné vers la femme aux poissons et il part dans cette direction, trimballant des deux mains son fardeau de la taille d'un homme. Il grimpe sur le podium. A son mollet apparaît une écorchure profonde, sanglante. Il tire l'objet plat vers le haut. Des feuilles en tombent. Il le retourne avec difficulté et le place contre le mur, à côté du chef-d'œuvre de Johan. Les deux bras en l'air, il le presse contre la cloison. C'est un tableau. Il y a un grand trou en haut, sur le coin gauche. La toile ondule quand Oscar recule. C'est un tableau. Maintenant il y a deux tableaux côte à côte sur le podium.

Zina sent venir l'orage. Son intuition lui dit : Décampe d'ici. Pour une fois, elle ne saisit pas ce qui se passe précisément, mais elle a l'infaillible intuition qu'elle, et sûrement aussi son interlocuteur, ne doivent pas se trouver là. Ici, quelque chose va éclater qui ne la concerne pas, mais dont le feu pourrait facilement la brûler. Elle presse doucement sa hanche contre la cuisse du journaliste :

— Je connais un endroit chouette où on pourrait continuer à parler. Viens donc avec Zina, tu vas voir !

Elle se poste devant lui et se penche pour arranger quelque chose à sa chaussure. Un instant, ses seins pendent dans leur encadrement vert. Kerstens est pigeonné. Il est trop gris pour se douter qu'il va manquer la plus alléchante primeur artistique de l'année, mais il lui reste juste assez de lucidité pour se réjouir de mettre les bouts avec la petite amie du héros. Il fait demi-tour et se laisse prendre en remorque derrière Zina. Par-dessus son épaule, elle regarde en direction de Johan : je le fais pour toi, et pour l'art !

Taxi, plaisanteries, badinage préliminaire. La tête sur les genoux de Zina, l'envoyé spécial, fourbu, s'endort sur la banquette arrière ; cela posera peu de problèmes, elle doit se lever tôt demain.

*

Dans la grande salle règne un silence glacé. La lumière blanche, dure, vient de partout. Il y a deux tableaux sur le podium. Sept personnes regardent. La femme aux poissons a maintenant une sœur aux cheveux blonds qui porte une veste de velours. Elle a des yeux bleus comme de la glace et une bouche magnifiquement dessinée, aux lèvres étroites. Dans ses bras, la femme porte un gigantesque maquereau fumé. Sa tête repose sur son coude. Sous le velours noir s'évase une jupe longue dont les fronces ont des reflets dorés.

Les petits pieds nus sont debout sur le parquet. Dans les planches ont été gravés des lettres et des chiffres : Steenkamer, 1945 ; *Alma avec maquereau.*

Presque un demi-siècle, pense Alma. Dieu, que je haïssais ce poisson. Je devais le tenir de cette manière, et je l'ai fait tout en sachant que j'étais en train d'empester irrémédiablement ma plus belle veste. Ça ne sort jamais, cette puanteur. On ne peut pas laver le velours. Que n'ai-je pas essayé. Le savon. L'eau écarlate. L'eau de Cologne. Des auréoles indélébiles sont restées sur les manches.

Alma avait jeté la veste ; ça sentait toujours le poisson. Et quelle faim ! Charles était rentré à bicyclette avec un gros paquet de papier journal. Sur la table, il avait dénoué les cordelettes : un poisson d'une taille jamais vue, avec des ondulations grises et dorées sur la peau et des yeux ronds, brillants. Il y avait des taches de graisse sur le journal, la bave lui montait à la bouche. Alma avait dû mettre sa robe du soir et poser. Pleurant de faim à l'intérieur, elle resta là, le poisson contre sa poitrine, des heures entières.

Il l'avait reçu d'un poissonnier dont il avait peint la misérable prame, la femme ou le chien. Le poisson pour l'art.

Lorsque Alma eut la permission de le reposer par terre un instant, elle essaya d'en extraire les fibres grasses à l'aide d'une fourchette. Ça le rendit furieux, elle abîmait l'épine dorsale, elle n'allait pas bien dans sa tête, elle démolissait son travail ! "Le poisson d'abord, cria-t-elle, jette ce dos sur la toile, après on verra." Ils restèrent tous deux silencieux dans la pièce froide, fulminant de rage. Deux jours plus tard, le poisson était peint. Un dos gras, rond. Rondelet. Alors Alma évida le poisson et en remplit des assiettées et des assiettées. Elle bourra la peau avec du foin qu'elle prit dans une meule et sentit encore durant des semaines la peau de poisson pourrissante dans ses bras. La nuit, il allait sur le balcon, recouvert de la cuvette.

Etonnant que les voisins ne se soient jamais plaints de la pestilence ! pense Alma. Jamais plus je n'ai vu de maquereau aussi gros. Le poisson fumé, je trouve ça désagréable, ça colle aux mains. C'est moi, là, avec ce visage blême, intact et cette posture rectiligne.

Le silence règne toujours dans la salle. Oscar est comme cloué au sol devant le podium. Maintenant Johan se lève. Il flanque le verre à whisky par terre. Une grêle d'éclats de verre : l'annonce fiable d'un désastre.

— Bon Dieu de bon Dieu, Oscar.

Sa voix est inquiétante, étranglée. Oscar tourne doucement la tête et regarde en direction de Johan.

— Ce n'était pas assez, nabot jaloux, tu ne l'avais pas fait mettre assez explicitement dans le journal ? Il fallait encore que tu viennes la nuit, et mal à propos, jouer un mauvais tour ? On ne peut pas te faire confiance, tu sais ! Tu n'es qu'un traître, une mocheté, un couillon envieux !

Plus Johan parle, crie, plus ses muscles sont tendus. Le tempo est accru, la fusillade de ses propres insultes excite en lui le besoin d'action. Il s'élance sur Oscar qui est toujours immobile, d'abord menaçant, puis vite, puis comme l'éclair. Il saisit son frère par la gorge et le secoue en rugissant.

Oscar manque d'air, ses frétillements ne sont pas délibérés mais semblent provenir de la moelle épinière. Les réflexes de Johan sont amoindris par l'alcool et un instant, il desserre son étreinte, quand il se laisse surprendre par un brusque changement de posture d'Oscar.

Oscar fait des moulinets en tous sens avec ses bras, comme un naufragé en danger de mort. Par malchance, il atteint le nez de Johan. Ça fait mal, Johan porte son bras au visage et se recroqueville. Alors Oscar pique un sprint, une course de taupe, au jugé. Au même moment, Alma s'est levée.

La bagarre. Les garçons se battent. Impossible de partir, ce n'est pas encore fini. Alma va vers Oscar et essaie de le tirer par la manche. Il l'écarte et se précipite dans le couloir, traverse la salle, dévale l'escalier. Alma tombe. La canne est encore sous sa chaise.

Belle pose, pense Johan. Magnifique, ce gris et ce bleu argent près du visage bleu pâle. La position des jambes révèle l'infirmité, une double immobilité, joli spectacle. Bon Dieu, du sang sur mon costume. Si mon nez est cassé, je le mets en miettes, je l'assassine, cet enfoiré d'hypocrite.

Furtivement, il palpe le nez sous le mouchoir ensanglanté : il ne semble rien y avoir de cassé. Tout fait mal.

Os cassé. Je dois entrer en action. Je suis médecin, pense Lisa. Elle repousse les débris de verre sur le côté et s'agenouille auprès d'Alma. Respiration, taille de la pupille, pouls, position des membres. Ecouter, palper, sentir, regarder. La perte de connaissance n'est pas profonde, déjà elle revient à elle. La jambe droite est tournée contre nature. Ne pas toucher, ne pas bouger. C'est affreux, ce qui doit se passer là-dedans : des éclats d'os qui se plantent dans le périoste, des veines en lambeaux qui s'égarent sur un terrain non approprié, des nerfs encombrés comme des lignes téléphoniques aux heures de pointe, chaos et désarroi. Porte-t-elle un corset, dois-je le lui desserrer ? Lisa palpe doucement le ventre d'Alma puis passe sa main dessous : mouillé. La soie bleue s'assombrit avec l'humidité et une âcre odeur d'urine s'élève. Maintenant elle voit l'urine se répandre lentement entre les jambes de la vieille dame.

— Je ne peux pas l'arrêter, murmure Alma, ça coule tout seul.

Pas uriné de tout l'après-midi, naturellement. Vessie pleine. Plus aucun contrôle du fait de la douleur, du fait de la syncope, du fait des dommages causés aux nerfs. Quelle pestilence. C'est flétrissant. Sans espoir.

Aussitôt que sa grand-mère est tombée, Peter a foncé dehors, il appelle déjà le portier en dévalant l'escalier : une ambulance, les urgences, on doit faire venir un médecin !

Quand il arrive en bas, le portier a déjà le téléphone en main. Il parle brièvement :

— Ils seront ici dans cinq minutes ! Je vais ouvrir un peu les portes.

Paul est assis par terre près d'Alma. Il lui tient la main et lui parle à l'oreille.

— Ça ne fait rien, Oma. Tout va bien se passer. Nous allons à l'hôpital. Je vais avec toi. Tu as quelque chose de cassé. Ça va aller.

Lisa est allée chercher une serviette éponge qu'elle tend à Paul. Il la dépose entre les jambes d'Alma et éponge la pisse sur le sol.

Ellen est toujours clouée à sa chaise, elle regarde les tableaux. La chute d'Alma est tout simplement de trop. Elle enregistre l'événement mais elle se replie sur elle-même dès qu'elle voit accourir les troupes de renfort.

C'est sa faute, pense-t-elle involontairement. Quand on maltraite et gaspille ainsi ses enfants, on ne doit pas être surpris si on est puni.

Quelle méchante, quelle terrible pensée. Heureusement, Peter et Paul sont plus gentils que moi. Johan ne fait rien non plus. Elle exige toute l'attention, avec sa hanche cassée, mais celui qui est vraiment cassé ici, c'est Johan. Plagiat. Sans qu'il s'en soit rendu compte.

Sur les genoux du père, disait Lisa. Lui aussi, ainsi donc lui aussi ! Ellen observe Johan. Il s'inquiète de son nez, des taches sur sa chemise, il donne des coups de pied dans les éclats de verre qui l'incommodent.

Il ne s'en rend pas compte. Il ne peut pas s'empêcher d'avoir mal, son nez accapare toute son attention. Ce qui lui reste, il s'en sert pour injurier Oscar. Il ne sait pas encore qu'il est au bord du gouffre.

— Il faut que quelqu'un appelle *La Carpe*, dit Johan.

Lisa s'en chargera. Elle descend au rez-de-chaussée, heureuse de pouvoir à nouveau remuer. Circonstances familiales, hélas. La vieille dame. Non, pas morte. Bon rétablissement, alors. Drôle de formule. On devrait donc aussi s'attendre à un mauvais rétablissement, mais non. Oscar souhaite à Johan un mauvais rétablissement. Je dois me retirer un moment avec une cigarette. J'aimerais bien un apéritif. Mieux vaut pas, maintenant. Les circonstances m'appartiennent, pas la famille. J'ai bien le droit de me retirer un moment.

L'ambulance est arrivée et stationne sur le trottoir avec les portières arrière ouvertes et des clignotants allumés. Deux hommes aux épaules carrées tirent le brancard à l'extérieur. Ils portent des combinaisons blanches. Le plus âgé a une grande moustache, un gros ventre et une calvitie naissante sur sa tête ronde. C'est lui le responsable. Le plus jeune était au volant.

— Une vieille dame. Tombée, dit le portier.

— La hanche, sûrement ? Prends tout de suite le matelas pneumatique au fond de la voiture et pose-le sur le brancard.

Le portier précède les hommes vers le monte-charge.

L'homme à la moustache siffle d'admiration en entrant dans la première salle encore pleine de verres et de bouteilles.

— Tu crois qu'ils nous serviraient encore une Pils, Sjon ? Là-derrière c'est sûr, allez viens, elle n'aurait pas dû jouer au football.

Ils poussent le brancard à bonne allure dans la salle où Johan et Ellen sont encore assis face à face. Entre eux deux, la femme qui est tombée est couchée par terre, un petit-fils de chaque côté.

— Et voici le marchand de glaces ! avance Sjon, joyeux.

La plaisanterie se meurt dans le silence.

— Oma, dit Paul, les infirmiers de l'hôpital sont là, ils sont venus nous chercher. On y va maintenant.

— Mais je ne peux pas marcher, mon petit, il faut qu'ils me portent. Tu restes, toi, hein ?

— Tu vas aller sur le lit, ils l'ont amené avec eux.

— Couchée ?!

Alma écarquille les yeux. Au-dessus d'elle se penche un visage rond, bonhomme, orné d'une moustache brun-roux. Les cheveux pendent raides, comme une ancienne brosse de cuisine.

— Vous m'entendez, petite madame ? Nous pensons que ce n'est pas du tout cuit, là-dedans. Nous allons bien vous caler parce que vous ne devez pas bouger.

Sjon montre à Alma le paquet orange et le déplie.

— Une sorte de lit gonflable. Un matelas de campeur. On le glisse par en dessous. Autour de la jambe. Et vous êtes plastiquée !

— Sjon, tu flanques la frousse aux patients, avec ton "plastiquer". Regardez, petite madame, on va vous mettre une bouée.

Il fait glisser très doucement le plastique sous le corps d'Alma, soulevant au minimum du sol sa jambe blessée. Sjon est agenouillé sur le matelas et tient la jambe d'Alma dans sa position. Les relents de pisse ne semblent pas incommoder les deux sauveteurs.

— Et maintenant, je le replie vers le haut et il est autour de la jambe. Ensuite, je retirerai le bouchon et il va se gonfler, comme si on pompait votre lit, d'accord ? Tout autour de votre jambe, bien solidement. Un plâtre d'air, en quelque sorte.

Une moustache, un campeur, un plasticage ? Alma a décroché. Elle se cramponne à la main de Paul. Les yeux fermés.

Le matelas orange s'agrandit jusqu'à devenir un véritable canot de sauvetage dans lequel la jambe est ancrée solidement. Ils glissent prudemment l'ensemble sur le brancard. Paul ramène à bord les bras d'Alma.

— Maman, nous allons à l'hôpital. Tu viens aussi, tout à l'heure ? Ou bien je dois te téléphoner ?

— Oui, dit Ellen, ou non. Je ne sais pas. Je vais vous appeler là-bas, dans une heure à peu près. Si tu restes. Son sac, emporte son sac.

— Et la canne ? Quoi d'autre encore ?

— Celle-là, je l'emporte, mon chéri.

— Et voilà, c'est parti pour un petit tour, madame. Doucement, on va prendre l'ascenseur, et ensuite, vous aurez droit à la promenade en bateau. Deux passagers supplémentaires ? Et le cabas de la dame ? Ça gaze ? C'est bon, on y va !

Sjon devant, Snor derrière, Peter et Paul de chaque côté. Alma est couchée, pâle, les yeux fermés sur le brancard, attachée solidement par des ceintures gris argent. Que la lumière est violente, on se croirait un jour d'été. Dans la barque avec Charles, se balançant à vau-l'eau. Où sont les poissons, il avait attrapé des poissons pour moi. Tout est parti, introuvable. Pourquoi ne dit-il rien ? Pourquoi est-il resté si calme tout l'après-midi ? Interdit de parler, sinon ils ne mordront pas, tu les effarouches, tais-toi ! Il regarde le bouchon. Il veut partir. Je dois sortir du bateau, je dois me coucher dans l'herbe là où le sol est ferme et ne bouge pas au-dessous de moi. Je dois nettoyer les poissons sinon ils vont pourrir. Le couteau, je vais les ouvrir et en extraire les viscères, attention à la vésicule, si tu l'oublies à l'intérieur, le poisson sera immangeable.

Je les ouvre de la tête à l'anus, en un seul mouvement. Le poisson dégringole dans le vide et je suis perdue. La grande chute a commencé.

9

UN HÔTE AÉRIEN

Ça y est je l'ai fait, ça y est je l'ai fait, ça y est je l'ai fait !

Sur le rythme de cette pensée, Oscar parcourt les rues d'un pas énergique. Le fait que l'accent tombe une fois à droite, une fois à gauche, rend sa démarche sautillante : une danse rapide, pleine d'allant. Ses yeux à demi aveugles enregistrent la lumière des étalages comme des lignes blanc-jaune, et les passants comme de noires interruptions dans ces lignes. Qu'a-t-il donc fait ?

Qu'ai-je donc fait ? Cassé le nez de mon frère par mégarde, renversé ma mère sur mon passage, pas exprès. C'est arrivé. Je l'ai fait. Ils ne l'auraient jamais cru, oh non, Oscar sera gentil, il s'adaptera, c'est ce qu'ils croyaient. Non seulement je lui ai cassé le nez, mais j'ai brisé sa réputation tout entière ! Elle, je m'en suis débarrassé. Je suis libre !

Maintenant je peux aussi avoir un aquarium. Pas d'animaux à la maison, disait-elle. C'était des obligations et de la saleté. Bon, d'accord, si elle pensait aux chats et aux chiens. Un chien qui pose son museau sur ton pantalon avec des filets de bave. Qui grogne quand tu rentres dans ta maison. Un chat que tout le monde regarde avec admiration si bien que tu es gêné de vouloir le jeter par la fenêtre. Un chat qui te saute sur les genoux brutalement, dont tu sens les griffes s'enfoncer dans la chair de tes jambes à travers le tissu, ces griffes malpropres qui, il y a un instant, fouillaient encore, sous l'évier, dans la litière nauséabonde. S'évanouir de dégoût, ravaler la vague de dégueulis, faire un effort sur soi-même en tendant la main sous le ventre du chat, le soulever, le lâcher trop haut, de sorte qu'il tombe et que les gens te regardent avec un air de reproche. Tes doigts sentent le poil de chat, tu les essuies à la dérobée sur le canapé. Non, pas ce genre d'animaux. Mais un simple bocal à poissons avec de l'eau claire et des pierres blanches. Le poisson rouge est l'animal le plus propre, il ne fait rien d'autre que se laver, il ne nage pas, il se baigne. Je le nourrirais chaque jour à la même heure, il me connaîtrait et monterait à la surface à mon approche. Il serait sur mon bureau, sous la lampe.

— Alors tu ne travaillerais plus bien, dit Alma. Ça distrait, une telle bête devant ton nez. Pas question que tu reçoives ça, imagine autre chose pour ta liste de desiderata.

Oui, des heures durant je regarderais le poisson. Comme il se lave à travers l'eau. Son corps lisse, hors d'atteinte, avec son armure d'écailles. Quand il mange, la nourriture convertie s'échappe sous la forme d'un fil noir comme le catgut, qui tombe au fond et disparaît entre les pierres. Peut-être en achèterais-je un autre après un temps, un plus petit, pour voir comment le poisson, avec les droits du plus ancien, repousse le nouveau venu et le fait attendre jusqu'à ce qu'il ait lui-même assez mangé. Peut-être le vieux va-t-il mordre le jeune, ce sont des carnivores. Ils dévorent tout.

— Un aquarium, ça se nettoie. Et qui va le faire ? demande Alma, toujours accusatrice. De plus, il va y avoir des fuites : une brisure dans la glace et soixante litres d'eau déferlent par terre. Soixante litres ! La pièce est inondée, le parquet se met à pourrir, la maison s'effondre !

Johan voulait un chien. Pour jouer au maître, sûrement. Mais il ne l'a pas eu, heureusement. Pas ma faute. Alma. Elle était le maître. Pas de contestation possible. Jusqu'à aujourd'hui. Les restes de son mari, je les lui ai mis devant son nez. Pour qu'elle soit bien forcée de regarder. Les reliques. Pour qu'il soit réellement disparu. Une place vide. Le chef de famille, l'homme de la maison. Moi.

A présent ils ne vont plus me marcher sur les pieds, me commander ni me faire attendre. Ils vont enfin me prendre au sérieux. Après ce que j'ai fait.

Il a saigné. Elle est tombée. Ils vont me tuer. Ils ne vont pas du tout m'écouter parce que je n'aurai plus le droit d'entrer !

Oscar ressent un picotement à l'estomac. Immobile, il frissonne.

Seul sur terre. Repoussé, banni. Plus de mère ni de frère. Ellen accepterait-elle de me voir ? Non, elle choisira quand même Johan en fin de compte. J'ai commis un crime sans nom. Je n'ai pas réfléchi. Si j'avais été capable de penser, je n'aurais jamais osé. Je n'ai plus personne. Si Bolkestein raconte ce que j'ai fait, je perds aussi mon travail.

Le conservateur qui donne un coup de pied à travers une toile ! Qui traîne sous la pluie les propriétés du musée, sans discernement !

Il faut me calmer maintenant, me calmer ! Réfléchir. Keetje, ferait-elle encore, pourrais-je encore, ou bien elle aussi… ? Déçue naturellement, je l'ai plantée sans raison. Elle m'a aidé et je l'ai laissée seule là-bas. Si elle apprend ce que j'ai fait, comment j'ai abusé de son aide… elle va me claquer la porte au nez. Où habite-t-elle au fait ? Je ne le sais même pas. Il faut me calmer. Essayer de penser lentement. Je dois fuir. Ils m'attendent devant ma porte, cachés sous le portique. Non, je n'irai pas là-bas ! Et alors où ? Je peux aller vivre dans les cafés, en passant de l'un à l'autre. La nuit dans les cabarets, sur le port. S'ils me disent quelque chose, je fais semblant d'être sourd. Sourd-muet, c'est le mieux. Partout, assis sur une chaise en bois, je regarde. Mais je n'ai pas de lunettes. Ni d'argent. Au port, l'eau. Alors je pourrai penser. Là il n'y a pas d'automobiles et pas de lumières vives comme ici.

Oscar hâte le pas. La jambe de pantalon déchirée flotte autour de son mollet blessé et les clés cliquettent dans sa poche.

Peut-être pourrais-je dormir dans le grenier du musée ! Là il ne monte jamais personne, et si quelqu'un vient, on l'entend. On peut bien se cacher, là-haut. Comment faire pour entrer ? Ils vont m'arrêter ! Je dois perdre les clés, s'ils les trouvent sur moi, ce sera des pièces à conviction, et alors ils vont me coffrer. Je dois les perdre ! Ici ce n'est pas bon. Trop de gens qui me voient. Si je les cache dans une poubelle, quelqu'un va venir voir dès que je me serai éloigné. Alors ils vont me suivre, m'enfermer, me punir. Je dois partir d'ici. Continuer mon chemin. Ici, c'est tellement vaporeux. Est-ce qu'ils me regardent ? Ils m'épient, je m'en doute bien. Les femmes sont assises aux fenêtres dans leur plus belle robe, elles m'appellent, elles tapent contre la vitre : si je reste là, leur homme apparaît et il me frappe dans la nuque du tranchant de la main. Ça se passe comme ça. Mais je ne tombe pas dans le panneau ! Je ne regarde pas, je continue. Même s'ils agissent gentiment, même s'ils disent : Viens près de moi, chéri ! C'est un complot et je dois fuir.

Quand je serai en sécurité, je banderai ma jambe. Je ferai un pansement avec ma chemise. C'est blanc. J'ai plus d'un tour dans mon sac, ah oui ! Une barbe me pousse parce que le rasage, c'est fini. S'ils m'amènent pour l'identification, le regard d'Alma glissera sur moi. Non, ce n'est pas mon fils. Mon fils porte des lunettes, vous savez.

Dans le quartier où Oscar marche à présent, il reste seulement quelques maisons habitées. La distance entre les lampadaires est devenue plus grande et la lumière, rare, tombe sur les sociétés d'armateurs, les bureaux et les entrepôts. Au-dessus de l'eau, un pont conduit à une île sombre avec des chantiers navals désertés : des grilles brisées et des bâtiments effondrés. Le bout de la ville. Ici commence le domaine des gens infimes. Oscar réduit quelque peu son allure. Sa jambe lui fait mal et le fait boiter. A mesure que l'air se calme et s'assombrit autour de lui, sa respiration se fait plus profonde et plus lente.

Ici, ils ne le chercheront pas. Ici c'est sans risque. Il marche sur une voie de chemin de fer abandonnée le long du quai. L'eau miroite. Il a cessé de pleuvoir. A sa gauche s'étire une rangée de docks en bois avec des toits en surplomb sous lesquels ici et là apparaissent des boursouflures : des sans-abri qui dorment. Personne ne lui crie après, il ne peut que suivre son chemin. Au loin, il voit la lueur d'un feu. C'est là qu'il va. Se sécher. S'asseoir. En lieu sûr.

Le bâtiment de pierre comprend trois étages. C'est un dépôt avec des portes à la place des fenêtres. Devant chaque porte se trouve une large plate-forme de chargement et chaque plate-forme est un logement de sans-abri, aménagé avec des boîtes de carton aplaties et des sacs en plastique servant d'armoire à provisions. Le long de la façade a été fixée une échelle de secours. A l'étage supérieur pourtant, une seule place est habitée. Il y a plus de courants d'air là-haut qu'au sol et la corniche ne procure qu'une protection partielle contre le mauvais temps. Un homme robuste vêtu d'un pull norvégien y a élu domicile. Il ne se soucie pas de la pluie et il aime avoir vue sur l'eau. Personne ne sait pourquoi. Il parle une langue qu'on ne comprend pas bien quoique le sens semble être juste sous la surface. Lorsque le ferry pour la Scandinavie passe à sa hauteur, il se lève pour rugir contre le vent, les poings serrés. Des bouteilles vides d'aquavit sont alignées le long du mur, près de sa couche. Il est là, à demi redressé, la tête soutenue par une main puissante. Il regarde vers le quai, où ses camarades sont assis autour d'un feu avec une caisse de bière. Un homme avec des dents d'acier mord dans les capsules des bouteilles et les recrache, retentissantes, sur les dalles. Une femme enveloppée dans une couverture fait glisser dans le feu des lattes détachées d'une caisse d'oranges et regarde attentivement les lettres imprimées se calciner. Il règne un silence bienfaisant, on peut entendre l'eau lécher le quai, le feu crépiter, le buveur roter. On peut entendre s'approcher des pas traînants, irréguliers. On n'a pas peur. On voit le pantalon dépenaillé autour d'une jambe ensanglantée, le visage halluciné sur un cou tendineux, et on fait de la place. La denture d'acier tend une bouteille de bière. Oscar boit et sent sa soif. Il va s'asseoir à côté de la femme-au-feu et reprend haleine. Liberté. Paix.

La femme commence à déchirer en morceaux une boîte en carton pour nourrir les flammes. Dent d'acier pose sa main sur le bras de la femme et fait un signe de tête en direction d'Oscar :

— Pas faire ça, le professeur peut dormir dessus ! Pas vrai ? Un bon petit matelas pour monsieur, sûr.

Oscar est ému. Ils s'occupent de lui, ils étendent un lit, ils l'acceptent dans leur cercle. Il se sent envahi de chaudes larmes. Il est des leurs.

— T'as une couverture, professeur ? Sûrement non, hein ? Faut que tu prennes un plastique, avec des journaux dessous, ça c'est encore plus chaud. Y en a encore en réserve, non ?

La femme-au-feu opine du chef. Elle dépose le carton à côté d'elle et une brassée de branches humides qu'elle met une à une dans le feu. Ça fume. L'air d'un feu de camp, l'aventure. Du dessus parvient un cri incompréhensible.

— Scando veut boire un p'tit coup, dit dent d'acier. Qui est le garçon ?

Un petit homme maigre, encore un garçon, pense Oscar, qui a fugué de chez lui peut-être, grimpe lestement avec une bouteille ouverte dans la main gauche. Oscar regarde. Le géant en pull norvégien lève lentement la main, en signe de remerciement, de bénédiction, de paix. Il lève la bouteille pour trinquer en l'honneur du nouvel arrivant. Oscar rougit avant de lever à son tour sa demi-bouteille de bière.

Les flammes se sont éteintes. La femme s'est endormie, la tête appuyée sur un bouquet de branches. Maintenant la seule lumière provient d'un lampadaire situé à vingt mètres de là, qui fait miroiter la denture d'acier.

— Hé, le blond, dit l'homme, la bière vient du houblon. On en prend encore une, professeur ? Houp lon la, une bière et puis ça va, et j'en sais quelque chose. Ici, attrape, pour toi.

Oscar se redresse à demi pour prendre la bouteille au-dessus de la femme endormie. Les clés cliquettent dans sa poche. Bon Dieu. Les clés. Je dois les jeter. Oublié. Idiot. Il faut le faire tout de suite. Dommage, j'étais bien.

On s'abrutit, on se raidit et ça c'est bien. Tout à l'heure je ferai un lit le long du mur, avec le carton. Mais d'abord les clés, pour qu'ils ne puissent rien me faire. Ensuite j'irai me coucher et je sombrerai dans un sommeil profond. Mes jambes sont déjà de plomb. Je ne les sens plus.

Chancelant, Oscar se dirige vers l'eau, il entend les vaguelettes fouetter le mur du quai. L'eau sent le pétrole, les voyages et les lointains. Des bruits venus du large résonnent, une musique rédemptrice. Oscar tire de sa poche le lourd trousseau de clés. Un rossignol reste accroché dans la couture. Oscar tire brusquement, avec force, maintenant il est temps, il ne supporte plus la résistance des objets. La clé cède, Oscar perd l'équilibre et se balance au-dessus de l'eau. Puis doucement il bascule et pique du nez, serrant le trousseau de clés dans sa main.

Dans l'eau, il sent aussitôt le froid. Sa veste entrave les mouvements des bras. Les jambes sont ingouvernables. Elles tirent vers le fond. Des vaguelettes lui fouettent le visage sitôt qu'il happe l'air. L'eau, l'eau. Tout habillé à la piscine municipale. Le froid qui grimpait dans le pantalon, l'eau qui tirait aux chaussures. J'étais tellement effrayé que j'en oubliais de bouger et que je m'enfonçais dans l'eau chlorée. Les lisières entre les carrelages étaient des lignes ondulantes que je regardais ébahi. Le crochet ! Du fer dans la nuque, un anneau d'acier qui me tirait vers la surface où se trouvait Ada, l'institutrice, sur le bord élevé de la piscine. Les jambes comme des piliers, au-dessus desquelles un corps gigantesque, enveloppé de blanc, commençait, se prolongeant par un visage qui était relié à un seul mot : pouvoir.

— Toi, là. Qu'ai-je dit ? Replier, écarter, fermer. Les doigts au-dessus de l'eau. Il faut écouter.

La honte. Ils l'entendent. Alma avec Johan sur la tribune. L'institutrice peut te tuer du regard, tu dois éviter ses yeux ou tu es paralysé. Fâchée, elle frappe l'eau de son crochet, plaf, plaf, plaf.

Le couteau. J'ai assassiné le gâteau. Qui était de papa. Je lui ai démoli la façade avec mon épée. Jusqu'à ce qu'il n'en reste plus rien. Nous n'avons pas de papa, disais-je aux garçons. Nous n'avons pas besoin d'un père ; ma mère, elle a moi !

Crâner sur leur père, ils ne s'en privaient pas : comme ils étaient forts, et tout ce qu'ils ne savaient pas faire ! Conduire une moto, acheter autant de frites qu'on pouvait en avaler, attraper les voleurs. Stupide, je ne voulais pas en entendre parler. J'ai toujours veillé sur Alma, veillé à ce qu'elle soit contente. La plupart du temps, elle était fâchée, alors elle faisait sa bouche en forme de tiret et je savais que quelque chose n'allait pas. Mais quoi ? Je ne pouvais pas me débarrasser de cette bouche. Johan la faisait rire. Moi, je lui ai donné un coup de pied à la figure. Si ce n'était de gré, ce serait de force.

Mes oreilles sifflent de plus en plus fort. Le bruit. Le premier et le dernier. Le plus doux. Ils font de la musique pour moi, je dois écouter, une mélodie qui monte et qui descend comme le miroir de la mer, un chœur chante, *Sanctus, sanctus* – en français ? Un air moderne mais d'un romantisme obscur – Duruflé ? Laisse, écoute.

C'est la musique de la mer, nous sommes sur la plage, au bord de l'eau où le sable est dur, avec de gros grains, bruns, noirs, blancs. Voilà Johan, il a tout juste appris à marcher sur ses grosses jambes courtes. Il court. J'ouvre grands les bras et je m'accroupis. Il lève en l'air ses bras potelés de bébé, des trésors dans les mains : un coquillage, un poing plein de sable. Ses yeux brillent, l'écume gicle sur nos pieds. Il crie de plaisir tandis qu'il galope vers moi : Osser, viens voir, regarde, regarde, Osser !

Tout sourire, Oscar glisse vers le fond.

*

Johan et Ellen sont couchés presque de tout leur long face à face dans les chaises du musée. Les deux femmes aux poissons, la femme nue et la femme en noir, regardent la salle fixement. Dans la faible lumière, le sol ressemble à une plage à marée basse, les éclats de verre étincellent comme des coquillages de nacre et dans les mares peu profondes, des objets ont échoué : une écharpe, une assiette sale, une canne.

— Je n'ai pas remué le petit doigt pour elle, dit Ellen. Toi non plus. Elle était là et je pensais : non.

Une cigarette sortie à l'instant du paquet posé sur la chaise, à côté d'elle. Pas envie de chercher un cendrier, laisser tomber la cendre par terre. Regarder monter les volutes de fumée la tête renversée en arrière sur les confortables coussins. Tendre le paquet à Johan, qui fait non de la tête.

— Ça fait déjà des jours que je me fourvoie avec elle et que je réponds à ses coups de téléphone, que je l'aide à s'habiller et à se coiffer. Etrange qu'on sache tout à coup qu'en voilà assez. Nos garçons sont une merveille d'humanité. Quand elle rentrera, elle ne s'habituera plus. Elle va nous casser les pieds avec ses exigences et ses règles. Elle va nous accaparer, nous causer du souci.

Avec ou sans hanche. Qu'a-t-elle fantasmé, Johan ? Que Charles allait de nouveau la presser sur son cœur ?

— Ha ! Qu'elle allait lui planter sa canne entre les jambes, tu veux dire ! Encore plus de gens à harceler et à monter les uns contre les autres. Sais-tu que jamais, jamais tu entends, je n'ai perdu contre Oscar, depuis l'âge de quatre ans ? A partir de ce moment-là j'ai toujours été le plus fort, j'osais plus, j'étais passionné, exalté. Toujours gagnant. Jusqu'à maintenant. Le couillon. Oser me faire saigner du nez avec sa main d'infirme. Et se tirer ensuite, le foireux.

— Il ne voyait rien, il n'avait plus ses lunettes. Il était dans un désarroi affreux. Tu tenais à lui quand tu étais petit ?

— Tenir à lui ? Cette larve ? Ce lèche-cul ? Ce sournois ? Je le hais, nom de nom. Qu'est-ce que ça signifie, ce trimballage de toile ? Pourquoi fait-il ça, derrière mon dos ? Il essaie de me bousiller et ensuite je devrais tenir à lui ? Ecrire des saletés sur moi et foutre en l'air mon vernissage – ça alors, je ne peux pas l'encaisser.

Zina est partie juste à temps avec ce journaliste. Autrement, j'aurais eu du scandale. Je me serais cassé la gueule et lui, Oscar, il aurait obtenu ce qu'il voulait. Je l'ai vue l'embobiner. Il était rond, il l'a suivie aveuglément, le vicelard. Trop bête et trop bourré pour remarquer quoi que ce soit. Heureusement.

Johan se frotte les yeux et s'enfonce encore plus profond dans sa chaise.

— Cette robe est très belle, tu sais ?

Elle fait oui de la tête. Du sang coagulé. Du vin épais. Très bien. Une robe exténuée, une robe de champ de bataille. Assortie à son nez.

— Toujours à faire des messes basses avec Alma. Il faisait ce qu'elle disait, il était tout le temps là. Quand on la regardait, elle, c'est lui qu'on voyait. Tout le temps à lui lécher les bottes, toujours timoré. En fait, c'est la première fois qu'il agit par lui-même : un acte à mettre tout le monde en rage, un délit ! Un acte indépendant, non vicié par l'opinion des autres ou par sa propre anxiété. Et c'est aussi la première fois qu'ils ont porté leurs regards sur lui. D'habitude, tout le monde n'avait d'yeux que pour moi. Et ensuite, il met les bouts, le dégonflé. Qu'est-ce qu'il voudrait ? Je m'en fiche, après tout. Dieu que je suis furieux ! Furieux, furieux, furieux !

— Ils sont tous fous dans ta famille. Impossible de vivre avec eux. Des fous dangereux. Sans exception. Une cage pleine de fauves. Quand je suis assise à côté d'Oscar à l'Opéra, je ressens la tension qui est en lui. Il bondit de sa chaise, tout effrayé, quand je lui demande s'il veut une pastille à la menthe.

— Ellen ?

— Oui ?

— Tu penses encore souvent à Saar ?

Ellen soupire. Une phrase pour laquelle il n'existe pas de réponse. Oui, toujours. Non, jamais. Sans avoir besoin de penser à elle, je l'ai toujours près de moi. Le manque est une chemise que je ne peux jamais retirer, je ne peux pas cesser d'être la mère d'une enfant morte. Je suis atteinte au plus profond de moi. Une condition. Un état. C'est comme je suis. Moi, c'est ce que je suis avec son absence.

Johan a continué de parler sur un ton autoaccusateur, rare chez lui.

— Tu ne pouvais pas beaucoup compter sur moi, à l'époque, je le sais bien. Je n'y pouvais rien, je voulais tourner la page. Je voulais sauver mon œuvre. Tu m'enlisais dans ton chagrin.

Le remords deviendrait-il accusation ? Ellen écoute, fatiguée, ne sachant si elle veut entrer dans ce sujet.

— Je t'ai laissée tomber à l'époque et c'est pour cela que tu m'as quittée.

Ellen s'est levée. D'où lui vient ce soudain afflux d'énergie ? Elle fait des allées et venues entre les chaises. Le verre craque sous ses semelles et sa robe rouge est une tache qui assombrit les toiles de Johan.

— Reviens auprès de moi, Ellen.

Que se passe-t-il ? De quoi parle-t-il ?

— Tu as une vie de misère – une cage à lapins en ville, un boulot de con qui t'esquinte. C'était une erreur. Je comprends bien que tu sois partie à l'époque, mais il n'y a pas de honte à revoir ta décision. Tu n'étais pas toi-même, il s'était passé trop de choses. Pourquoi ne pas recommencer à zéro ? Que veux-tu prouver par cette indépendance ?

Résister au temps, le repousser de toutes ses forces. Il arrive qu'après un événement, on pense : Impossible de le nier encore, désormais tout est différent. Une offense, un abandon, une blessure. Le jour suivant on se réveille, trop tôt, étonné on regarde son réveil, on n'en comprend pas les aiguilles.

Ellen soupire. Pourquoi parlons-nous de notre mariage en ruine et non de ce dont il s'agit vraiment ? Pourquoi ne comprend-il pas le chant de ces femmes, là-bas, sur le mur qu'il ne regarde pas ?

Après sa conversation téléphonique dans la loge du portier, Lisa est allée aux toilettes. Elle parcourt le couloir vaguement éclairé, d'un pas fringant de patineuse. A chaque léger virage, elle sent ses hanches et conduit ses pieds avec une extrême précision. Si ce n'était pas aussi triste, elle fredonnerait une mélodie, un air de valse. La veste jaune pâle rebondit sur ses fesses. Plus elle pense à la danse et au patinage, plus l'image d'une femme cassée, d'un mouvement douloureusement blessé, s'estompe.

Elle allume la lumière dans la pièce carrelée et se tient debout, frétillant encore des hanches, devant le miroir. Laisser courir l'eau sur les mains et les poignets. Sentir monter le besoin d'uriner. Plus tard, ramener son visage tout près du miroir. Conversation en tête-à-tête avec soi. Sur le triomphe, la jalousie, l'impuissance. Et sur la curiosité. Sur la fidélité, même.

Que veux-tu maintenant, Hannaston ? Rentrer chez toi ? Ne plus t'en mêler ? Demain la sonnerie se fera entendre tôt. Le soir je me rendrai à l'aéroport pour aller chercher ma famille. Ensuite, des heures passeront sans dormir. Une longue journée. Tu as besoin d'aller te reposer.

Ou peut-être veux-tu rester dans cet étrange palais ? Je suis un figurant important, dans ce conte. J'ai dû m'age-nouiller devant la méchante belle-mère vénéneuse, j'ai tenu compagnie à la princesse et qui sait, j'aurai peut-être à consoler le prince ? Alors, restons.

Lisa s'adresse un bref sourire dans le miroir. Quand on n'est pas un chevalier mais seulement un page, il s'agit de voir les avantages de cette position. Ce qu'elle aurait aimé avoir l'immense énergie et la convic-tion mordante de Johan, ce qu'elle aurait aimé paraître sous les projecteurs comme une héroïne. Mais ce n'est pas le cas, ce n'est jamais le cas. Elle est différente. Qu'elle ne puisse pas tomber du grand cheval du héros quand elle ne s'y est jamais assise est encore la moindre des consolations ; lorgner et spéculer lui procurent bien plus de satisfaction.

Parents et enfants. L'enfant doit tuer le père et terrasser la mère. Mais qu'en est-il de l'infanticide ? Que ressent l'enfant qui sert de pâture à ses parents ? Quand le couteau et la fourchette sont posés sur la table ? Quand les parents ont pris place pleins d'espérances ? Alors l'enfant, docile, se couche entre le couteau et la fourchette, lové comme une truite. Alors l'enfant attend en silence que sa chair soit retirée de ses os, fibre après fibre.

Lisa regarde et écoute les vies des autres avec une curiosité insatiable et une muette admiration. Comment les gens font-ils, pour vivre ? Et surtout : comment se protègent-ils, comment se relèvent-ils après le coup de grâce, comment trouvent-ils à s'échapper d'une maison verrouillée ?

Ci-dessus se déroule une histoire dont l'issue est inconnue, une histoire qui crie pour être vue et entendue.

Johan et Ellen ne crient pas quand Lisa arrive en haut de l'escalier. Ils parlent en haussant la voix, ils tiennent des propos dans lesquels les émotions violentes affleurent et surgissent même au-dessus de la langue parlée, audibles dès la première salle assombrie, si bien que Lisa redoute de la traverser. Elle ne veut pas aller trop loin de peur d'entendre ce que se disent ses amis. Elle ne veut pas interrompre leur conversation. Elle ne veut pas partir. Que faire maintenant ? *S'asconde sotto la tavola*, a écrit Da Ponte. Lisa obéit à une loi théâtrale séculaire quand elle se précipite en rampant sous le buffet des vins et qu'elle se cache derrière les nappes tombantes. Sous cette tente, elle est placée un moment en dehors du temps et de l'espace et elle peut réfléchir tranquillement à son action éventuelle. La conversation lui parvient comme un murmure incompréhensible ; elle s'apercevra sûrement du départ des intervenants, ils doivent de toute façon traverser la première salle pour parvenir jusqu'à l'escalier, et quand ils en seront à ce point, elle pourra suivre l'un ou l'autre. Ou les deux. Ou ne pas le faire.

Johan aussi s'est levé et avec Ellen, ils regardent les toiles.

— C'est exactement la même, bon Dieu, tu vois ça ? La même attitude, la même expression du visage, la même place et la même fonction du poisson ! Le même format ! Pas croyable, inimaginable.

Il s'accroupit pour étudier la signature sur l'œuvre de son père. Abasourdie, Ellen le voit agir avec décontraction. Pourquoi n'est-il pas furieux, désespéré ou totalement effondré ?

— On recommence ! Alors il faudra que tu laisses tomber cette espèce de prodige du chant trop goulu. Ce n'est pas du tout ce qu'il te faut, une relation d'opérette comme celle-là. Je romps avec Zina. Je ne veux plus coucher qu'avec toi.

Johan vient vers elle, passe son bras autour d'elle. Sans un mot, elle se blottit contre son corps, elle lui passe le bras autour de la taille et elle accorde son pas à son rythme. Ils flânent ensemble le long des murs. Les enfants sont partis de la maison. Nous n'avons plus que nous.

— Qu'est-ce que ça signifie pour toi ?

— Toile, peinture, saumon. Maquereau.

— Non, sérieusement. Il ne se peut pas…

Sa langue arrête la sienne. Son corps chaud l'encercle et la capture. Les mains sur ses fesses, dans son cou, sur la place secrète à la base du crâne. Elle ne peut résister à l'assaut. Les yeux fermés. Suivre le mouvement. Les mains sous sa veste, sous sa chemise. La peau. L'endroit velu au-dessus des fesses. O Jésus, ce chant est dans les os.

Sa langue dans son oreille. Sa voix chaude et sifflante :

— Chut, chut. Je veux juste faire l'amour avec toi. On n'en a rien à faire. Ne proteste pas. Ce n'est qu'un tableau. Ce n'est rien.

Mais si, si, c'est tout, justement. C'est un tableau qui infirme tout, qui fait de toi un petit garçon, qui te supprime d'un trait.

Commisération. J'éprouve de la compassion pour toi.

Tout feu est aussitôt éteint. Les deux danseurs entendent chacun leur propre musique et cela se voit très vite à leurs mouvements. Le séducteur n'enserre plus sa proie mais une consolatrice.

— Tu dois l'avoir vue petit garçon.

— Cesse de bavarder comme ça. Nous pouvons aller à Sienne, à Florence, tous les deux, si tu démissionnes de ce stupide boulot. Dès la semaine prochaine !

Ellen lui passe les bras autour de la tête, protectrice. Au-dessus des cheveux noirs, elle voit les tableaux. Elle a les yeux humides et une voix émue.

— Johan !

La tête enfouie contre sa poitrine ne se laisse pas consoler. Johan a défait les boutons de la robe rouge et baissé le soutien-gorge. Il mord dans les tétons, il aspire de sa langue une empreinte possessive autour de chaque sein, souffle sur la peau nue près de l'aisselle, envahit le corps de sa femme perdue.

Mais elle ne brûle pas. Avec son nez abîmé, il n'enregistre aucune excitation au niveau des poils axillaires, ses lèvres ne signalent aucune augmentation de la température de la peau palpée et les tétons restent mous dans sa bouche.

Il se détache, se redresse, la saisit par les épaules, la secoue en tous sens.

Ellen reboutonne sa robe, tourne les talons et se dirige vers l'escalier. Fini. Soulagée ? Pas encore. Tout à l'heure, peut-être. Aller voir Alma à l'hôpital. Appeler Oscar. Habiter seule chez soi. Lisa, parler avec Lisa. Marcher. S'éloigner de Johan. Parce que ça se passe comme ça.

Lisa, sous la table, voit les pieds d'Ellen passer le long du buffet des vins. Maintenant. Décision. Entrer dans la salle pour ranimer le héros qui a été frappé ? Ou suivre l'amie pour partir ensemble, bras dessus, bras dessous, et laisser derrière soi ce drame énervant ?

En tout cas repousser la nappe sur le côté et se mettre en mouvement.

*

Enfin seul. Les femmes réprobatrices, exigeantes, poussées dehors une à une. Comment vais-je ? Dans ma tête bourdonne une migraine naissante, j'ai les jambes lourdes d'avoir bu et d'être resté debout. Il y a une tension agaçante dans mes testicules. La main entre les jambes, remettre en place le membre encore légèrement enflé dans le slip de soie. Me retirer, bâiller, monter sur la pointe des pieds ; faire demi-tour.

Oui, un maquereau et deux saumons. L'identité de forme est belle. J'ai conçu et fait la même chose que lui. Est-ce grave ?

Non, je ne le ressens pas ainsi. Etrangement, j'en suis fier, je l'ai bien fait. Tout comme lui. J'ai un père !

Indéniablement, j'ai maintenant un père. Il m'a montré le modèle et je l'ai copié le mieux possible. Le résultat est splendide. Il sera content quand il le verra.

C'est très beau, ce que tu as fait, mon garçon, c'est exactement identique.

Maintenant au lit, il fait déjà nuit. Tu sais mettre ton pyjama seul ? Enlève tes chaussures ici, je vais t'aider à défaire tes lacets. Quand vous serez couchés, je viendrai vous souhaiter bonne nuit.

Sa main dans mes cheveux. Un baiser. Alma fait tinter les casseroles dans la cuisine. Oscar monte derrière moi dans l'escalier. Va-t-il m'attraper les jambes ? Non. Il marche lentement, le regard maussade.

— Tu es fâché, Osser ?

Le grand frère hoche la tête, il n'est pas fâché mais inquiet. Il aide même Johan à chercher sa combinaison de nuit et à retirer son chandail. Heureusement, parce que parfois c'est difficile et la tête est prise dans le tricot ; on tire brusquement mais les bras sont coincés en l'air dans les manches retournées, on ne peut plus remuer du tout et si on crie, on a de la laine dans la bouche. Oscar étend les bras hors des manches et fait doucement glisser le chandail sur mon visage. Papa est maintenant dans la cuisine, lui aussi. Quand je serai grand, je voudrai un vrai pyjama, un comme en ont Oscar et papa. Un ensemble en tissu, avec des boutons. Est-ce que papa aide à la vaisselle ? Ils parlent, on les entend.

— A toi de choisir : ou tu cesses de voir cette morue, ou je pars.

— Ce n'est pas une morue, comme tu dis, c'est une artiste de talent. Elle chante comme un ange.

— Je m'en contrefiche. Je ne veux rien savoir, c'est tout. Moi je suis là à faire bouillir tes chiffons pleins de térébenthine et à faire ton ménage, pendant que toi tu fais du plat à cette traînée.

— C'est ta propre faute. Tu me repousses, tu me cherches des crosses, tu ne me laisses pas libre. Je ne peux plus supporter, Alma, je ne veux plus.

Une assiette tombe par terre en tintant.

— Il ne veut plus !! Il ne peut plus supporter et il va pleurer tout son soûl dans le giron de cet hippopotame d'opéra !

— Oui, oui, oui ! Parce que tu passes ton temps à me harceler. Rien n'est jamais bien, tu fais toujours des histoires, tu crées une tension autour de toi et quand je joue du violon tu bondis dans l'escalier. Tu es une personne insatisfaite, toi. Il suffit que je veuille t'emmener au restaurant pour que tu aies la nausée, que je veuille aller au lit pour que tu aies la migraine. Tu es une femme de pierre, contre toi on se brise.

Ping ! Un plat s'écrase sur le sol. Les éclats de voix se déplacent dans le couloir d'où ils sont bien plus audibles. Il semblerait qu'Alma et Charles soient en train de se battre, on entend un remuement acharné, quelqu'un qu'on traîne. Ils halètent.

— Lâche-moi ! Je pars !

— Non, nous devons en parler ! Dans la chambre !

— Rends-moi mon manteau, je veux partir ! Maintenant !

— Mais, Alma, les enfants ! Tu ne peux tout de même pas partir comme ça ?

— Ah non ? Là-bas, toi aussi tu n'en fais qu'à ta tête, pas vrai ? Le joli père, qui couche la moitié de son temps dans le lit d'une putain. Je ne veux plus discuter. Assez.

La porte claque. Un peu plus tard résonne le cliquetis étouffé de débris de verre. Charles balaie le sol. Puis on entend un glouglou : il se sert un verre.

A l'étage, les garçons se sont changés pour la nuit. Sans se laver les dents, ils se sont glissés dans leur lit silencieusement. Johan a encore ses chaussettes aux pieds. Il n'ose pas demander à Oscar ce qui se passe, si Alma va revenir, pourquoi papa ne monte pas. Les garçons sont allongés dans leur lit sur le dos, raides, les yeux grands ouverts.

C'est quoi, une morue ? se demande Johan. Et papa connaît-il un hippopotame ? Serait-il parti avec le cirque ? Est-ce que maman est fâchée pour ça ? Est-ce qu'il y a beaucoup d'assiettes cassées ? Et où est partie maman ? Est-ce qu'elle a son manteau ?

Quand une voiture passe dans la rue, des taches de lumière traversent le rideau et glissent dans toute la pièce comme un train électrique. Oscar a lui aussi les yeux ouverts. Ils attendent. La maison reste longtemps silencieuse. Puis ils entendent un tintement suivi d'un râlement violent. Charles téléphone à quelqu'un.

— Leo ? Ça y est. Tu me ferais un grand plaisir si tu venais m'aider. Oui. Derrière le vélo, l'un au guidon et l'autre le tient. Ça va. Il n'y a pas de vent, ce soir. Oui. Celui-là je te le laisse aussi. A tout à l'heure, alors.

Des pas lents dans l'escalier. La porte s'ouvre en grinçant et Charles entre. La lumière du couloir rayonne et fait de lui une grande statue sombre entourée d'un halo doré.

— Venez, les garçons, venez dans ma chambre. Je veux vous montrer quelque chose.

Oscar, dans son pyjama à rayures, marche hardiment, pieds nus, sur le linoléum. Johan arrive derrière lui, en combinaison. Dans la chambre de Charles, la lampe de chevet est allumée, la lumière est jaune, il porte le chandail noir à rayures jaunes, le chandail de peintre avec par-dessus l'agréable veste qui sent le tabac et le père.

Charles allume la grande lumière quand les enfants sont à l'intérieur. Oscar reste debout près de la porte, il s'appuie contre le chambranle et muet, la mine inquiète, il a le regard rivé sur son père.

— Ça, vous devrez bien le retenir. Je veux que vous regardiez bien et que vous ne l'oubliiez jamais plus. Que vous le sachiez encore quand je, quand je ne serai plus là.

Les joues d'Oscar deviennent livides. Il n'ose rien demander. ("Tu t'en vas, papa ? Quand est-ce que tu reviendras ? Tu reviendras ? Avec qui ? Où est-ce que vous partez ?") Johan regarde son frère, s'il se passait réellement quelque chose, Oscar ouvrirait la bouche. Ce sont des choses qui arrivent, d'avoir le droit de sortir de son lit à une heure bizarre. Tant de fois, ne trouvant pas le sommeil dans leur chambre de garçons, ils avaient parlé de rester levés – toute la nuit, pour assister à ce que les grandes personnes faisaient le soir. Ils n'iraient se coucher que quand il ferait nuit, quand le silence se serait fait dehors et que tous les autres seraient déjà couchés depuis longtemps. Maintenant ça y est, Charles ne parle pas de dormir ni de l'heure du coucher pour les enfants. Ils peuvent voir ses choses de grande personne. Alors pourquoi n'est-ce pas agréable ? Ce devrait être passionnant, c'est pourtant la nuit, et ils ne dorment pas ?

Johan glisse sa menotte dans la main de Charles et se laisse emmener. Sur chacun des quatre murs de son atelier, Charles a placé un tableau. Sur la cloison de droite se tient M. Bramelaar. Il dégauchit le cou d'un violon en bois blanc. Avec une précision infinie, Charles a peint les copeaux de bois qui jonchent la table. Le luthier regarde son travail avec bonhomie. Les grandes mains choient l'instrument.

— C'est mon meilleur ami, dit Charles. Si je ne l'avais pas. J'ai voulu faire son portrait pendant qu'il était au travail. Il a du respect pour la matière. Et il persévère, il continue jusqu'à la perfection. Cela, vous devrez l'apprendre aussi : tout concevoir d'avance, savoir ce qu'on veut obtenir, et ensuite persévérer jusqu'au résultat, précisément.

Oscar a jeté un rapide coup d'œil sur la toile, il le comprend bien parce qu'il adore Bramelaar et le son merveilleux qui émane de ses violons. Le meilleur ami de papa, cela va de soi. Quand Charles commence à annoncer la nouvelle, l'inquiétude se déchaîne de nouveau et il ne peut plus quitter des yeux ce père, se demandant combien de temps encore il sera père, si Alma reviendra, si les enfants abandonnés par leurs parents ont encore le droit d'aller à l'école, s'il pourra bien s'occuper de Johan à lui tout seul. Oscar éprouve l'envie de pleurer amèrement, mais il n'ose pas le faire.

Juste en face d'Oscar, une très grande toile est appuyée contre le mur. C'est Alma tenant un poisson dans ses bras.

— Il est mort ? demande Johan.

— C'est un poisson fumé. Il est mort depuis longtemps. J'espère que vous serez sages avec votre mère.

Oscar est pétrifié de peur. Ainsi c'est donc bien vrai, il part ! Quand Alma reviendra (mais quand ?), je ferai tout ce qu'elle demandera, tout, pour qu'elle n'ait jamais besoin de se fâcher. Aller chercher le charbon dans la réserve, ça je sais le faire. Et emmener Johan à l'école, faire attention à lui pour traverser la route. Essuyer la vaisselle, je sais déjà le faire aussi. Si elle revient. Johan ne comprend pas encore, il est encore trop petit. Peut-être que tout cela n'est pas vrai. Mais pourquoi papa est-il aussi étrange ? Il parle comme si nous étions des grandes personnes. Je voudrais être en train de rêver et me réveiller tout à l'heure normalement. Johan a le souffle coupé devant l'œuvre. Enfin, il soupire et lève la main pour palper le dos du maquereau, et les magnifiques plis de la jupe d'Alma. Il s'imprègne des couleurs avec de grands yeux, il suit les lignes des figures et imite inconsciemment l'attitude d'Alma avec ses bras potelés de bambin.

Ils se dirigent vers la cloison de gauche où est accrochée une large toile représentant un énorme steamer noir. Des hublots jaunes, des gens se faisant des adieux sur le quai.

— Tu vas aller sur le bateau, papa ?

Charles a de nouveau pris la menotte de Johan.

— Tu devras continuer à dessiner comme tu le fais, mon garçon. Chaque jour. Et toujours un peu mieux. D'abord réfléchir à ce que tu veux faire, et comment, et ensuite dessiner. Tu en es capable, j'en suis certain.

A présent ils s'approchent d'Oscar. A côté de lui se trouve le quatrième tableau, un pommier au tronc gris, effilé. C'est un arbre très très vieux, bien plus vieux que papa ou tante Janna, peut-être bien aussi vieux que saint Nicolas, d'un âge incalculable. On est sûrement au début de l'automne, sur la toile, car l'herbe est jonchée de feuilles jaunes.

L'arbre hisse ses branches en hauteur, mais celles-ci sont tellement lourdes que c'est presque impossible. Sur chaque branche sont accrochées une bonne centaine de pommes, de petites pommes jaunes qui rayonnent comme des étoiles, des pommes joyeuses, insouciantes, accrochées à un arbre mélancolique qui n'en peut presque plus.

— C'est comme ça, dit Charles. Je ne peux pas en dire plus. On doit vivre ainsi. C'est comme ça.

Il pose une main sur l'épaule du petit Johan, et l'autre sur la nuque d'Oscar.

— Maintenant, on va au lit. Vous allez dormir. Ne plus vous lever. C'est la nuit, maintenant.

Tombant soudain de sommeil, Johan marche en tête dans le couloir. Il est ivre de peinture, le maquereau doré danse devant ses yeux.

Oscar dévisage son père. Les questions bouillonnent en lui comme de la lave dans un volcan : pourquoi, comment continuer maintenant, que se passe-t-il donc, explique-le-nous, raconte, dis quelque chose, papa, papa ! Charles presse un instant contre lui le garçon aux jambes déjà grêles et à la motricité maladroite. Oscar sent les effluves du pull jaune et noir, l'odeur réconfortante de la veste. Les larmes affleurent sous ses yeux mais il est grand, il ne pleure pas.

— Bien t'occuper d'elle, hein ? Toi, tu peux le faire.

Mais où est-elle donc ? Va-t-elle revenir ? Où vais-je la trouver ?

— Le numéro de téléphone de tante Janna est noté sur un billet à côté du téléphone. Tu sais téléphoner, n'est-ce pas ?

Oscar fait oui de la tête. Il sait comment on doit faire, on attend la tonalité et ensuite on compose le numéro avec un zéro devant. Si c'est juste, on entend une autre tonalité et on peut composer le numéro suivant. Pour lire les chiffres, il est le meilleur. Ensuite on entend le téléphone sonner à l'autre bout du fil. On peut aussi dire "allô", c'est le mot qu'on utilise quand on téléphone. Si on ne peut pas parler, comme maintenant, si on a la gorge complètement nouée, comment faire, alors ? Charles a bordé Johan et lui a donné un baiser.

— Au revoir, mon gentil garçon à moi. Tu t'appliqueras à dessiner de beaux maquereaux. Il te faut de la peinture dorée, alors ça marchera.

Maintenant, c'est le tour d'Oscar. Il est tellement tendu qu'il ne peut pas s'allonger confortablement. Il est aussi froid que les draps. Avec de grands yeux effrayés, il voit Charles soulever la couverture, le regarder un moment, et faire une moue étrange avant de se diriger vers la porte. Le père sort dans le couloir et referme la porte.

La porte de la chambre de papa s'ouvre et se referme sans cesse. Il déplace des objets dans le couloir, dans l'escalier. Il transporte quelque chose lentement jusqu'en bas puis remonte l'escalier en courant. On se dit : Il va entrer dans la chambre et dire que tout cela était une farce, que tout rentre dans l'ordre, que maman est de retour et que personne ne partira, jamais. Mais il ouvre l'autre porte et recommence à trimballer quelque chose de grand. Il marmonne des jurons et on entend quelque chose heurter le mur.

— Nom de nom, ça ne marche pas, comme ça. Il faut le tourner. Quel sinistre format ! Il me faut une corde. Et les couvertures.

On dirait que des lattes de bois sont glissées dans l'escalier, djonk, djonk : trop lourdes à porter.

Puis la sonnette retentit. Oscar se redresse dans son lit. Il chuchote :

— Tu es réveillé ?

Oui, Johan a été réveillé par la sonnette.

— C'est maman ?

Non, pense Oscar. Maman ne sonne pas, elle peut rentrer toute seule avec sa clé.

— On va voir. Par la fenêtre.

La fenêtre, entre leurs deux lits, est entrebâillée. Oscar ouvre les deux battants avec précaution. Sur le dernier trou de l'entrebâilleur. Les deux garçons se postent de chaque côté du montant central. Ils se penchent par-dessus le rebord, le rideau derrière la tête, comme un voile.

On ne voit rien dans la rue. C'est une nuit sans vent, les lampadaires brûlent comme des bougies et les ombres des arbres sont immobiles. La porte s'ouvre. Ils voient les boucles de M. Bramelaar. Sa tête est posée comme une pastille noire sur son corps rond. Papa sort à son tour. Ils portent ensemble quelque chose de grand, une table sans pieds ou un tableau gigantesque. Ce sont les tableaux. Papa les a liés ensemble avec une corde et emballés dans la couverture grise qui est toujours dans sa chambre.

C'est lourd, M. Bramelaar soupire et soutient. Quand il peut lâcher un instant le paquet, il se frotte les mains.

Papa prend sa bicyclette. Ils posent très précautionneusement le grand paquet sur le porte-bagages. Sur la roue arrière sont fixés les repose-pieds destinés aux jeunes enfants qui ont le droit de s'asseoir derrière. Papa a le violon alto sur le dos. Il l'emporte aussi. M. Bramelaar saisit papa par l'épaule et lui dit quelque chose qu'il ne comprend pas. Papa hoche la tête et empoigne le guidon. Il se met à cheminer à côté du vélo. M. Bramelaar, à l'autre bout, tient le grand paquet qui contient les toiles. On les voit progresser lentement vers le coin de la rue où se trouve le lampadaire. Ils tournent à l'angle avec précaution puis on voit une dernière fois le visage de papa dans la lumière de la lampe, jusqu'à ce que les deux hommes disparaissent derrière les maisons.

Dans la maison, c'est le silence. Oscar entrouvre à nouveau la fenêtre. Ils retournent se coucher dans leur lit, c'est normal puisque c'est la nuit. Peut-être est-ce aussi calme parce que les grandes personnes sont déjà endormies. Peut-être Alma appellerait-elle en haut si Johan sortait dans le couloir pour faire pipi. Peut-être pourrait-on descendre pour prendre une tartine, et alors ils diraient non, non pas question, demain tu pourras manger. Peut-être.

Quand c'est aussi calme, on ne s'aperçoit pas que tout le monde est parti.

— Osser ?

— Oui ?

— Je peux aller dans ton lit ?

Oscar souffle. Heureusement qu'il ne demande rien, qu'il ne pose pas de questions compliquées pour lesquelles il faudrait inventer une réponse parce qu'on ne sait pas ; des questions qui font pleurer si bien qu'on ne peut plus réfléchir à rien.

— Prends ton oreiller, viens.

Oscar repousse les couvertures et se couche contre le mur. Ainsi il y a de la place pour son petit frère qui attend à côté du lit avec son oreiller et son ours.

Les jambes de Johan arrivent aux genoux d'Oscar. Johan est encore petit, mais il peut déjà consoler un peu.

— On est ensemble, hein, Os ?

— Oui, Johan, on est ensemble.

Johan prend la main de son frère et se glisse contre lui. Oscar est froid, il a besoin qu'on le réchauffe.

— On dort maintenant, hein Os ?

— Oui. Et demain on ira en bas. Et on téléphonera. A tante Janna. Je sais lire le numéro. On fera ça.

— Moi, je t'aiderai.

— Oui, d'accord.

Quand Johan ferme les yeux, il revoit le tableau, tant il était beau. Alma regarde un peu sévèrement, mais elle est comme ça. Le poisson brille comme un poisson magique, comme s'il donnait de la lumière de l'intérieur de son corps. Le poisson est heureux dans les bras d'Alma. Le père est parti, il a tourné au coin de la rue et puis il a disparu. Pour de bon.

Johan tremble. Je devrais partir, qu'est-ce que je fais encore ici ? Debout, mets ta veste, rentre à la maison.

Il reste assis dans le large fauteuil, juste en face des deux tableaux. Rester assis, attendre. Attendre ? Ce qui va se passer. Oui. Attendre. Je laisse mes pieds posés côte à côte sur le sol. Eux, ils sont au mieux, là. Les mains sur les accoudoirs. Je n'ai besoin de rien prendre. Je ne bouge plus. J'attends. L'hôte ne peut pas s'en aller tant que tous les invités ne sont pas venus.

Au rez-de-chaussée du musée, une porte claque. Est-ce Ellen qui part ? A-t-elle pleuré dans les W.-C., est-elle restée là pour se laver le visage et réfléchir à ce qu'elle allait faire ? Ou Lisa a-t-elle finalement décidé de partir ?

Johan est assis les yeux clos, comme une statue. Une bouffée d'air humide monte de l'escalier. Quelqu'un est-il entré, des pas résonnent-ils dans l'escalier ? Qui sait, peut-être un homme va-t-il entrer dans la salle, il a vieilli, naturellement, mais sous sa veste ouverte on peut voir le chandail jaune et noir du peintre. Il halète légèrement d'avoir grimpé l'escalier et toussote poliment pour annoncer son arrivée.

— Eh bien, mon garçon. Tu l'as réalisé. Très très beau. Ton chef-d'œuvre.

Les femmes glissent l'une sur l'autre jusqu'à ce qu'Alma prenne les traits d'Ellen. Le maquereau doré se pare d'un brillant argent. Au premier plan, on voit très vaguement apparaître l'ombre d'un saumon et la lame d'un couteau de poissonnier à travers les plis de la robe aux tons jaunes. Johan pousse un soupir. Splendide. Maintenant il a moins froid et il sent de nouveau son corps. Il voit que ses mains reposent sur deux bras lourds. Sa chaise s'est rehaussée, une chaleur douillette enveloppe ses fesses et ses hanches. Il hume un air chargé de térébenthine et de tabac. Maintenant, laisser basculer sa tête sur le chandail de laine, les bras solides posés comme une haie autour de soi. Tout est bien.

Boda-Amsterdam, 1993.

TABLE

BABEL

Extrait du catalogue

COÉDITION ACTES SUD – LEMÉAC

Ouvrage réalisé
par l'Atelier graphique Actes Sud.
Achevé d'imprimer
en février 2007
par Bussière
à Saint-Amand-Montrond (Cher)
pour le compte
d'ACTES SUD
Le Méjan
Place Nina-Berberova
13200 Arles.

N° d'éditeur : 4266
Dépôt légal
1re édition : octobre 2001
N° impr. : 070554/1

(Imprimé en France)